De naam van mijn vader

Ileana de la Guardia

De naam van
mijn vader

Vertaald door Nini Wielink

ARENA

Geschreven in samenwerking met Philippe Delaroche

Oorspronkelijke titel: *Le Nom de mon père*
© 2001 by Éditions Denoël
© Nederlandse uitgave: Arena Amsterdam, 2001
© Vertaling uit het Frans: Nini Wielink
Omslagontwerp: Suzan Beijer, Amsterdam
Foto voorzijde omslag: © Aude Monier
Foto achterzijde omslag: © D. Atlan / Point de Vue / R B P
Typografie en zetwerk: CeevanWee, Amsterdam
I S B N 90 6974 424 4
N U G I 301

Maar ook een koning heeft
in de hemel een strenge rechter;
de onschuld heeft er een wreker;
en het weeskind een vader.

Jean Racine, *Athalie*

VOORWOORD

Of ons leven nou een voorspoedig verloop heeft, of dat het wordt verscheurd door een drama, een tragisch aspect geldt voor ons allemaal: we vellen een oordeel over onze ouders, ook al bestaat er vooraf een unieke band tussen hen en onzelf en zal deze altijd blijven bestaan. We kunnen dat doen met kennis van zaken. We kunnen sommige van hun keuzes afkeuren. We kunnen hun naïviteit of hun verblinding in bepaalde situaties betreuren, hoewel we inzien dat ze op dat moment misschien niet de mogelijkheid hadden er de betekenis en de ernst van in te schatten.

We kunnen sommige van hun standpunten veroordelen, maar we veroordelen hen niet als persoon. De waarheid onder ogen zien betekent niet dat we niet genoeg respect of liefde voor hen hebben.

We kunnen ervoor kiezen trouw te zijn aan het beste wat we in beiden, vader en moeder, onderscheiden. Want ondanks de negatieve dingen die we zelf soms over hen zeggen is er altijd iets wat hen tot eer strekt, iets wat niet waarneembaar is voor wie niet tot de familie behoort.

Ik kan mijn vader wel verdiensten of fouten toekennen, ik kan wel of niet blij met iets zijn, maar het is niet aan mij, Ileana, zijn oudste dochter, noch aan mijn halfbroer Antonio, noch aan mijn halfzus Claudia om te loven, vrij te spreken of te veroordelen. Het is aan anderen om zich uit te spreken, met kennisname van zijn daden en in het licht van de omstandigheden. En als bepaalde daden onderzocht dienen te worden, behoort Justitie als onafhankelijke autoriteit de waarheid naar buiten te brengen.

Mijn vader, Antonio de la Guardia, is in de zomer van 1989 op brute wijze voor een speciaal militair tribunaal in Havana gedaagd, tegelijkertijd met generaal-majoor Arnaldo Ochoa, 'held van de Cubaanse Republiek'. Een stuk of tien andere officieren zitten in de beklaagdenbank. De hoofdpunten van beschuldiging zijn: corruptie, drugshandel en het in gevaar brengen van de staatsveiligheid.

De beelden van dit proces, die gedeeltelijk op de televisie zijn uitgezonden, zijn over de hele wereld te zien geweest. Bij het proces – dat 'de affaire-Ochoa' werd genoemd, naar de wegens zijn populariteit op het eiland en zijn reputatie in het buitenland meest befaamde generaal van de Cubaanse Revolutionaire Strijdkrachten – waren een tiental officieren van het ministerie van Binnenlandse Zaken betrokken, zoals mijn vader en zijn tweelingbroer Patricio.

Het proces-Ochoa-De la Guardia, dat tegen de perestrojka inging die kort daarvoor door Gorbatsjov in gang was gezet, en dat werd gevoerd in een periode dat de volksdemocratieën in Oost- en Midden-Europa het juk van het sovjetimperium afwierpen, is in diezelfde tijd weleens 'het laatste surrealistische stalinistische proces' genoemd.

Ik heb sinds 13 juli 1989 geen vader meer. Op die dag zijn Arnaldo Ochoa en zijn adjudant Jorge Martínez, mijn vader Antonio de la Guardia en zijn ondergeschikte Amado Padrón gevallen onder de kogels van een executiepeloton, niet ver van het strand van Baracoa ten westen van Havana.

Mijn vader was net eenenvijftig jaar geworden. Omdat hij precies op de dag voor zijn verjaardag, 12 juni 1989, in de gevangenis was gegooid, had hij die niet te midden van zijn familie en vrienden kunnen vieren. Ik was zelf vierentwintig en begon hem net beter te leren kennen. Doordat hij de afgelopen twintig jaar veel in het buitenland had verbleven en hij verplicht was geheimhouding te bewaren met betrekking tot zijn opdrachten, hadden we lange tijd niet echt vertrouwelijk met elkaar kunnen omgaan.

Omdat hij had geweigerd zijn broer Antonio te verraden of verklaringen ten nadele van hem af te leggen, was mijn oom Patricio de la Guardia tot dertig jaar gevangenisstraf veroordeeld. Behalve dat ik verdriet had omdat mijn vader was geëxecuteerd nadat hij zonder verdediging aan zijn rechters was overgeleverd, voelde ik me verantwoordelijk voor het lot van mijn oom. Er waren zoveel redenen om voor zijn leven te vrezen!

De terechtstelling in Baracoa markeerde immers niet het einde van de duistere klucht waarvan de Cubanen sinds 1960 tegelijkertijd slachtoffer en medespeler zijn, maar slechts het afsluiten van een episode. Na het groots opgezette proces waarbij Ochoa en mijn vader voor het gerecht waren verschenen, volgde het proces achter gesloten deuren waarbij de minister van Binnenlandse Zaken José Abrantes, de superieur van mijn vader en zijn medewerkers, tot gevangenisstraf werd veroordeeld. Daarna kwam de tijd van de zelfmoorden, de ontslagen, de overplaatsingen, de vervroegde pensioneringen, het versterkte toezicht op de familie van de veroordeelden, het overlijden van compromitterende getuigen, enzovoort.

Het proces-Ochoa-De la Guardia gaf aanleiding tot allerlei interpretaties, vooral in het buitenland. Nu eens in de trant van: 'We hebben altijd al gezegd dat Cuba betrokken is bij een smerige handel in verdovende middelen!' dan weer in de trant van: 'Omdat Fidel Castro voelde dat Ochoa dacht als Gorbatsjov, heeft hij hem geestelijk en lichamelijk uitgeschakeld voordat hij op een dag op het idee zou komen net als Gorbatsjov te handelen.'

Deze tweede verklaring, de meest simpele en de meest directe, is populair onder de Cubanen. Volgens de man in de straat heeft Fidel Castro de corruptie van zijn regime niet bestraft en uitgebannen; hij heeft onder de corrupte figuren diegenen gehandhaafd aan wie hij verplichtingen had, de mensen die zonder gemoedstoestanden hem hun bijval betuigen onder het voorwendsel dat ze 'de vader van de Revolutie' vereren.

De westerse onderzoekers van de nieuwste geschiedenis van het Caribisch gebied zijn meestal dezelfde mening toegedaan, ook al raken sommigen weleens verstrikt in de mazen van het net dat vreselijk handig door de gebroeders Castro wordt uitgezet. Want het talent waarmee Fidel Castro vanaf zijn eerste stappen in de politiek erin slaagt zich uit de grootste moeilijkheden en de ergste tegenstrijdigheden te redden, is in staat om hen te verblinden.

Het is verleidelijk om stil te blijven staan bij de verbanden, bij de gelijktijdige handelingen, de toevalligheden, met die overdaad aan details en bijzonderheden die het verhaal uiteindelijk de spanning of het stempel geeft van een spionageroman als van John Le Carré. Zozeer dat de aandacht afgeleid zou kunnen worden van het doel van het onderzoek: zijn de verdachten die voor het speciale tribunaal zijn gedaagd wel of niet schuldig aan de feiten die hun worden verweten?

Het kan heel verheffend zijn om te ontdekken hoe de gebroeders Castro erin geslaagd zijn een of ander verband, een of andere ongelukkige toevalligheid of een of andere verzonnen bedoeling tegen deze of gene te gebruiken, om hun requisitoir en hun vonnis, de doodstraf, gestalte te geven. Maar wanneer je je nu eens door de virtuositeit, dan weer door de grove leugens van de meesters van het proces laat fascineren, loop je gevaar het belangrijkste, de eerbied voor het recht en de vraag of iemand onschuldig of schuldig is, uit het oog te verliezen.

Welnu, 'de heldendaad' van de gebroeders Castro, waarmee de officieren die zitting hadden in het speciale tribunaal al dan niet met tegenzin hebben ingestemd en die met algemene stemmen werd goedgekeurd door de leden van de Staatsraad, heeft verwarring gezaaid. Fidel en Raúl, die door middel van zondebokken schoon schip hebben gemaakt om hun verantwoordelijkheden te maskeren, zijn erin geslaagd een 'staatsaangelegenheid' als een bericht uit de rubriek 'gemengd nieuws' te presenteren en zichzelf een regeringscrisis te besparen die wellicht zou uitlopen op hun afzetting.

Deze 'heldendaad' is niettemin een misdaad.

Een misdaad onder talloze andere die onopgemerkt zijn gebleven. Politieke moorden hadden al eerder plaatsgevonden en hebben sindsdien ook weer plaatsgevonden. En het is jammer als het hun niet aanstaat dat moderne maatschappijen, waarin het privé-leven grondwettig en daadwerkelijk wordt beschermd, niet langer toelaten dat staatsraison inbreuk maakt op respect voor het recht. Een politieke misdaad mag niet a priori op meer begrip kunnen rekenen dan iedere andere misdaad.

Ik pretendeer niet in mijn eentje alles te weten van het proces-Ochoa-De la Guardia. Verre van dat! Op een dag zal Maida González, de echtgenote van Arnaldo Ochoa Sánchez, misschien de gelegenheid of de middelen krijgen om te getuigen. Maar ik kan wel helpen de waarheid aan het licht te brengen. Ten gunste van de mannen die werden veroordeeld en terechtgesteld in juli 1989, en in het bijzonder ter nagedachtenis aan mijn vader.

Het is geen gemakkelijke taak, dat geef ik toe. Hoe zou ik geloofwaardig kunnen zijn als ik niet de moeite nam het misverstand ten aanzien van mijn vader op te helderen? Want ook al wordt generaal Arnaldo Ochoa regelmatig afgeschilderd als een echte held, als de martelaar die werd opgeofferd door de *caudillo*, omdat hij vroegtijdig en zijns ondanks de belichaming was van de hoop op een overgangsperiode naar een democratisch Cuba, dat geldt niet voor Antonio de la Guardia.

Mijn vader heeft een minder flatteuze herinnering nagelaten, de herinnering aan een man op de achtergrond, een man van de daad die zich bewoog achter de schermen van de Cubaanse speciale diensten, een man die bedreven was in smokkelarij, in marchanderen, in hulp van het ene werelddeel aan het andere. Dat was zijn beroep geworden. Hij is vaak ten onrechte voorgesteld als 'de vertrouwensman' van Fidel Castro. Want het is duidelijk dat El Líder Máximo naar believen meer dan één 'vertrouwensman' naast zich heeft. Ze zijn onderling inwisselbaar en degene die het best op de hoogte is, zorgt er wel voor dat hij zichzelf niet beschouwt als de uitverkorene – want het staat vast dat de Opperbevelhebber alleen vertrouwen stelt in zichzelf en in niemand anders.

Bovendien heeft mijn vader tijdens het proces dat plaatsvond van 30 juni tot 7 juli 1989, de dag van het vonnis, in plaats van zich op de zitting zo brutaal te gedragen als Ochoa, zich meestal zonder protest neergelegd bij de beschuldigingen van de aanklager. En wat erger is, hij kon soms zijn ontreddering, zijn emoties niet bedwingen. Ik, zijn dochter, was getuige van zijn vlagen van zwakheid, van wanhoop en van zijn totale ontreddering.

Sommigen zagen daarin een uiting van meegaandheid of lafheid die te maken had met de belofte die hem zou zijn gedaan door de officieren van de staatspolitie en door Fidel Castro: clementie van het tribunaal in ruil voor zijn medewerking bij de enscenering van het proces. Ook al heeft hij nooit de ironische of onverschillige manier van spreken van Ochoa overgenomen, Tony de la Guardia heeft zich wel verbaasd over deze of gene illegale actie die hem bij het vooronderzoek ten laste werd gelegd. Maar zonder er al te zeer de nadruk op te leggen, dat is waar, alsof hij er bang voor was op dat moment een onvoorzien element te introduceren in een drama dat al van tevoren was geschreven, en werd gedicteerd en gecontroleerd door anderen dan hij.

Volgens mij gaf zijn zwakheid uiting aan zijn menselijkheid: het gevoel dat hij zijn grenzen had onderschat nadat hij ze zo lang had getart, de wroeging dat hij zich ten dienste had gesteld van een *caudillo* vermomd als idealistische revolutionair, de zorg om de veiligheid van zijn familie, de angst voor represailles tegen zijn naasten, tegen zijn tweelingbroer Patricio, tegen zijn ouders, zijn kinderen, zijn vrienden.

In de tien jaren die sinds de dood van mijn vader zijn verstreken, heb ik geleerd mijn aangeboren schroom en bescheidenheid te overwinnen. Was ik, die kort tevoren door de autoriteiten nog werd beschouwd als een ongevaarlijk meisje, na de executie van mijn vader niet 'een gevaar voor de staatsveiligheid' geworden, zoals een officier van het ministerie van Binnenlandse Zaken me bij al mijn bezoekjes uitlegde als rechtvaardiging voor zijn weigering mij toestemming te geven om het land te verlaten?

Ik ben in oktober 1990 van Cuba vertrokken, in de wrange overtuiging dat ik er niet terug zou kunnen keren zolang Fidel Castro leeft, de onbetwiste baas en eigenaar van het eiland.

Net als tien procent van mijn landgenoten heb ik in ballingschap geleefd in Mexico, Spanje en Frankrijk.

Ten slotte heb ik geleerd me publiekelijk tegen de dictatuur te keren en tegen de vervolgingen die in mijn land veel voorkomen. Ik wijd me daar vastbesloten aan maar, hoop ik, ook met fatsoen. Mijn vader was een van de radertjes van het apparaat; hij was er ook de speelbal van. Ik weet dat zijn tragische einde niet overal een excuus voor is. Als hij verkeerd heeft gehandeld op enig moment in zijn leven, moet goed bekeken worden of hij dat in opdracht heeft gedaan of op eigen gezag. Als hij onrecht heeft begaan, in koelen bloede of uit onnadenkendheid, dan moeten zijn slachtoffers en hun naaste familie weten dat ik daar verdriet en oprecht berouw van heb.

Eén ding is zeker: degenen die in Baracoa werden gefusilleerd, waren het slachtoffer van een parodie op de gerechtigheid. Daarom strijd ik voor een herziening van hun proces. Niet in de hoop hen weer tot leven te brengen, maar om hun het recht te gunnen op een contradictoir proces waarbij de gebruikelijke gang van zaken wordt gerespecteerd:

een zelf gekozen advocaat, het voor het gerecht verschijnen van getuigen die allen zijn betrokken bij de reeks van verantwoordelijkheden die de een voor de ander heeft.

Het is mijn bedoeling door middel van het verhaal dat hier volgt de legitimiteit van mijn verzoek aan te tonen. Dat streven is voor mij voldoende. Het valt niet onder de noemer onderzoek, het vak dat mensen helemaal opeist en waar de beste journalisten in uitblinken, zoals de Fransman Jean-François Fogel (*Le Monde*) en Bertrand Rosenthal (*AFP*) of de Argentijn Andrés Oppeinheimer (*Miami Herald*).* Zij behoorden tot de eersten die hebben opgehelderd wat er zich achter de schermen van deze bloedige farce heeft afgespeeld, ook zonder te pretenderen er zelf alles vanaf te weten.

Tot sommige duistere gebieden hebben we nog niet kunnen doordringen – zeer belangrijke getuigen zijn verdwenen, anderen zijn nog in leven. Sommigen zwijgen, anderen houden zich verborgen. De tijd werkt in ons voordeel en in ons nadeel...

Ik breng verslag uit van wat ik heb meegemaakt in de tijd van handeling, in mijn privé-leven en in de familiekring, maar ook van wat ik daarna heb gehoord. Mijn vertrek uit Cuba heeft me de kans gegeven de geschiedenis van mijn familie te reconstrueren, doordat ik de band weer heb aangeknoopt met bepaalde familieleden die in de Verenigde Staten waren gaan wonen. Zo kan ik zo nauwkeurig mogelijk de staat van dienst van mijn vader beschrijven en bij diezelfde gelegenheid bepaalde benaderingen of onwaarheden uitsluiten.

Door mijn reizen naar Mexico en Europa heb ik de gelegenheid gekregen waardevolle getuigen of kenners van de Cubaanse wederwaardigheden te ontmoeten. Door mijn psychologiestudie heb ik ook enigszins geleerd waar je op moet letten bij de verschillende gedragingen die je onder een autoritair regime kunt waarnemen, die gecodeerde taal, die dubbelhartigheid, kortom die alledaagse gespletenheid die door het regime van Fidel Castro 'dubbele moraal' wordt genoemd, zoals er op Cuba ook twee muntsoorten in omloop zijn (de dollar waar-

---

* *Vgl.* J.-F. Fogel & B. Rosenthal, *Fin de siècle à La Havane*, Le Seuil, Paris, 1993; A. Oppeinheimer, *Castro's Final Hour*, Touchtstone/Simon & Schuster, New York, 1992.

mee je alles kunt kopen en de peso waarmee je niets kunt kopen).

Ik ben me bewust van het risico dat ik loop door dit boek te schrijven. Het risico dat ik in 1999 nam door een aanklacht in te dienen tegen Fidel Castro wegens medeplichtigheid aan handel in verdovende middelen, vrijheidsberoving, marteling en moord was al behoorlijk groot... Mijn familieleden die op Cuba zijn gebleven, mijn grootmoeder, mijn moeder en mijn oom Patricio, lopen nog steeds het risico op represailles die ieder moment kunnen plaatsvinden.

Toch leert de geschiedenis ons dat het delen van eerbiedwaardigheid, de eerbiedwaardigheid van moed, de hoop en het verlangen naar bevrijding versterkt. Het delen van een betrekkelijke veiligheid en comfort, door toe te geven aan chantage, is desastreus voor deze hoop en dit verlangen. Dat is mijn overtuiging. Die valt me soms zwaar. Maar ik wil geloven dat deze zelfde overtuiging kortstondig aanwezig was bij de mannen van Baracoa, deze moedige mannen van de daad die op 13 juli 1989 voor de laatste keer in hun leven de zon boven de zee zagen opkomen. Laten we aan hen blijven denken. Ze heetten Arnaldo, Antonio, Jorge en Amado.

1

Havana, dinsdag 13 juni 1989, half twee 's middags. Het is een feestdag bij Mimi en Popin, zoals de familie mijn grootmoeder en grootvader van vaderskant heeft genoemd. Graciela en Mario de la Guardia hebben de tafel gedekt om mijn vader, Antonio, en mijn oom Patricio, die drie weken geleden uit Angola is teruggeroepen, voor de lunch te ontvangen. In de familiekring, maar ook in de zeer gewilde wijk Miramar en binnen het ministerie van Binnenlandse Zaken worden de broers De la Guardia gewoonlijk 'de tweeling' genoemd. Mimi zegt ook wel 'de jongens'.

Ik ben speciaal uit Varadero gekomen, waar mijn man Jorge Masetti en ik het weekend hebben doorgebracht, om in de huiselijke kring hun gemeenschappelijke verjaardag te kunnen vieren. Vandaag is de tweeling eenenvijftig geworden. Omdat Jorge en ik te laat waren, dachten we dat ze al aan tafel op ons zouden zitten mopperen. Maar ondanks alles zijn wij er eerder dan zij.

Er gaat een uur voorbij. We maken ons niet ongerust om zo'n kleinigheid. Mimi weet het best. De officieren van het Minint (het ministerie van Binnenlandse Zaken) kunnen met allerlei onvoorziene omstandigheden te maken krijgen, een vergadering die uitloopt, een superieur die op het laatste moment wordt opgeroepen, enzovoort. Soms brengt de tweeling ons ervan op de hoogte dat ze te laat zullen komen. Deze keer blijft de telefoon stil. Dat is eerder een goed teken. Tony en Patricio zijn waarschijnlijk al onderweg.

Ik dood de tijd door van de ene kamer naar de andere te dwalen en daarna stap voor stap de trap op te gaan. In geen enkel ander huis dan dat van Mimi en Popin voel ik me zo uitgesproken veilig. Hun witte huis van twee verdiepingen staat aan de Golf van Mexico, vlak bij de Miramar Jachtclub, die na de revolutie van 1959 de club van de Cubaanse revolutionaire strijdkrachten is geworden.

Mario, mijn grootvader, had het huis niet zomaar op die plek laten bouwen. Zijn broer Atete was een verwoed zeiler. Hij bezat dan ook een zeilboot die voor anker lag in de jachthaven van de club. Na de revolutie had mijn familie, omdat ze er zich op kon laten voorstaan de revolutie twee officieren te hebben geschonken, de zeilboot mogen houden op de Biltmore Club. Ongetwijfeld een voorrecht. Deze watersportclub, die meer naar het zuiden is gelegen, wordt dag en nacht bewaakt door de wachters van de Speciale Troepen – waar mijn vader en mijn oom hebben gediend en het bevel hebben gevoerd vanaf het moment dat de Speciale Troepen in 1963 zijn aangesteld.

Het witte huis is de plek waar mijn jeugd zich heeft afgespeeld. In de grote bibliotheek staat een ongewone verscheidenheid aan boeken, waarvan sommige in Cuba vanwege de censuur zeldzaam of onvindbaar zijn geworden. Het is een thuishaven, van waaruit ik heel wat reizen in de tijd en in de ruimte heb gemaakt.

Iedereen die ooit in het huis van Graciela en Mario is verwelkomd, heeft er de geur van vrijheid, waardigheid en intelligentie opgesnoven. Het huis is ook nu nog altijd een vast punt te midden van de veranderingen die mijn leven hebben gemarkeerd, van de scheiding van mijn ouders toen ik drie was, mijn eerste huwelijk, mijn eerste scheiding, tot aan mijn tweede huwelijk kortgeleden. Want in hetzelfde huis zijn Jorge en ik een paar maanden eerder getrouwd, ondanks de afwezigheid van mijn vader, die toen op dienstreis was naar het buitenland.

Ik blijf voor de grote ramen staan. Ze filteren de zeewind. Ik voel de frisse streling van de wind over mijn schouders en mijn nek. Het is het regenseizoen. Het is warm en vochtig. Ik houd van de maand juni omdat de dagen dan lang zijn. En toch is het de vermoeiendste maand. Het klimaat in Havana is vochtig, soms zelfs benauwd.

De telefoon heeft nog niet gerinkeld. Mijn grootvader zit op de bank, zijn witte wenkbrauwen verward en zijn handen over elkaar. Hij ziet er moe uit. Hij loopt dan ook tegen de negentig en heeft last van de hitte. Ik voel dat Graciela plotseling bezorgd is.

Mijn grootmoeder heeft een slanke gestalte, een voorhoofd dat edelmoedigheid uitstraalt, bruin, steil haar en levendige, vriendelijke donkere ogen, en ze is een heel energiek vrouwtje. Trots, expressief en spontaan. Je kunt gemakkelijk haar gevoelens raden. Haar gezicht drukt meestal de rust en de zachtmoedigheid uit waardoor ik als kind zo vaak haar gezelschap opzocht.

Die middag heeft Mimi samengeknepen lippen. Ze wordt duidelijk steeds nerveuzer. Zij, die me altijd heeft verbaasd door haar lichtvoeti-ge, voorzichtige manier van bewegen, loopt nu al enige tijd in een kringetje rond en zucht. Ik betrap haar erop dat ze met haar wandel-stok op de vloer tikt.

Er zijn twee uren verstreken, twee uren van vruchteloos wachten. We moeten iets doen. Ik kijk Jorge vragend aan. Mijn man schudt van nee. Ik doe mijn best om mijn zelfbeheersing niet te verliezen. Het is uitge-sloten dat we Mimi en Popin bang zouden maken. We zullen zelf een verklaring gaan zoeken voor de onverklaarbare afwezigheid van de 'tweeling'. Hoe zouden ze de gelegenheid voorbij hebben kunnen laten gaan om, eindelijk allebei in Cuba na zoveel jaren van scheiding, hun eenenvijftigste verjaardag te vieren?

Ik ga naar mijn grootmoeder toe.

'Maak je geen zorgen, Mimi. Het komt ongelukkig uit voor een dag als vandaag, maar Popin heeft gelijk: het is niet de eerste keer dat ze worden opgehouden, ieder met zijn eigen werk. Laten we maar eens bij Maricha gaan kijken.'

Maricha is de vrouw van mijn oom Patricio. Zij woont ook in Mira-mar, niet ver van ons witte huis.

Jorge start de motor van de Lada.

De auto is een geschenk van mijn grootmoeder. De Cimex, die tege-lijkertijd een centrale inkoop- en een handelsorganisatie is, een ge-mengd bedrijf dat wordt gecontroleerd door de Cubaanse Staat en dat staat geregistreerd in Panama, had haar deze auto gegeven in ruil voor een kostbaar bezit van de familie De la Guardia, een bord uit de negen-tiende eeuw.

De rode lak van de auto is dof geworden. De motor blijft niet stationair draaien. Om te vermijden dat die bij het stilstaan afslaat, moet je afwisselend met je hak en de punt van je voet de rem en het gaspedaal indrukken. Dat is soms enerverend, maar het bezit van een vervoermiddel, ook al is het een beetje gehavend en heeft het geen airconditioning, betekent al een waanzinnige luxe in Havana.

In een mum van tijd zijn we er.

Ik schrik: het huis ziet er stil en verlaten uit. Alle luiken zijn dicht. Niemand doet open wanneer ik aanbel. Ik klop steeds indringender op de deur: 'Maricha! Maricha!'

Een onbekende doet ons open. Meteen vraagt Jorge, die doorheeft dat het een politieman in burger is, op opzettelijk zeer vastberaden toon of we 'de generaal' kunnen spreken. De man doet alsof hij het niet heeft gehoord. Hij vraagt of we ons willen identificeren, een keer, twee keer, drie keer... Jorge staat op het punt zijn geduld te verliezen, wanneer vanuit het huis de stem van Maricha klinkt.

'Laat ze binnenkomen! Het is de dochter van Tony, de nicht van Patricio, met haar man...'

We gaan naar binnen. Een stuk of zes soldaten lopen heen en weer. Ze vertrappen camouflagepakken, uniformen, wapens, militaire onderscheidingen en een poster van Che Guevara. Ze hebben de kasten en de laden leeggehaald. De vloer ligt bezaaid met spullen, voorwerpen, papieren. Alles is op een hoop gegooid.

Ik kijk Maricha aan. Haar ogen zijn gevuld met tranen. Ze staat doodsangsten uit. Patricio is niet meer verschenen sinds de vorige dag, maandag 12 juni. Het enige wat ze weet, is dat hij aan het eind van de dag heeft gereageerd op een oproep van Pascual Martínez Gil. Een onschuldige, geloofwaardige oproep. Men had mijn oom te verstaan gegeven dat de vice-minister van Binnenlandse Zaken er prijs op stelde hem persoonlijk een prettige eenenvijftigste verjaardag toe te wensen.

Maar goed, niemand weet waar Patricio is sinds hij zich gisteravond op het hoofdbureau van het Minint heeft gemeld. Maricha is werkelijk buiten zichzelf van woede. Wie zijn die soldaten die haar huis hebben belegerd en ondersteboven hebben gekeerd? Wie heeft hun het bevel gegeven huiszoeking te verrichten? Hebben ze eigenlijk wel zo'n bevel? En zo ja, met welk recht?

Maar op Cuba, je moet het zien om het te geloven, zijn eigendom en respect voor iemands privé-leven meer dan betrekkelijke begrippen: in

werkelijkheid zijn die begrippen ons volkomen vreemd. Al met al gedragen deze gewapende mannen in uniform zich in Maricha's huis alsof ze thuis zijn, of anders gezegd: alsof ze in niemands huis zijn.

Maar de soldaten zijn niet zozeer bezig met een huiszoeking als wel
met een demonstratie. Ze brengen alle spullen en alle accessoires bijeen die Patricio sinds het begin van zijn militaire carrière heeft verzameld. Wat ze willen, is hem en zijn gezin vernederen: te kennen geven
dat hij wordt verstoten, dat hij uit het leger wordt gezet.

We laten de vrouw van Patricio achter en beloven haar dat we haar
spoedig op de hoogte zullen brengen van wat we in de loop van de
middag te weten komen. Als we eenmaal weer in de Lada zitten, kijken
Jorge en ik elkaar aan. We moeten opschieten. En daarbij een eerste
voorzorgsmaatregel nemen.

In de auto ligt een tas waarin wapens zitten en een bundel dollars.
Wat moeten we daar nu mee? We hadden dit alles in de auto gezet op
vrijdag 9 juni, op het moment dat we vertrokken naar Varadero, nadat
we hadden geconstateerd dat ons appartement openlijk was doorzocht...

Jorge had een paar van zijn kostbaarste bezittingen liever bij zich
gehouden. Hij is erg gehecht aan het pistool van zijn vader, die in 1964
sneuvelde te midden van zijn Argentijnse guerrillero's, toen hij nog
maar negen was. Hij is erg gehecht aan zijn Magnum; hij had die tijdens de oorlog in Nicaragua nooit losgelaten, vanaf het moment dat
hij in dienst trad aan het zuidfront tot de dagen na de sandinistische
overwinning in juli 1979. Jorge kan geen seconde leven met de gedachte dat een van beide hem wordt afgenomen.

Bovendien is hij erg gehecht aan de handvol dollars die zijn werk in
Afrika heeft opgebracht, in die tien weken die we samen hebben doorgebracht in Angola, Congo en Zimbabwe, tot we in de eerste dagen van
juni 1989 naar Cuba terugkeerden. In deze tijd kan iedere Cubaan die
wordt betrapt op het bezit van dollars confiscatie en sancties boven het
hoofd hangen. Maar Jorge heeft de Argentijnse nationaliteit. Hij kan
niet schuldig worden bevonden aan een misdrijf.

Waar is mijn vader? Waarom heeft hij Mimi en Popin laten wachten? Is hij op de hoogte van wat er met zijn broer is gebeurd? We spreken af dat we door Miramar zullen rijden in de richting van Siboney,
een woonwijk die even gewild is als de wijk Miramar en waar hij en

zijn derde vrouw, Maria Elena, zich hebben gevestigd. Terwijl Jorge naar het zuiden van Havana rijdt, laat ik de paar te vertrouwen personen de revue passeren bij wie we de tas zouden kunnen achterlaten die ons op dit ogenblik zo in de weg zit.

Halverwege, langs de Quinta Avenida, stond een man naar ons te wenken. Ik herkende hem. Het is Peter, een jeugdvriend van mijn vader. Meteen schakelt Jorge de auto in zijn achteruit om ter hoogte van hem te stoppen. Zonder de geringste aarzeling, alsof het zijn laatste woorden zijn, zegt Peter: 'Tony zit in Villa Marista. Ze gaan hem fusilleren.'

Er klinkt een snik door in zijn stem.

Villa Marista is het huis van detentie van de Staatsveiligheidsdienst op Cuba, de gevangenis waar de staatspolitie 'verdachte personen' isoleert. Daar worden naar believen de verhoren afgenomen, zolang als de politie dat wil. In Moskou sloot de K G B de deviationisten, de dissidenten, de verraders en andere contrarevolutionairen op in de Lubjanka. In Havana worden ze door het Departamento de Seguridad del Estado opgesloten en ondervraagd in Villa Marista.

Voor mij is het alsof de tijd plotseling stilstaat. Ik kijk verdwaasd naar het vermoeide gezicht van de betrouwbare Peter. En ik zie in gedachten mijn vader, die plotseling van zijn familie is afgesneden. Van dat moment heb ik de herinnering overgehouden aan een beeld dat onbeweeglijk en wazig is, zo'n onbeweeglijk en wazig beeld dat je 's ochtends van bepaalde nachtmerries overhoudt.

De situatie is bijna onwerkelijk. Ik ben niet in staat te reageren. Alleen de weerklank van de woorden van Peter hoor ik nog steeds in mijn oren. Daar staan we dan geparkeerd langs de Quinta Avenida midden in Miramar. Onder de verblindende zon, met de hitte en vochtigheid om ons heen begin ik op mijn beurt te huilen. Mijn tranen vermengen zich met mijn zweet. Met mijn hoofd in mijn handen vecht ik om ze terug te dringen. Ik zit te hikken. Om mezelf te helpen mijn zelfbeheersing terug te krijgen adem ik diep in. Ik heb rust nodig om goed na te denken.

Jorge heeft de klap beter opgevangen dan ik. Hij gelooft er niet in. Hij wil er niet in geloven. Ondanks het bedroevende schouwspel dat we bij Maricha thuis hebben gadegeslagen. Hij troost me. Hij probeert me tot rede te brengen.

'Luister eens, Ili. Dit is een waanzinnig verhaal: Fidel Castro gaat de gebroeders De la Guardia niet fusilleren. Dat kan hij geen seconde van plan zijn! Het zal nooit zover komen als Peter zegt. Het zou erop neerkomen dat er een politieke crisis zou ontstaan. Dat kan Fidel zich niet veroorloven!'

Jorge voelt dat hij me heeft overtuigd. Hij dringt erop aan dat ik mijn zelfbeheersing terugvind.

'Het is niet waar, dat zeg ik je! Het is niet mogelijk! Kom op, Ili, houd moed! We moeten meteen naar je vader toe gaan!'

Maria Elena, mijn vaders derde vrouw, ontvangt ons in hun villa in Siboney. Ze is ten prooi aan de hevigste opwinding. Ik vermoed dat ze de ene sigaret na de andere rookt. Van haar horen we dat mijn vader gisteravond bij haar weg is gegaan. De vice-minister van Binnenlandse Zaken, Pascual Martínez Gil, zou hem hebben uitgenodigd op het hoofdkantoor van het Minint langs te gaan ter gelegenheid van zijn verjaardag. De assistent van Pascual kwam hem thuis ophalen. Mijn vader kent Pascual goed. Ze hebben samen carrière gemaakt.

En zoals te verwachten was, is Tony sindsdien niet meer verschenen.

Maria Elena staat er nog van te trillen. Ze heeft zojuist de jongste van de vier kinderen van mijn vader aan haar moeder toevertrouwd. Patricio Antonio is twee jaar. Hij kan nog maar een paar woorden zeggen.

Tijdens de huiszoeking had ze niet de hele ochtend mijn kleine broertje bij de militairen weg kunnen houden. Hij had zich voortdurend met hen bemoeid. Nadat hij een paar schoenen had opgeraapt die op de grond waren gegooid, had het kind hen uitgedaagd. Hij liet hun de schoenen zien. Recht in hun gezicht, zich niet bewust van het gevaar, zei hij tegen hen: 'Die zijn van papa... Die zijn van papa!'

We blijven niet langer. Jorge geeft plankgas. Ik heb zojuist bedacht wat de ideale schuilplaats is voor de wapens en het geld. Bij een vriendin die in een kleine flat woont in het oude Havana, een van de oudste en mooiste wijken van de stad.

Lucy heeft geen huis met veel comfort, maar ze weet zich goed te redden. Ze bemoeit zich niet met politiek. Ik kan haar volledig vertrouwen. Ik weet dat ze een geheim kan bewaren. We hebben nooit spijt hoeven hebben van vertrouwelijke mededelingen die we elkaar deden. Ze heeft nooit actie gevoerd bij de Communistische Jeugdbeweging. Ze heeft zich nooit ingelaten met de Universitaire Studentenbond die onlosmakelijk verbonden is met de Communistische Jeugdbeweging. Ze is zo dapper geweest mij te vertellen dat ze naar Radio Martí luisterde, het radiostation van de Cubaanse gemeenschap in ballingschap in Florida. De Cubaanse autoriteiten proberen de ontvangst op het eiland te storen. Hier is betrapt worden met een radiotoestel dat is afgestemd op Radio Martí een contrarevolutionair misdrijf.

We rijden inmiddels weer over de Quinta Avenida. Het duurde even voor ik het merkte, zozeer was ik bezig met talloze verwarde gedachten, maar Jorge houdt al een hele tijd zijn blik op de achteruitkijkspiegel gericht. Ik draai mijn hoofd naar de achterruit. Een Lada, twee Lada's, drie Lada's rijden in ons kielzog. Jorge heeft opgemerkt dat ze hun snelheid afstemmen op die van ons.

De inzittenden van de eerste Lada doen niets om zich te verbergen. Ze volgen ons op een afstand van enkele meters. Ik ben getroffen door hun indringende blik, door hun nijdige gezichtsuitdrukking. Ze zijn erg op hun gemak. Dit is wat Jorge schaduwen 'op z'n Japans' noemt. Het principe is: opvallen door een maximum aan indiscretie. Het is een van de meest gangbare intimidatiemethoden. Die agenten van de Staatsveiligheidsdienst willen ons duidelijk maken dat ze beslist al onze bewegingen in de gaten houden, dat het geen zin heeft om in het geheim in verbinding te treden met wie dan ook. Het is hopeloos. Er is geen uitweg uit de val.

Plotseling laat Jorge de motor op volle toeren draaien. Tijdens zijn militaire opleiding op Cuba in 1974, bij de speciale militaire eenheid Punto Cero, hebben zijn instructeurs hem in een jeep geleerd om achtervolgers af te schudden. Jorge heeft de les onthouden. Om te doen alsof hij stopt, strijkt hij zachtjes over het rempedaal. Achter de auto gaat het stoplicht op rood. De achtervolgers zijn verbaasd en misleid. Tegelijkertijd heeft Jorge het gaspedaal helemaal ingedrukt.

Hij rijdt de straatjes van het oude Havana in. Zijn route is willekeurig. Binnen de vierhoek die Brasil vormt, hebben we al twee keer een rondje om de Santo Cristo del Buen Viaje-kerk gemaakt waarna we weer over Lamparilla rijden. Wanneer hij op de kruising bij Oficios aankomt, doet Jorge alsof hij naar rechts gaat en slaat dan plotseling linksaf. En bij de hoek van Obrapia omgekeerd.

Dat voortdurend improviseren heeft onze achtervolgers ten slotte van de wijs gebracht. Wanneer Jorge voor de deur bij Lucy parkeert en het contact afzet, wachten we op het geluid van de auto's. Tevergeefs. De stilte is weergekeerd. Ik stap uit.

Het appartement ligt op de tweede verdieping. Ik klim met vier treden tegelijk de smalle trap op, terwijl ik me er geestelijk op voorbereid mijn gedrag aan Lucy uit te leggen. Mijn vriendin is blind. Ik weet dat ze alleen de deur opendoet nadat ze de stem van haar bezoeker heeft herkend. Ik klop aan. Zoals gebruikelijk roep ik haar bij haar naam.

Lucy zet de deur op een kier en beduidt me binnen te komen. Ze vertelt me dat haar vader en haar zus binnen zitten. Voor een vertrouwelijk verzoek is dat een beetje vervelend. Ik vraag haar om de tas te verstoppen. Ik wil haar beslist uitleggen waartoe dat haar verplicht; ik wil haar vertellen over de wapens en het geld die de tas bevat. Want ze loopt het risico in geval van indiscretie, van aangifte, van huiszoeking, de dienst die ze ons bewijst duur te betalen... Maar Lucy heeft me al onderbroken. Heeft ze mijn angst, mijn zenuwachtigheid opgemerkt? Ze wil het niet weten. Niet nu, niet hier. Ze heeft liever dat ik meteen met haar meega naar haar grootmoeder die in dezelfde flat woont.

Het appartement van de oma van Lucy heeft een terras met barbecue. Het is gemakkelijker om daar vrijuit te praten. De revolvers, de dollars, de agenten die ons achtervolgden, enzovoort. Ik leg haastig uit waar het om gaat. Lucy voelt mijn ongeduld – ik maak me ongerust om Jorge die het wel beu zal zijn om onder aan de flat op me te wachten. Maar Lucy heeft al een hand naar me uitgestoken als om de tas te pakken. Ik overhandig haar die.

'Dankjewel, Lucy.'

'Geen probleem, Ili.'

Achter het stuur van de Lada speelt Jorge al met het gaspedaal. Dit is niet het moment om de motor te laten afslaan. Ik heb het portier nog niet dichtgeslagen of hij heeft de auto al in de eerste versnelling geschakeld.

Terwijl we door de straatjes van het oude Havana racen, vertelt Jorge me wat onze volgende plaats van bestemming is: het gebouw waar de generaals van het ministerie van de FAR* verblijf houden.

Hoe kunnen we te weten komen wat er met Tony en Patricio is gebeurd als we het niet eerst op het hoogste niveau proberen. Jorge heeft er geen moeite mee mij ervan te overtuigen: generaal Abelardo Colomé Ibarra, bijgenaamd 'Furry', is onze aangewezen gesprekspartner. Hij maakt geen deel uit van Binnenlandse Zaken.

Furry is een boezemvriend van Raúl Castro, de minister van de FAR, de broer van Fidel Castro. Raúl heeft hem de leiding over de militaire contraspionage gegeven. Trouwens, Furry heeft de rang van viceminister van de FAR. We kunnen op hem vertrouwen. Hij is een van de best 'geïnformeerde' mensen van Cuba.

Ik blijf in de Lada zitten terwijl Jorge het gebouw van de generaals binnengaat. Het is zeven uur 's avonds. Ik heb het gevoel dat er aan deze dag nooit een eind komt. Toch voel ik op dit moment geen vermoeidheid. Ik denk aan mijn grootmoeder die zo-even is begonnen de tafel af te ruimen die gedekt stond voor de verjaardagslunch. Een glimp van wanhoop verscheen in haar blik op het moment dat ze het tafelgerei wegnam dat ze voor haar zoons had neergelegd.

Het duurt niet lang of Jorge is weer terug. Hij is teleurgesteld. Had hij buiten het gebouw een afspraak? Was hij op dat moment in een ander kantoor dan het zijne? Had hij de opdracht gegeven Jorge af te schepen? Furry bleek onvindbaar te zijn, in tegenstelling tot de 'staatsschrijver' Norberto Fuentes, die vlak achter Jorge aan het gebouw uit is gekomen. Omdat mijn man hem herkende, probeerde hij een gesprek met hem te beginnen.

Dat is heel voor de hand liggend. Fuentes is bepaald geen onbekende voor ons. Hij beweegt zich allang in de kringen van de macht. Hij heeft een woning in het hoofdkantoor van het Minfar, het ministerie van Defensie. Deze kenner van Ernest Hemingway, die het dwaze idee had zijn boek *Hemingway op Cuba* op te dragen aan een hooggeplaatste ambtenaar van de staatspolitie, maar ook in de derde plaats aan mijn vader, behoort tot de kring rond de Colombiaanse schrijver Gabriel García Márquez, die de Nobelprijs voor literatuur heeft gekregen

---

* Noot v.d. vert.: Fuerzas Armadas Revolucionarias: Revolutionaire Strijdkrachten.

en een vertrouweling is van Fidel Castro. Hij en mijn vader hebben elkaar vaak ontmoet. Ze hebben veel contact met elkaar gehad op het eiland en in het buitenland, met name in Angola. Ze hebben een passie voor kunst en voor boeken gemeen.

Die avond ziet Jorge een onherkenbare, angstige en ontwijkende Norberto Fuentes. Mijn man vraagt hem met ons mee te gaan om ergens anders over de situatie te praten. Fuentes slaat koel de uitnodiging af.

Jorge dringt aan. 'Kom op, Norberto! Stel je eens voor hoe angstig Tony's dochter is! Ileana weet dat je een vriend van haar vader bent. Ze wil heel graag weten wat er is gebeurd met hem en met haar oom. Kom even met haar praten.'

Maar Jorge kan hem er niet toe overhalen. Fuentes reageert niet. Hij beweert dat hij niets weet, dat hij ergens anders wordt verwacht, dat hij erg veel haast heeft. Jorge gelooft er niets van.

Fuentes voelt zich slecht op zijn gemak.

Zijn gezicht wasemde angst uit, zegt Jorge tegen me. Hij zweette gevaar en ontreddering uit.

Het is acht uur 's avonds wanneer we weer naar Miramar vertrekken. De nacht is gevallen. In het huis van Maricha klinken luide opgewonden stemmen. Ze is omringd door veel van haar vrienden. We treffen er ook een van de zoons van mijn oom aan, zijn oudste zoon Patricito.

We zitten met z'n allen bij elkaar op het terras. Weer zitten we te wachten. Uit te kijken naar een bezoeker, terwijl we diep in ons hart smeken dat hij nieuws brengt. Er heerst een sfeer van angst en opwinding. Het kan goed of slecht aflopen. Iedereen heeft zijn eigen hypothese. Bij gebrek aan officiële informatie kunnen we alleen maar gemopper, geruchten en speculaties delen.

Wanneer mijn aandacht verslapt of wanneer ik niet let op de mensen om me heen, zie ik steeds weer dezelfde scène. Ik zie Peter weer staan op de Quinta Avenida, met tranen in zijn ogen. Ik hoor hem weer zeggen: 'Tony zit in Villa Marista. Ze gaan hem fusilleren.'

En dan begin ik, zonder dat ik het me bewust ben, te communiceren in gebarentaal. Om te ontsnappen aan de microfoons, aan de *técnica* waar het huis onherroepelijk mee vol zit. Maar ik weet mezelf kennelijk niet duidelijk uit te drukken. Mijn verongelijktheid leidt bij sommigen tot verbijstering en bij anderen tot gelach.

De nacht vordert. We hebben niets nieuws gehoord. Tony en Patricio zijn al vierentwintig uur verdwenen. We stellen onszelf steeds meer beangstigende vragen. Die zonder antwoord blijven.

2

De laatste vrienden van de familie zijn een kwartier vertrokken, wanneer we ten einde raad besluiten ons bij het hol van de leeuw te melden: bij Villa Marista, het heiligdom van de op Cuba almachtige staatspolitie, de plek waar mijn vader volgens Peter gevangen wordt gehouden.

Havana is verlaten. Toch is het nog maar tien uur 's avonds. In die tijd is er al een gebrek aan brandstof – die zal algauw nog strenger gerantsoeneerd worden. Rijden er op dat uur nog andere auto's rond in de stad behalve onze twee Lada's?

Ik zit naast Jorge. Op de cassetterecorder in het dashboard zijn liedjes van Charly García te horen.

Deze 'verlichte' Argentijn met zijn grafstem mengt verschillende muzikale genres dooreen, blues en rock, en daarbij het gesyncopeerde ritme van de tango. Hij heeft geen concert gegeven op Cuba, maar ik vind hem erg goed. Ik beluister zijn opnamen steeds weer en, ik weet niet waarom, speciaal in deze tijd.

En met name op dit moment. García is de clandestiene passagier in onze rode Lada die door de Havaanse nacht slalomt. Want wat hij zingt, is precies wat ik voel: 'Ik wil niet zo gek worden. Ik wil geen rode kleren dragen. Ik wil niet sterven in de wereld van vandaag. Ik wil je niet zo verdrietig zien. Ik wil niet weten wat je hebt gedaan. Ik wil dat verdriet niet in mijn hart.'

Maricha rijdt mee met Patricito, die achter het stuur zit van de andere Lada.

We komen niemand tegen op straat, zodat ik later bij mezelf zal denken dat de 'speciale periode in vredestijd'* die nacht van 13 op 14 juni 1989 is begonnen en niet op 26 juli 1990.

Charly García zingt verder: 'Ik luister nu eens naar het tromgeroffel, dan weer naar de droefheid van een radio in de verlaten straat. Alle deuren zijn gesloten, alle ramen ook. Betekent het dat onze familie en vrienden dood zijn?'

We knipperen met onze ogen onder een gordijn van verblindend licht. Dat komt uit sterke schijnwerpers die op regelmatige afstand van elkaar zijn opgesteld in de zwak verlichte tuin die ons scheidt van Villa Marista. Het is een omgeving die bedoeld is om angst en verschrikking aan te jagen. De verlichtingsapparatuur benadrukt niet de schoonheid van deze tuin – waar het vroegere klooster en internaat van de maristen boven uitsteekt. Integendeel, die is bedoeld om de tuin te verbergen, om te maskeren wat zich binnen de muren afspeelt. De orgelpijpen van wit licht zijn naar buiten gericht en zo geplaatst dat ze je op ooghoogte verblinden.

Het is niet de eerste keer dat ik in Víbora Park kom, deze buitenwijk van Havana. Ik ben er op feesten weleens geweest. Maar het is wel de eerste keer dat ik voor de hekken van Villa Marista sta.

Hoe onwaarschijnlijk het ook mag lijken, mijn vader noch mijn oom heeft me ooit verteld over dit gebouw van drie verdiepingen, omringd door bomen, grote bloemperken en sportvelden, en omgeven door hoge hekken. Als respectievelijk kolonel en generaal spelen ze geen rol in het repressieve apparaat, ze hebben niet dezelfde directe superieuren als de agenten van de Staatsveiligheidsdienst, maar aan de top hebben ze wel dezelfde werkgever: de minister van Binnenlandse Zaken, José Abrantes. En toch wist ik tot op deze avond noch via de tweeling noch via wie dan ook iets over deze plek en de functie ervan. Het is ook zo dat ik nooit heb gehoord dat een familielid van ons problemen zou hebben gehad met de staatspolitie.

---

* Noot v.d. vert.: In 1991, na het uiteenvallen van de Sovjet-Unie, verloor Cuba zijn subsidies. Als compensatie besloot Castro dat de broekriem moest worden aangehaald, dat er harder moest worden gewerkt en meer geduld moest worden geoefend.

En daar staan we dan, Patricito en Maricha, Jorge en ik, in Villa Marista. Er zit een man aan een tafel. Hij is zo mager als een lat. Zijn gezicht is buitengewoon bleek. Hij heeft holle wangen en steil grijs haar.

'Nou, we zouden graag willen weten of het waar is... Worden kolonel Tony de la Guardia en generaal Patricio de la Guardia gevangen gehouden in Villa Marista? En... en als dat zo is, vertelt u ons dan om welke reden...'

Hij heeft ons verzoek aangehoord zonder een spier te vertrekken. Op koele, afstandelijke toon vraagt hij of we even willen wachten, en verdwijnt vervolgens.

We kijken elkaar alle vier vragend aan. Plotseling begint Maricha, waarschijnlijk omdat het wachten zo lang duurt en om onze angst enigszins te verdrijven, zenuwachtig te lachen: 'Het lijkt Dracula wel, die man!'

Op dat moment verschijnt hij weer. Majoor Dracula nodigt ons vieren uit met hem mee te komen naar een klein kantoor. Ik ben nog nooit zo gespannen geweest als op het moment dat hij zijn mond opendoet.

'U moet weten dat Tony en Patricio de la Guardia niet gevangen worden gehouden,' legt hij uit. 'Helemaal niet! U vergist zich! Ze worden vastgehouden in Villa Marista. U hoort het goed: ze worden alleen maar vastgehouden.'

Geen van ons was voorbereid op zoveel subtiliteit.

Ik ben verbaasd.

'Waarom dan vastgehouden?'

'Omdat ze nog niet precies antwoord hebben gegeven op de vragen die we hun moeten stellen. De zaken hebben hun beloop. Het is volstrekt normaal, gelooft u mij maar.'

'Wat bedoelt u met vastgehouden?'

'Wel, dat is nogal duidelijk, nietwaar? Dat betekent in ieder geval dat er geen reden is voor u, als naaste familie, om te doen alsof ze gevangen worden gehouden.'

'Dat wil zeggen?'

'Dat het in dit stadium niet nodig is dat u zich in verbinding stelt met advocaten, met advocaten of met wie dan ook. Dat is alles.'

Ook al gaat majoor Dracula door op dezelfde geruststellende toon, er is iets wat me nog steeds ontgaat.

'Ik begrijp het niet.'

'U hoeft zich geen zorgen te maken. U moet vertrouwen hebben in de Revolutie. Op het moment dat u vertrouwen hebt, valt er niets te vrezen.'

Ik begrijp het nog steeds niet. Mijn vader en mijn oom worden 'vastgehouden' in dit sinistere gebouw en er zou niets beters te doen zijn dan niets doen, dan je revolutionaire principeverklaring uitspreken... Wat vertrouwen betreft, majoor Dracula heeft zich in de taal van dreigementen en bedekte toespelingen uitgedrukt – 'Heb dus vertrouwen in de Revolutie,' terwijl de Revolutie niet al te veel vertrouwen heeft in de broers De la Guardia...

Het is me gelukt mijn opwinding in toom te houden, en wel zo dat ik helemaal verdoofd het kantoor uitkom zonder nog een woord te hebben kunnen uitbrengen. We zijn meer gespannen nu we Villa Marista verlaten dan voordat we naar binnen gingen.

Met een droge keel staan we weer buiten en we komen enigszins op adem voordat we weer in de auto's klauteren. We zijn net weggereden, of Jorge realiseert zich dat we weer worden gevolgd door dezelfde Lada's als 's middags.

Hij steekt zijn arm uit het raampje om Patricito te waarschuwen dat hij langs de kant gaat stoppen. Hij vraagt hem naast hem te komen staan. Om onze achtervolgers af te schudden spreken ze met z'n tweeën af om, wanneer ze eenmaal in Miramar zijn aangekomen, na een bepaald kruispunt snel ieder een kant op te rijden. Als jong geheim agent heeft Patricito ook die techniek geleerd. Hij heeft kortgeleden de 'Borochilo' afgemaakt, de school van de KGB in Moskou.

We wensen elkaar goedenacht terwijl we met een blik van verstandhouding naar elkaar glimlachen.

Jorge zet de cassettespeler harder. Nogmaals Charly García die ten slotte zingt: 'Ik wil niet leven als een paranoïcus, ik wil niets weten van die haatdragende jongens, ik wil me niet zo rot voelen. (...) Ik wil niet gek worden... ik geloof dat alles een leugen is.'

Na de opgehoopte spanning van de laatste tien uur is onze achtervolgingsrit de ideale gelegenheid om ons een beetje af te reageren ten koste van onze kwelgeesten. Een spel waardoor we weer zelfvertrouwen krijgen, een spel dat Jorge en mij nader tot elkaar brengt.

Het is na middernacht. Er brandt nog licht in het huis van Mimi en

Popin. Ik dacht wel dat ze niet naar bed zouden zijn gegaan zonder iets gehoord te hebben. Daarom hebben we ervoor gekozen in Miramar te slapen.

Ik vertel hun dat Tony en Patricio inderdaad vandaag veel werk te doen hadden en dat ze het heel jammer vinden dat ze niet met ons bij de verjaardagslunch konden zijn. Mijn grootvader lijkt genoegen te nemen met mijn verklaring. Dat geldt daarentegen beslist niet voor mijn grootmoeder. Mimi heeft een helder verstand. Ze laat zich nooit iets wijsmaken.

Heb ik niet overtuigend genoeg geklonken? Niet genoeg fantasie gebruikt? Ze maakt me duidelijk dat dit geen steek houdt. Die smoes van extra werk is naar haar smaak een te afgezaagd alibi. Bovendien, als het waar was, zouden 'de jongens', zoals zij hen noemt, hun oude moeder dan in ongerustheid hebben gelaten en haar de hele dag niet hebben gebeld?

Het doet me verdriet als ik Mimi met een knorrig gezicht naar haar slaapkamer zie gaan. Ik neem het mezelf kwalijk dat ik zo tegen haar lieg, ik neem het mezelf kwalijk dat ik de waarheid verdraai, maar wij, schoondochter en kleinkinderen, hebben elkaar bezworen dat we haar en Popin zouden ontzien. Met als resultaat dat we met zo'n treurige leugen aan moeten komen. Op dit moment is het ergste nog niet zeker. De vijand is ongrijpbaar. We vechten tegen het onbekende, tegen de onzekerheid. We dragen die last liever alleen. Want wat heeft het voor zin te dreigen met het schrikbeeld van het allerergste tegenover oude mensen die zo gevoelig zijn en die altijd goed voor ons zijn geweest?

Mimi is erg belangrijk voor mij geweest. Ze heeft me zoveel liefde gegeven. Ze heeft me geleerd anderen liefde te geven. Het kostbaarste wat ik heb, heb ik van haar gekregen.

Bij Mimi en Popin, en velen in Havana die bij hen te gast zijn geweest kunnen daarvan getuigen, was het altijd 'de zoete inval'.

3

Het is een feit. Er zijn bepaalde incidenten geweest, voorafgaand aan de verdwijning van Tony en Patricio, die ik voor mijn grootouders liever verzwijg. Het laatste dateert van vrijdag 9 juni 1989.

Jorge en ik waren sinds een paar dagen terug uit Angola. Nadat we Mimi en Popin in Miramar waren gaan begroeten voordat we met z'n tweeën het weekend bij mijn oudtante Maria in Varadero door zouden brengen, keerden we terug naar onze woning, vier straten daarvandaan, om onze bagage op te halen.

Er stond ons een verrassing te wachten: de deur van het appartement stond nog half open. In beide kamers waren kleren en papieren op de grond gegooid. Het kon geen inbraak zijn. Naar alle waarschijnlijkheid was er niets verdwenen. Degenen die het huis doorzocht hadden, waren flink bezig geweest. Verontrustend! We vroegen ons hardop af wat de zin was van deze huisvredebreuk, toen er voetstappen op de buitentrap weerklonken.

Het was mijn vader. Hij kwam langs om ons een fijn weekend te wensen en nu stonden we daar, verward en wel. Hij zou niet eens ons appartement binnengaan. We gaven hem een beschrijving van de staat waarin we het hadden aangetroffen.

Hij voelde mijn angst en Jorges nervositeit. Zijn gezichtsuitdrukking bleef onbewogen. Het incident maakte hem ook verdrietig, maar hij leek veel minder verbaasd dan wij. Ik had gedurende ons verblijf in

Angola gehoord dat ze hem het bevel over het departement MC* hadden ontnomen.

Ik wist dat hij sinds drie weken geen aanstelling meer had. Maar ik wist op dat moment nog niet wat de oorzaak was van het feit dat hij opzij was geschoven.

Onze opwinding verdween. Mijn vader bleef zwijgen. Het was bij hem een gewoonte geworden liever zijn gedachten uit te beelden dan erover te praten. Uit zijn blik, de trek om zijn mond en zijn gebaren maakten we op dat hij de ernst van de situatie onderkende. Hij was zich er duidelijk van bewust, maar het leek wel alsof hij er al voor gekozen had er de verantwoordelijkheid voor te nemen, alles voor zijn rekening te nemen zonder de boel te dramatiseren. Was hij ervan overtuigd dat hij wist hoever ze zouden gaan? Hadden ze hem bepaalde garanties gegeven? Of wilde hij ons alleen maar geruststellen?

Ik zal nooit het zwakke glimlachje vergeten dat de laatste woorden vergezelde die ik hem met meer mannelijke zelfverzekerdheid dan berusting hoorde zeggen, de laatste keer dat hij nog een vrij man was: 'De gevangenis is er voor mannen.'

Hij gaf me een kus en vertrok daarna weer zoals gewoonlijk: heel rustig.

We brachten de volgende drie dagen door in Varadero, waar het mooiste strand is van Cuba. Het was nog niet dat enorme badcomplex dat het schiereiland sindsdien is geworden en dat voortaan uitsluitend is bestemd voor buitenlandse toeristen – waarbij de gewone Cubanen (om met toeristen te mogen werken moet je goed genoteerd staan bij de hoge autoriteiten van het regime) opeengepakt zitten buiten het gebied van de voor een ronde som gebruinde mensen, met het verbod daar binnen te gaan...

Ik herinner me dat ik bij mijn aankomst op het strand moest huilen toen ik naar de zee keek die zich eindeloos ver uitstrekte. Voor de eerste keer, niet voor de laatste keer. Het was alsof achter de schoonheid van de zee iets noodlottigs verborgen lag. Het is een paradox die de Cuba-

* Noot v.d. vert. : Zie blz. 81 en blz. 87.

nen dagelijks steeds weer meemaken. De zee getuigt van een boven-
aards bestaan dat tegelijkertijd onweerstaanbaar en verstikkend is. Ze
omspoelt onze kusten alsof ze ons aanspoort weg te varen, en toch blijven we gevangen. Sinds mijn kinderjaren hadden de blauwe golven me
gewiegd. Vanaf die dag in juni 1989 zou ik me realiseren dat ze me in-
sloten.

De laatste tijd was ik ten prooi gevallen aan duistere voorgevoelens.
Tot dan toe was ik er echter in geslaagd ze te onderdrukken, ze te ver-
dringen. En nu werd ik er plotseling door overstelpt. Er werd iets be-
kokstoofd, iets heimelijks, waartegenover ik me weerloos voelde.

Gelukkig had mijn oudtante ons geweldig ontvangen. Maria, die altijd even hartelijk was, had langzamerhand mijn gevoel van beklem-
ming weten te verdrijven. Zij en haar man overlaadden ons met talloze
attenties. Als ontwikkelde mensen spraken ze met evenveel talent als
enthousiasme over literatuur. Hun grote bibliotheek getuigde van hun
gezamenlijke passie. Tussen de schatten die deze bevatte kon ik, net als
bij mijn grootouders in Miramar, boeken aantreffen die op Cuba onvindbaar waren geworden, van buitenlandse schrijvers als Dostojevski,
Victor Hugo, Stendhal, Pasternak, Vargas Llosa (een castrist die spijt
had gekregen) en vele anderen.

In bijna veertig jaar heeft de censuur het lezen en verspreiden van
een grote hoeveelheid boeken voor het publiek verboden. Fidel Castro
heeft overal absolute zeggenschap over. Hij is ook de enige uitgever in
het land, of liever gezegd de meest meedogenloze niet-uitgever. Hij is
erin geslaagd drie opeenvolgende generaties schrijvers van het eiland
te verbannen, eerst Guillermo Cabrera Infante en vervolgens de jongere Severo Sarduy en Reinaldo Arenas, die nu zijn verdwenen.

En zo hebben de Cubanen nauwelijks keus: de toegestane boeken
sluiten hen geestelijk in, zoals de zee, die ze niet kunnen oversteken,
hen lichamelijk insluit...

4

Ik ben geboren in Havana op 1 november 1964, de dag van Allerheiligen. Mijn vader en moeder zijn dan net getrouwd. Tony de la Guardia is een jonge officier. Hij is zesentwintig. In datzelfde jaar helpt hij met zijn tweelingbroer Patricio de eerste eenheid van de Speciale Troepen op te zetten, een nieuw elitekorps op Cuba.

Deze eenheid, die Grupo de Operaciones Especiales (GOE)* wordt genoemd, heeft zijn hoofdkwartier in San Diego, een beroemd kuuroord in het westen van Cuba, in de provincie Pinar del Río. Mijn vader is er de chef-staf. Zijn tweelingbroer is de campagneleider en de leider van de vooropleiding. Ze ontvangen hun orders van Ramiro Valdés, lid van het politbureau en minister van Binnenlandse Zaken (tot zijn ontslag in 1986).

Een jaar eerder had hij de Venezolaanse Communistische Jeugdbeweging getraind in de (stads-)guerrilla.

Er was niets wat erop wees dat mijn vader, die een bon-vivant, een grappenmaker en nogal een bohémien was, zou kiezen voor de krijgstucht, tot zijn ontmoeting met Fidel Castro in 1962 – een episode waar ik later in mijn verhaal over zal spreken, wanneer aan de orde komt hoe en waarom de broers De la Guardia tegelijk voor de Revolutie en het krijgsambt hebben gekozen.

* Noot v.d. vert.: Speciale Actie Groep.

Want in tegenstelling tot wat in de eerste minuten van zijn verhoor voor de krijgsraad is gezegd, een vermelding die als zodanig is gepubliceerd in de verslagen van het proces, is Tony de la Guardia niet in 1960 bij het ministerie van Binnenlandse Zaken gekomen, maar later: tussen 1963 en 1964.

Lucila, mijn moeder, is docente. Ze is heel vrouwelijk met haar amandelvormige ogen; ze geeft les in kunstgeschiedenis aan de universiteit van Havana. Mimi en Popin, haar schoonouders, zijn heel lief voor haar, vooral omdat ze het contact heeft verloren met haar familie. In die tijd zijn mijn grootouders van moederskant namelijk al naar de Verenigde Staten gevlucht. En tegelijk met hen hun twee zoons en twee van hun drie dochters. Alleen Lucila koos ervoor op Cuba te blijven.

Naar wat ik sinds mijn ballingschap in Miami heb gehoord, had mijn moeder ook kunnen vertrekken en naar haar familie in Florida gaan, maar ook al zou ze daartoe besloten hebben, haar vader had geen mogelijkheid gehad haar op tijd de nodige papieren te doen toekomen.

Hoe het ook zij, Lucila houdt er niet dezelfde ideeën op na. Ze heeft een slechte herinnering overgehouden aan het naar haar smaak te conservatieve of al te vrome onderwijs dat ze heeft gevolgd aan de Heilig Hartschool. Het jaar 1959 deed de Revolutie haar intrede. Lucila heeft die met vreugde en overtuiging begroet. Niets ergert haar meer dan onrechtvaardigheid, conformisme en een kleinburgerlijke instelling.

Scheidingen komen op Cuba veel vaker voor dan elders. Ik ben net drie jaar, wanneer mijn ouders in 1967 uit elkaar gaan. Mijn moeder heeft het initiatief genomen. Ze blijven goed met elkaar omgaan, maar het moet gezegd worden dat Lucila er genoeg van heeft gekregen dat haar man herhaaldelijk afwezig is. Ze zou liever wat meer aandacht willen hebben, wat meer geliefkoosd worden. De eenzaamheid valt haar zwaar.

Mijn vader traint de Speciale Troepen. Hij is steeds vaker op dienstreis naar het buitenland.

In 1965 was Tony de la Guardia belast met de militaire opleiding en training van een detachement van de Speciale Troepen dat naar Brazzaville was geroepen.

De hoofdstad van Congo, waar Frankrijk in 1960 de onafhankelijkheid had uitgeroepen, was het schouwtoneel van botsingen. De Movimiento Nacional Revolucionario (MNR)* had zich in juli 1964 opgeworpen tot de enige partij.

President Alphonse Massamba-Débat had zijn rivaal, priester Youlou, onder huisarrest geplaatst; Youlou was daar in maart 1965 aan ontsnapt.

En om Massamba-Débat te helpen een mogelijke staatsgreep te voorkomen had Havana hem een van haar commando's gestuurd.

Mijn vader was op Cuba gebleven en had zijn eerste opleiding als parachutist gevolgd in de buurt van Guanajay onder leiding van sovjetofficieren.

De Grupos de Operaciones Especiales waren in juni 1966 ontmanteld. Het enige onderdeel dat nog over was, was aangesteld voor de bewaking van de brandstofdepots. Mijn vader en mijn oom, die voortaan onder het gezag stonden van José Abrantes, de baas van het escorte van Fidel Castro, hadden de opdracht gekregen een nieuwe eenheid van de Speciale Troepen op te zetten.

De tweeling had een kazerne in de buurt van Jaimanita gevestigd, aan de zee ten westen van Havana. Het watersportgebied en de barakkenkampen van de Speciale Troepen liggen zo'n twintig kilometer van het centrum van de stad.

Tony en Patricio hadden het tweede semester van 1965 besteed aan het perfectioneren van hun opleiding als parachutist. Ze waren benoemd tot leiders van de militaire vooropleiding en voortaan gaven ze les in de guerrillastrategie, in onderwatersabotage, in infiltratie via zeevaart en luchtverkeer, parachutisme, schieten, topografie en oriëntatie, en navigatie.

Omdat ze verplicht waren door te gaan met hun lessen, waren ze niet meegegaan met Arnaldo Ochoa en zijn onderdeel toen die infiltreerden in Venezuela, maar de tweeling had het transport over zee voorbereid.

---

* Noot v.d. vert.: Nationale Revolutionaire Beweging.

Er is een jaar verstreken sinds de scheiding van mijn ouders. Tony en zijn broer doen tot 1969 dienst als instructeur bij een detachement guerrillastrijders uit Guatemala. Ze moeten getraind worden in de ondergrondse infiltratie en strijd.

Het is voor niemand een geheim dat Fidel Castro sinds hij aan de macht is hulp biedt aan de guerrilla's in Midden-Amerika en Afrika, dat hij de regering van Syrië steunt en dat hij bemiddelt in Zuid-Jemen, in Libanon en in veel andere landen.

Op Cuba, waar prille huwelijken bijzonder onstabiel blijken te zijn, spelen de grootouders een heel belangrijke rol in de opvoeding van de kinderen. Zo breng ik vanaf de scheiding voortaan het grootste deel van mijn tijd door in het witte huis in Miramar, bij Mimi en Popin.

In de weekends ben ik bij mijn moeder.

Mijn vader, die intussen in december 1968 is hertrouwd met Marta Torroella Kuri, een wetenschapster, brengt één dag per week met mij door – wanneer hij niet ergens ver van Havana wordt gestuurd.

Mijn grootmoeder is moedig. Ze zit boordevol energie. Die heeft ze wel nodig, want ze voedt ook de twee zoons op van mijn oom Patricio, Patricito en Hector. Uit moederinstinct heeft Mimi de zorg voor ons drieën op zich genomen om onze respectieve ouders te ontlasten, die allen geheel in beslag worden genomen door hun werk.

Twee werksters helpen haar in huis, het zijn twee schilderachtige figuren. Benita en Mati zijn beiden aanhangsters van de *santería*. Ze hebben hun eigen rituelen. Mijn grootmoeder bidt haar rozenkrans terwijl ze de kralen door haar hand laat glijden. Benita brengt regelmatig verf aan op het oog dat achter de keukendeur is getekend. En Ana, de werkster van mijn oudoom Atete, legt zo'n beetje overal waar ze langsloopt wit poeder (*cascarilla*) neer.

Het voedseltekort werd al aan het begin van de jaren zestig merkbaar. Het was een motief voor de invoering (die werd aangekondigd als voorlopig, maar in werkelijkheid duurzaam genoeg is om veertig jaar later nog steeds van kracht te zijn) van het distributieboekje: het *libreta*. De familie van levensmiddelen en schoonmaakmiddelen voorzien is de voortdurende zorg van mijn grootmoeder. Soms krijgt ze een woedeaanval: 'Ik begrijp niet wat er gebeurt. Cuba is toch een agrarisch land, maar het lijkt wel of dat tot het verleden behoort!' Voor Fidel Castro hangt de toekomst van de landbouw voortaan af van de centralisatie, van de overgang op staatsbeheer en van zijn persoonlijke fantasieën als eeuwig uitvinder, waardoor er in het hele land steeds meer boerderijen met 'experimentele' landbouw komen. Wanneer Mimi voor een winkel in de rij heeft moeten staan voor iets onbenulligs, of zelfs voor helemaal niets, komt ze woedend en bitter gestemd thuis. Dan hoor ik haar alle leiders van het land vervloeken.

's Ochtends wandelen we langs de zee. Mijn oudoom Atete brengt me de grondbeginselen van het zeilen bij. Hij leert me te voorspellen of het slecht of mooi weer wordt.

's Avonds wordt vaak de elektriciteit afgesloten. Ondanks de muggen zitten we met z'n allen op het terras om te genieten van de laatste zonnestralen.

Ik weet niets van het beroep van mijn vader. Een tijdje geleden heb ik iets vreemds in de garage van het huis in Miramar zien staan: een grote, bolle tas van donkere stof, die bij zijn uitrusting past. Terwijl ik aan het spelen was met de gespen of met een riem, zei Popin tegen me dat het een parachute van mijn vader was, maar ik weet nog steeds niet hoe je die dan kunt gebruiken.

In 1969, het jaar dat ik vijf word, ga ik voor het eerst naar de lagere school, de *básica*. De school staat in onze wijk Miramar en is genoemd naar Cesar Escalante, een voormalig communistisch militant van de Partido Socialista Popular, een held van de Revolutie.

Mijn oom Patricio zet ons elke ochtend bij school af. We leren er rituelen in acht te nemen die jaar in jaar uit dezelfde zijn: tijdens de *matutino* groeten we de Cubaanse vlag, we zeggen politieke leuzen op en we zingen patriottische liederen.

Op Cuba verheerlijken we met kinderlijke vrolijkheid het ontzag dat ons door de onderwijzers wordt gedicteerd. Ik ben een leerling als alle andere, gevoelig voor de magie van het collectieve ritueel, voor de magie van het tempo, die maakt dat je je sterker voelt zodra je in dezelfde pas loopt. Het is de magie die je ondervindt wanneer je in koor zingt: '*Pionieros por el comunismo, seremos como el Che! O el Che! O el Che!*'* In werkelijkheid weet ik niet waar het eigenlijk over gaat. Net als

* Noot v.d. vert.: Pioniers voor het communisme, we zullen net als Che zijn! O Che! O Che!

39

de anderen zing ik steeds hetzelfde thema zonder de zin ervan te kennen, zonder een vermoeden te hebben van de betekenis...

De onderwijzers lezen ons teksten voor over de politieke situatie op het eiland. We leren dat de buitenwereld een verbond vormt tegen Cuba. Die wil niets liever dan ons aanvallen. Gelukkig hebben de Revolutie en Fidel Castro de mogelijkheden om ons te beschermen. Wanneer er een epidemie van tropische ziekten uitbreekt, is het de schuld van de Verenigde Staten. De virussen worden aan de lopende band gefabriceerd in de laboratoria van de CIA, en stiekem verspreid in gewone dozen medicijnen die op het eiland worden geïmporteerd. Hoe vaak hebben wij scholieren deze verklaring en zoveel fabeltjes en leugens niet te horen gekregen!

Maar thuis hoor ik niet hetzelfde als wat me op school wordt aangepraat... Mijn grootmoeder vertelt ons heel iets anders. Vroeger was er geen rantsoenering. Vroeger was Havana een schonere, beter onderhouden, beter georganiseerde stad. Vroeger kon de familie tussen Cuba en het buitenland heen en weer reizen zonder wie dan ook om toestemming te hoeven vragen. Vroeger werd de kinderen iets onderwezen in plaats van dat ze werden geïndoctrineerd, zoals dat tegenwoordig het geval is. Vroeger leefde iedereen enigszins zorgeloos. Maar tegenwoordig wordt er ruziegemaakt om de eerste levensbehoeften...

Graciela herinnert zich dat ze een gemakkelijk en gelukkig leven leidde tijdens een verblijf in de Verenigde Staten. Dat is zo'n twintig jaar geleden. Het was in 1948. Mimi en Popin hadden Tony en Patricio meegenomen naar Georgia, waar hun oudste zoon Mario bijna was afgestudeerd als scheikundig ingenieur. De tweeling was een jaar of tien. Ze zaten op de Christus-Koningschool in Atlanta. Daarna waren ze in 1949 teruggekeerd naar Cuba, waar in die tijd Carlos Prí Soccarás president was.

Vervolgens had op 10 maart 1952 de staatsgreep van Batista plaatsgevonden. De tweeling kwam in de puberteit. Omdat het een familietraditie was én uit bezorgdheid om hun veiligheid hadden Mario en Graciela hen vanaf 1956 naar de Verenigde Staten gestuurd om daar hun studie voort te zetten.

Ze waren in december 1958 voor de kerstdagen naar het eiland teruggekomen. Ze waren er niet meer weggegaan: de dictatuur van Batista was ten val gekomen, de Revolutie wekte enthousiasme bij de jeugd. Ze waren twintig.

Wanneer ze over het Amerikaanse dolce vita begint, wordt ander leed weer opgerakeld. Mimi is nooit die dag in juni 1962 te boven gekomen, toen haar oudste zoon afscheid nam van haar, van zijn vader en van zijn tweelingbroers. Mario was gekrenkt en verontwaardigd. Het nieuwe regime, ofwel de Revolutie, had hem verhinderd leiding te geven aan het familiebedrijf zoals hij dat wilde en in overeenstemming met zijn kennis van zaken. Hij vluchtte liever weg uit zijn geboorteland, zonder iets anders mee te nemen dan het hemd dat hij droeg, zijn moed, zijn kennis en ervaring.

Na 1962 waren er nog steeds mensen die het land ontvluchtten. Van de ene dag op de andere werd een huis vol geluiden en licht waar een hele familie had gewoond, stil en donker. In één enkele nacht waren de bewoners vertrokken zonder ook maar iemand gewaarschuwd te hebben uit vrees het slachtoffer te worden van beledigingen en narigheid. Er restte slechts een levenloos huis, een spookhuis. Grootouders, ouders en kinderen hadden het meubilair achtergelaten en waren per boot of per vliegtuig naar de andere oever van de Golf van Mexico gereisd. Hun buren merkten pas dat ze verdwenen waren toen ze al voet zetten op vreemde grond.

In Havana had Mimi op die manier een grote hoeveelheid huizen zien leeglopen. De door hun eigenaren verlaten huizen werden eigendom van de Revolutie – waarbij de ambtenaren zich het recht voorbehielden ze te 'bevriezen' of ze toe te wijzen aan wie bij hen in de smaak viel. Sommige wijken waren in een paar maanden een kwart van hun bevolking kwijtgeraakt. De oudere mensen hadden er verdriet van, maar wat te denken van de kinderen? Wanneer de eerste schrik voorbij was, beseften ze dat ze ieder moment van hun speelkameraadjes en hun vriendjes gescheiden konden worden.

Net als vele andere verbannen Cubanen zal Mario de la Guardia erin slagen te laten zien dat hij talenten heeft. Wanneer hij terug is in Georgia, waar hij heeft gestudeerd, zal hij zijn eigen bedrijf opzetten: Carson Products, een cosmeticabedrijf gespecialiseerd in huid- en haarproducten. Mijn oom, die sinds 1997, het jaar waarin hij zijn bedrijf heeft verkocht, is gepensioneerd, woont nog steeds in Atlanta.

In september 1971 vindt de eerste reis van Tony de la Guardia naar Chili plaats.

Salvador Allende, leider van het Volksfront, had de verkiezingen van 4 september 1970 gewonnen. Sindsdien was hij president met steun van de christen-democratische parlementsleden in het Congres. Allende, een goede vriend van Fidel Castro, die hem herhaalde malen tijdens zijn verblijf in Havana bij zich thuis had ontvangen, nodigt het Cubaanse staatshoofd uit de eerste verjaardag van zijn verkiezingsoverwinning te komen vieren.

Mijn vader, die belast is met de bescherming van de Cubaanse ambassade in Santiago, bestudeert tegelijkertijd de localisatie en de organisatie van de militaire eenheden van het land. Hij komt namelijk in een heel gespannen atmosfeer in Chili aan. Het Volksfront heeft de controle verloren tijdens de twee parlementsvergaderingen van eind juli. De Verenigde Staten geven sinds half augustus geen financiële steun meer. Allende heeft goede redenen om bang te zijn voor mogelijke gewelddaden.

Het lastigste is in de eerste plaats het garanderen van de veiligheid van Fidel Castro. Zijn herdenkingsbezoek, dat voor tien dagen was gepland, zal veel langer gaan duren. El Líder Máximo mobiliseert gedurende bijna vier weken zijn persoonlijke bewaking onder leiding van José Abrantes. Fidel spreekt menigten toe, speelt basketbal... Mijn vader moet hem door het hele land escorteren, van Santiago tot Iqique.

Fidel keert eindelijk naar Cuba terug. Tony en Patricio zien persoonlijk toe op de rekrutering, de uitrusting en de training van de bewaking van Allende. Een Cubaanse agent van Chileense afkomst heeft Allende ervan overtuigd die toe te vertrouwen aan Tony – dezelfde man zal van het begin af aan betrokken zijn bij de Cimex, de centrale inkoop- en handelsorganisatie waarbij mijn vader veel later, in 1982, zal worden aangesteld.

Tony wordt de coördinator van de Grupo de Amigos del Presidente (GAP)*. De omgeving van Allende staat onder Cubaans toezicht. Tati, de dochter van de Chileense president, is zelfs getrouwd met een Cu-

* Noot v.d. vert.: Groep van Vrienden van de President.

baanse agent van het departement Amerika – zijn chef, Piñeiro, alias Barbarossa, zou hem vanwege deze functie hebben gedwongen te scheiden van zijn Cubaanse vrouw.

Mijn vader komt pas begin 1972 terug naar Cuba, met de opdracht daar ophanden zijnde clandestiene wapenleveranties voor Chili voor te bereiden. Wanneer hij een paar maanden later weer uit Havana vertrekt, is dat om de strijders van de Movimiento de la Izquierda Revolucionaria* een militaire training te geven.

De positie van Allende in Chili wordt precair.

In december 1971 had in Santiago een manifestatie plaatsgevonden tegen de voedselschaarste. Door de staking van de vrachtrijders is Allende in oktober 1972 gedwongen de noodtoestand af te kondigen. Die wordt op 6 november opgeheven.

Mijn vader is op Cuba. Marta, zijn tweede vrouw, is op 13 maart 1973 bevallen van Antonio, mijn halfbroer. Intussen is in Chili het Volksfront bij de parlementsverkiezingen voorbijgestreefd door de oppositie. De militairen stappen uit de regering.

Er ontstaat verwarring. In juni valt een regiment pantservoertuigen het Monedapaleis aan. De aanval wordt afgeslagen. Maar Allende krijgt geen volmacht van het parlement. Eind juli gaan de vrachtrijders weer staken.

Sinds 1970 verlangt Fidel Castro ernaar in Havana een opzienbarend en onverwacht proces te organiseren. Tony de la Guardia krijgt de opdracht de ontvoering van Batista te bestuderen. De Cubaanse ex-dictator is naar Spanje gevlucht en woont in Madrid. Het schijnt dat het eerste speurwerk van mijn vader op het Iberisch schiereiland dateert van 1970. Is het plan opgegeven of later weer opgevat? Het is in ieder geval nooit ten uitvoer gebracht. Volgens bepaalde bronnen, waarvoor ik niet garant kan staan, zou mijn vader, nadat hij op 6 augustus 1973 in de Spaanse hoofdstad was aangekomen, hebben gehoord dat Batista de nacht tevoren was bezweken aan een hartinfarct.

Intussen verliest de regering in het Chileense Santiago langzamer-

* Noot v.d. vert.: Beweging van Revolutionair Links.

hand de controle over de situatie. Mijn vader wordt er met spoed naartoe geroepen.

Op 11 september 1973 pleegt president Allende zelfmoord in het Monedapaleis, dat wordt belegerd en gebombardeerd. Naar men sindsdien heeft gezegd met een van de wapens waarmee de Cubaanse raadgevers hem hadden toegerust. De militaire junta, geleid door generaal Augusto Pinochet, heeft zojuist de macht overgenomen. Er volgen massale arrestaties, parate executies en verdwijningen... Avondklok, censuur, klopjacht op tegenstanders. De nacht is gevallen over Chili.

Ik ben nog geen negen jaar. Ik heb vakantie en ben op de tweede verdieping van het huis in Miramar, wanneer ik de klank van een vertrouwde stem heb herkend en een opwelling van vreugde voel. Wat een opwinding! Het is mijn vader. Hij staat onder aan de trap te praten met Mimi en Popin. Mijn grootouders onderbreken hem, bestormen hem met vragen. Hij is erin geslaagd te vluchten. Hij is net terug uit Santiago. Ik storm de trap af. Ik werp me in zijn armen. Daarna maak ik haastig zijn koffer open, op zoek naar het cadeau. Zo gaat het altijd: hij heeft altijd een verrassing voor me in petto wanneer hij terugkomt van een reis. Deze keer ben ik chagrijnig. Ik zoek niet langer. Er zit niets in zijn koffer, en al helemaal geen cadeau voor een meisje van mijn leeftijd. Uit Chili had hij alleen vuurwapens meegenomen.

5

Woensdag 14 juni 1989. Mijn vader is nu al zesendertig uur verdwenen. 's Ochtends komt Mimi naar me toe om zich te beklagen. Voor de zoveelste keer.

Dat haar tweeling verzot is op werken, het zij zo. Maar zozeer dat ze hun verjaardag vergeten? Zozeer dat ze haar niet eens even bellen? Tegenover haar verbitterde woorden voer ik dezelfde erkenning van machteloosheid aan als de vorige dag. 'Je weet hoe de jongens zijn, Mimi... Ze zullen wel een goede reden hebben, geloof mij maar.'

Het is het begin van de middag. We stappen in de Lada, richting het oude Havana. Jorge is het met me eens geworden. We hebben de bevestiging gekregen dat Tony en Patricio opgesloten zitten in Villa Marista. We vrezen dat de bewaking die al voor de leden van de familie De la Guardia geldt zich van dag tot dag steeds verder uitbreidt tot aan al hun relaties.

Onder die omstandigheden kunnen we de tas met wapens niet langer bij Lucy laten. Het heeft geen zin haar in gevaar te brengen. Mijn blinde vriendin heeft niets met deze affaire te maken. We willen haar vooral niet in opspraak brengen.

Lucy doet bijna meteen open. Het lijkt wel alsof ze mijn bezoek verwachtte. Geruisloos loopt ze naar het appartement van haar grootmoeder, naar de barbecue. Ze overhandigt me de tas. We praten zachtjes. Vijf minuten, niet langer. Ik neem afscheid terwijl ik haar nogmaals bedank. Ik ren de twee trappen naar beneden. Jorge zit ongeduldig te wachten tot ik terug ben. Langdurig parkeren zou de aandacht van de politie kunnen trekken.

De nacht valt over Havana. Het zal naar het zich laat aanzien een lange, heel lange nacht worden. De straatverlichting is karig. Je ziet de slechte staat van de huizen en het wegennet minder goed dan in de volle zon, maar de schoonheid van de nacht verandert niets aan het tafereel. Wat er nog rest van de stad is bezig te vergaan, koloniale paleizen zijn ingestort, bovenverdiepingen weggevaagd, en alleen nog een of andere kat of uitgehongerde hond zwerft er rond, alsof de stad is ingesluimerd na een bombardement dat heeft plaatsgevonden in lang vervlogen tijden.

Rosa, een van de twee huishoudelijke hulpen die mijn grootmoeder bijstaan, had ons afgeraden om in deze tijd 's nachts naar buiten te gaan. Uit gezond verstand, maar ook uit bijgeloof. Ze houdt zich bezig met de *santería*. Dit religieus syncretisme, dat voortkomt uit een mengeling van Afrikaanse animistische tradities en de westerse katholieke traditie, is kenmerkend voor Cuba. Een soort devotie van het volk die de lofzangen op het wetenschappelijk materialisme die al vijfentwintig jaar worden herhaald niet aan het wankelen hebben kunnen brengen – maar Fidel Castro zelf is heel bijgelovig.

Dat we de raadgeving van Rosa naast ons neerleggen is niet om het ongeluk over ons af te roepen, maar juist om minder risico te lopen. We moeten van die tas met wapens af zien te komen. We willen die zo snel mogelijk in veiligheid brengen. Gelukkig heeft Jorge plotseling een ingeving. Hij denkt dat hij de tas kan toevertrouwen aan een vriend van hem, Pablo, die we onder elkaar de *tropero* noemen. Deze Pablo heeft gediend bij de Speciale Troepen, het keurkorps waarover mijn vader en mijn oom het bevel hebben gevoerd. Hij is naïef en goeiig en altijd bereid om je een dienst te verlenen.

Mijn man heeft me gewaarschuwd. Pablo is wel van de situatie op de hoogte. Maar pas op: hij en zijn vriendin delen hun appartement met een jongen die Jorge niet helemaal vertrouwt. Met zijn gepommadeerde haren en gouden kettingen om zijn nek is 'El Padrón' een knappe gozer. Hij gaat om met de *bisneros*, de jongens die zo handig zijn op de zwarte markt waar alles in deviezen wordt omgezet.

Een min of meer getolereerde verkrachting van de wet. De politie beslist wat dat betreft van geval tot geval – net zoals het uitkomt. Dat deze jongen door kan gaan met zijn gesjoemel, dat officieel strafbaar is, zonder ooit te zijn lastiggevallen of bestraft, is verdacht. Het feit dat hij ongemoeid wordt gelaten wijst erop dat hij een politiespion is.

In zijn aanwezigheid wisselen we gemeenplaatsen uit. Zodra hij ervandoor is, geeft Jorge de tas aan Pablo.

Het is half negen 's avonds. Omdat hij geen argwaan wil wekken bij 'El Padrón', maakt Jorge me duidelijk dat we nog wat langer bij Pablo moeten blijven. De televisie staat net aan in de woonkamer.

Maar we hebben in de verste verte geen idee van het tafereel dat die avond op het tv-scherm zal verschijnen. Het is zo krankzinnig, zo zot, dat we erdoor verbouwereerd zijn. Je zou bijna gaan geloven dat deze laatste vierentwintig uur van ontzetting en angst al met al slechts een boze droom, een betreurenswaardig misverstand was. Zoals het misverstand dat majoor Dracula gisteravond zo graag uit de weg had willen ruimen, toen hij ons uitlegde dat Tony en Patricio in Villa Marista niet 'opgesloten' maar 'vastgehouden' werden...

Een close-up van Raúl Castro, met een kribbige blik achter zijn brillenglazen en een vochtige snor. Hij is in uniform. De minister van de Strijdkrachten spreekt zich uit tegenover een publiek van militairen. Honderden militairen die bijeen zijn gekomen in een theater, de 'Sala universal de las Fuerzas Armadas Cubanas'.

De broer van Raúl zit boven op een tribune waarboven een breed spandoek hangt: xxviiiste verjaardag van het westelijk leger. Raúls toespraak wordt rechtstreeks uitgezonden. Die was niet van tevoren gepland, zegt Pablo tegen ons. En als je van een verrassing spreekt, dan is dit er een.

Raúl beschikt wel over een tekst: een stuk of vijftien velletjes die hij op het blad van de lessenaar legt, waar hij mee zwaait, die hij verspreidt en dan weer bij elkaar legt. Hij maakt zich ervan los en komt er weer op terug. Want in tegenstelling tot wat hij gewend is, lepelt hij niet een toespraak op die is voorbereid, die puntsgewijs wordt afgewerkt, die conventioneel en slaapverwekkend is. Verre van dat. Deze keer heerst er spanning. Er zit onweer in de lucht. Je voelt dat Raúl pisnijdig is. Er kan van alles gebeuren. Er hangt een ongewone sfeer: de schijnbaar goedhartige stemming zou weleens in bandeloosheid kunnen omslaan. Want wat Raúl probeert, rechtstreeks en zonder souffleur, is een gesprek improviseren.

47

Hij weet duidelijk niet waar hij op afkoerst. Hij springt van de hak op de tak. Hij onderbreekt zijn verhaal, dat nogal onsamenhangend is, om de zaal 'op te hitsen'. Hij weet zijn opwinding niet te bedwingen. Hij is minder zeker van zijn zaak dan hij wil laten blijken. Achteraf beseft hij dat hij is uitgegleden, dat hij verkeerd zit. Is hij dronken? Dat denken de miljoenen Cubanen die zich, enigszins geamuseerd, plotseling hebben verzameld rond hun televisietoestel.

'De officier van de strijdkrachten die ik het vaakst tot de orde heb geroepen,' verklaart Raúl, 'wanneer ik officieel tegenover hem zat in een kantoor, tijdens een maaltijd of in een gang, is Arnaldo Ochoa Sánchez. Ik heb hem eerst verweten dat hij te veel praat. Hij maakt altijd grappen. Je weet nooit of hij serieus is. En wat er is gebeurd, is heel ernstig. Het is geen politiek Probleem, zoals *Granma** schrijft.

Hoe is het zover gekomen? Laten ze me niet vertellen dat het vanwege Angola is en dat we hier verkeerde beslissingen hebben genomen. Hij werkte in Luanda zo'n beetje overal. De man die aan het hoofd stond van het gros van onze troepen aan het zuidfront was Polito, en niet Ochoa, wiens activiteiten verduidelijkt zullen worden na de bijeenkomst van het eretribunaal.'

Raúl verzoekt Polito om op te staan. Hij laat hem toejuichen.

In zeker opzicht houdt Raúl dit gesprek alleen voor zichzelf, voorzover hij uit eigen beweging de vragen stelt en de antwoorden geeft. Kortom, hij houdt een monoloog die gebracht wordt als een dialoog. Maar voor een publiek. Gericht aan de militairen die opeengepakt zitten in het theater. En gericht aan de televisiekijkers. Het eigenaardigste is dat hij de indruk wekt door de muren heen te kunnen zien. Nu eens neemt hij zijn toehoorders tot getuige, of bepaalde mensen onder de toehoorders, dan weer doet hij alsof hij iemand die er niet is tot getuige neemt.

Raúl, een armzalig spreker, waagt zich aan een retorisch procédé waar zijn broer in uitblinkt: de personificatie. Op een bepaald moment vraagt hij zich af, terwijl hij doet alsof hij erom moet lachen, of 'die iemand die er niet is' niet de kans had gezien zich te laten vertegenwoordigen door deze of gene van de mensen die er wel zijn.

* Het enige dagblad (van de enige partij) dat op Cuba is toegestaan.

De 'iemand die er niet is' heeft een hoge functie. Het is generaal Arnaldo Ochoa Sánchez, 'held van de Cubaanse republiek'.

Ochoa, die sinds januari 1989 terug is uit Angola, zou over enkele dagen, op 24 juni, het bevel overnemen over het Westelijk Leger. Je ziet hoezeer het nieuws van zijn arrestatie voor sensatie heeft gezorgd. Dat nieuws is over het hele eiland gegaan sinds er diezelfde dag nog in *Granma* een mededeling is gepubliceerd, omlijst door een dikke zwarte lijn, als bij een overlijdensadvertentie, waarin hem 'ernstige daden van corruptie en oneerlijk gebruik van economische middelen' ten laste worden gelegd. Ochoa, zo wordt vastgesteld, zal binnenkort voor een eretribunaal worden gedaagd.

Alle militairen die in de zaal aanwezig zijn weten ervan. Tot op zekere hoogte. Ochoa is plotseling opzijgeschoven, ja, maar waarom? Zo'n belangrijke beslissing kan niet lichtvaardig zijn genomen. Welnu, als iemand het antwoord weet, is dat Raúl. Maar nee hoor! Zal hij ook maar één enkele 'daad van corruptie' noemen? Dat doet hij niet.

Eén, twee uur later... Raúl praat over van alles en nog wat, bijvoorbeeld over 'de heldhaftigheid' van Spartaans tandenpoetsen ('met je vinger en met zeep'), maar niet over de aanklacht die aanleiding is geweest tot de arrestatie. Daarover blijft hij zwijgen.

Hij vraagt zich daarentegen wel af wat Ochoa tot het punt heeft gebracht dat er nu een aanklacht tegen hem loopt die voorlopig inhoudsloos is.

'Wat is er met Ochoa gebeurd?' vraagt Raúl zich hardop af. 'U krijgt het te horen. En met Diocles? [Diocles Torralba, minister van Vervoer, die ook gearresteerd wordt op de avond van 12 juni, maar wiens geval merkwaardigerwijs apart behandeld zal worden.] Ik weet niet of u het weet. Waarschijnlijk wel.'

Die avond vertelt Raúl steeds maar weer hoe verontwaardigd hij is door Ochoa's gedrag, dat van een 'charlatan', van een 'grappenmaker', van een 'leugenaar'. En ook hoe boos hij is over zijn meningen, de meningen van een 'populist'.

Een voorbeeld: 'Dat deze generaal op zijn manier wil denken, komt doordat hij denkt dat hij in Oost-Europa is. We zijn hier niet in Oost-Europa... Ochoa maakt altijd grappen. Je weet nooit wanneer hij gekheid maakt en wanneer hij serieus is. En ik houd niet van grappen. Weg met Ochoa! Laten we ons van Ochoa ontdoen!'

Heeft hij niet 'onze papa' beledigd? Heeft hij niet 'ons levende symbool, het belangrijkste symbool dat we hebben, waarvan de naam Fidel Castro is' openlijk in opspraak gebracht? Een loftuiting die applaus krijgt van het publiek, dat begint te scanderen: 'Fi-del! Fi-del!'

Zoals hij zelf suggereert, heeft Raúl een serie confrontaties met Ochoa achter de rug. Het duizelt hem. Hij is duidelijk nog steeds woedend. Hij ziet steeds een bepaald beeld voor zich. Terwijl hij voor zijn toehoorders staat, stelt hij zich weer voor hoe Ochoa tegenover hem zit in zijn kantoor op het ministerie. De generaal is geen lafbek. Hij geeft geen krimp. Hij durft. Je voelt dat hij de beschuldigingen die tegen hem zijn gericht van tafel veegt, dat hij ze belachelijk maakt, dat hij recht voor zijn raap antwoord geeft, schaamteloos lacht en beledigende toespelingen maakt.

Het is een spontane woede. Raúl gooit eruit wat hem op het hart ligt. Hij improviseert, maar hij verzint niets. Hij spreekt dus de waarheid. Waarom nog verder zoeken? De eerste opwelling is de juiste.

Ochoa is in de gevangenis gegooid wegens onbeschaamdheid en, in het ergste geval, maar dat is niet zeker, wegens het feit dat hij van de officiële politieke koers afwijkt.

En niet om iets anders. Maar dat is al heel wat. Het is zelfs enorm veel in die periode van de geschiedenis waarin de perestrojka, waarmee Gorbatsjov in 1986 is begonnen, de bevolking van de communistische landen aanzet haast te maken met de overgang naar vrijheid van meningsuiting, vrijheid van onderneming en vrijheid van reizen. Dat geldt ook voor Cuba. Ik herinner me dat mijn vader het betreurde dat de 'vrije boerenmarkten' gesloten werden, dat de rantsoenering werd voortgezet, dat het voor de meeste Cubanen onmogelijk was om te reizen, dat het verboden was dollars in bezit te hebben, dat de jeugd zo'n weinig benijdenswaardig lot te wachten stond, enzovoort.

Is er op Cuba maar één Ochoa, of zijn er twee of drie of honderd Ochoa's? Het lijkt wel alsof Raúl bang is voor besmetting. Hij is geneigd overal Ochoa's te zien. Zou het zelfs niet kunnen zijn dat er nog een Ochoa verborgen zit tussen het groepje generaals dat als standbeelden op hetzelfde toneel staat als hij, tegenover het publiek? De broer van El Líder Máximo speelt komedie. Hij doet alsof hij nog een Ochoa verdenkt, nog een heleboel Ochoa's, die klaarstaan om hem te bespringen, om hem zijn microfoon, zijn bril en zijn onderscheidingen af te pakken. Hij probeert de mensen aan het lachen te maken of zichzelf angst aan te jagen. Tenzij hij er werkelijk bang voor is.

Ik herinner me Ochoa van een dag dat we bij elkaar waren in het huis van de schoonouders van Patricio. Hij leek erg geagiteerd. 'Weet je,' zei hij, 'er is hier een gek. Ja zeker, we hebben hier een gek...' Zijn omgeving was gewend hem spontaan grappen te horen maken. Er was geen reden tot verbazing. Ochoa is niet iemand die geaffecteerd spreekt of zichzelf al te serieus neemt. Maar deze keer durfde de generaal zijn doelwit met name te noemen, wat zeer zelden voorkomt, want daarmee graaf je op Cuba je eigen graf. Op een gegeven moment liet hij zich ontvallen: 'Ja zeker, Fidel Castro. Hij is tegenwoordig gek. Dat zeg ik je. Die man is gek...'

Vanavond is het Raúls beurt om te bewijzen dat hij ook grappen kan maken. Hij neemt zijn publiek van militairen tot getuige. 'Hier hebben we genoeg democratie, zeg nu zelf. Hier hebben we genoeg democratie, ja of nee?' – 'Ja.' – 'Zegt u dat omdat de minister het zegt?' – 'Nee.' En dan zegt Raúl, die ook niet achterlijk is, met minachting op spottende toon, expres naar de camera gedraaid: 'Toen ze "Ja" en "Nee" zeiden, leek het wel een spelletje. Het leken wel schoolkinderen... Bij kinderen is het begrijpelijk, bij jullie iets minder.'

Tot dan toe is mijn vader noch mijn oom genoemd. Ze vallen weliswaar onder een ander ministerie, een rivaliserend ministerie: Binnenlandse Zaken, dat wordt bestuurd door generaal José Abrantes Fernández. Abrantes, die op het toneel staat naast de chef-staf van Raúl, generaal Ulises Rosales del Toro, is de hele avond bijzonder onbewogen of zelfs afwezig gebleven.

Raúl heeft alleen een van zijn mannen harde verwijten gemaakt, een generaal die geldt als een groot strateeg voor wie het meest prestigieuze bevel was weggelegd, het bevel over de tweede divisie van de Strijdkrachten, en van wie plotseling blijkt dat hij verkeerd gehandeld zou hebben.

Mijn oom, generaal Patricio de la Guardia, behoort niet tot de Strijdkrachten, maar als chef-staf van de Minint-missie in Angola heeft hij in Luanda genoeg contact gehad met Ochoa om hem als een vriend te beschouwen.

De baas van de Cubaanse Strijdkrachten heeft nog een andere naam dan Ochoa genoemd, maar zonder uit te leggen waarom of hoe:

de naam van Diocles Torralba. Torralba is evenals Ochoa opgeleid aan de militaire academies in de Sovjet-Unie en is minister van Vervoer. Men leidt eruit af dat hij sinds achtenveertig uur in ongenade is gevallen. Wie het begrijpt, mag het zeggen.

Deze beschuldiging moet mijn vader wel aan het hart gaan. Hij is verwant aan de minister van Vervoer sinds hij hertrouwd is met Maria Elena, de dochter van Diocles. Maar onder de huidige omstandigheden is er niets wat erop wijst dat Tony en Patricio betrokken zijn bij de 'affaire-Ochoa'. De tweeling heeft de perestrojka wel verwelkomd in de hoop op een verandering, maar bij mijn weten hebben ze dat niet openlijk laten blijken zoals Ochoa.

Het schouwspel eindigt met een onverwacht oprechte toelichting: 'Goed, wat ik zojuist heb gezegd is niet de officiële versie die u in de krant zult vinden... In *Granma* komt de officiële versie te staan.'

Op de terugweg naar Miramar praat ik met Jorge over deze surrealistische avond. De gedachte laat me niet met rust dat Ochoa het bevel over het Westelijk Leger is afgenomen vanwege zijn onbeschaamdheid, en dat die onbeschaamdheid, in het uiterste geval inderdaad insubordinatie, waarschijnlijk zal betekenen dat hij ervan wordt beschuldigd van de officiële koers te zijn afgeweken.

Met wat een grofheid sprak Raúl over zijn meest vermaarde generaal, ik ben er nog stomverbaasd over! Hoe moet je onder deze omstandigheden geloven in de corruptiezaak die vanochtend nog in *Granma* werd vermeld? In feite heeft Raúl geen enkele bijzonderheid genoemd.

Ook vraag ik me af hoe het eretribunaal dat volgens *Granma* bijeengeroepen zal worden, zou kunnen pretenderen generaal Ochoa te degraderen of te royeren. Dat is beslist ongebruikelijk: dit soort sancties kan zich alleen a posteriori voordoen, na afloop van een (voor)onderzoek waarbij de overtredingen openbaar worden gemaakt, na afloop van een proces waarbij aanklager en verdediging met elkaar geconfronteerd worden, na een vonnis waarbij onschuld of schuld en verzachtende omstandigheden worden vastgesteld en waarbij naar omstandigheden straf of ontslag van rechtsvervolging past.

Het eretribunaal heeft consequenties. Het is aan de gelijken van de betrokken officier om te beslissen of hij, in het licht van de veroordeling die in eerste instantie is uitgesproken door een wettelijk rechtscollege, toestemming krijgt zijn rang, zijn titels en zijn onderscheidingen te behouden.

Wat betekent dan dat eretribunaal dat duidelijk wordt opgeroepen om de uitspraak te doen dat Ochoa zal worden afgezet, nog voordat de militaire kamer van het opperste militaire gerechtshof is bijeengekomen, de enige rechtsmacht die bij deze gelegenheid de bevoegdheid heeft hem te berechten voor de delicten die hem ten laste worden gelegd?

Dat Fidel Castro voorbijgaat aan de legale procedure, is dat niet omdat hij bang is dat de rechtsgang zich aan zijn invloed onttrekt? Volgens de grondwet (artikel 73) moeten de rechters van de militaire kamer van het opperste militaire gerechtshof worden gekozen door de volksvertegenwoordiging. Die bestaat uit afgevaardigden die als meegaand gelden. Toch zal Fidel Castro de procedure wel een tikkeltje gewaagd vinden. Zou hij ondanks alles bang zijn voor de aanstelling van al te consciëntieuze rechters, ja zelfs van welwillende rechters of, erger nog, rechters die onder één hoedje spelen met generaal Ochoa? En als de Opperbevelhebber deze omkering van de gang van zaken nu eens alleen maar toepast om generaal Ochoa te misleiden?

Hij zou hem slechts het volgende voorstel hoeven te doen: 'Je weet hoe ik ben, Arnaldo. Je hebt mijn broer Raúl beledigd. En met mij heb je de spot gedreven, je hebt me gekwetst. En nu moet je toch eens zien hoe goedhartig ik ben: ik bespaar je een proces. Je zult voor een eretribunaal verschijnen. Je hoeft je niet te verdedigen. Wees bereid tot medewerking. Toon berouw. Heb medelijden met de Revolutie die je hebt verraden terwijl ze zoveel voor je heeft gedaan. Zeg duidelijk dat je het verdient om gefusilleerd te worden. Je zult gedegradeerd worden en uit de Strijdkrachten gezet worden. Je familie zal niet ongerust worden gemaakt. Dat is alles. Opgekrast! Ondanks wat je me hebt aangedaan, zal ik je verbazen door mijn zachtmoedigheid.'

Van de vele uitglijders van Raúl is er één die me boven alles intrigeert en die, naar ik vrees, onopgemerkt zal blijven. Wie zal er wijzen op de enorme vergissing die de baas van de Strijdkrachten die avond heeft begaan? Wanneer hij het over Ochoa heeft, verklaart hij dat 'wat er gebeurd is, heel ernstig is', om daar meteen aan toe te voegen: 'Het is geen politiek probleem zoals *Granma* het uitlegt.'

Maar waar heeft hij die uitleg in *Granma* zien staan?

Het communiqué dat op de ochtend van 14 juni 1989 wordt gepubliceerd, geeft geenszins te verstaan dat het om een politiek probleem gaat. Het onthult de arrestatie van de divisiegeneraal en rechtvaardigt die op grond van 'ernstige daden van corruptie en oneerlijk gebruik van economische middelen'. Dat is alles!

In zijn zenuwachtigheid heeft Raúl zich een bekentenis laten ontvallen. *Granma* wordt voor honderd procent gecontroleerd door Fidel Castro. Die heeft het communiqué over de arrestatie van Ochoa geschreven. De tekst is geen weergave van de gesprekken die hij met Raúl heeft gevoerd, maar van de strategie waartoe hij, Fidel, heeft besloten. Waarbij hij zijn woorden zeer zorgvuldig afweegt.

Waar haalde Raúl de toespeling op een 'politiek probleem' vandaan? Als hij daarover niet in *Granma* gelezen kon hebben, had hij het natuurlijk uit de mond van zijn broer gehoord in de loop van de dagen en nachten die ze samen hadden doorgebracht zodra ze zeker wisten dat Ochoa een gevaar voor hen was geworden. Een 'politiek' gevaar. Een gevaar dat beiden zo snel mogelijk uit de weg wilden ruimen, ook al ging dat ten koste van een krankzinnige improvisatie waarvoor Raúl, die impulsiever, sentimenteler en onhandiger is, veel minder aanleg had dan zijn broer.

Niemand weet beter dan Fidel Castro dat hij onmogelijk kan toegeven wat de affaire-Ochoa in werkelijkheid is: een politieke affaire. Tegen de internationale achtergrond van deze periode zou die bekentenis zijn opgevat als een teken van zwakheid, waardoor hij de wind van de perestrojka en de vernieuwing zou aanwakkeren.

6

Als kind vond ik het heerlijk om in het huis in Miramar voor de boekenkast te zitten. Die staat naast een grote kast vol souvenirs: oude foto's, porseleinen en zilveren serviezen. In de kast hangen ook jurken en met name van die bontmantels die kortgeleden nog door mijn grootmoeder werden gedragen tijdens sommige van haar reizen naar het buitenland. Ze fascineren me. Voor mij als klein meisje is het een droom om besneeuwde landschappen te kunnen bezoeken in zulke elegante en op Cuba volkomen ongebruikelijke kleren.

Dankzij de talrijke foto's die Mimi bewaart, kan ik me voorstellen hoe mijn ooms eruitzien, en de neven die Cuba hebben verlaten en die ik waarschijnlijk nooit zal leren kennen. De verzameling is in de loop der tijd uitgebreid. Naast de trouwfoto's en reisherinneringen van vroeger zijn er portretten ten voeten uit van Tony en Patricio na de Revolutie... Mijn vader en mijn oom poseren samen in parachutistentenue. Ze staan ook met een groep op de foto. Met andere leiders van de Revolutie. Soms zelfs met de baas: met Fidel Castro.

Mijn vader en mijn oom geven al heel vroeg aan hun kinderen hun voorliefde voor sport, avontuur en mooie dingen door. Echte heldendaden interesseren hen, maar meer nog de juiste aanpak. Dat geldt voor mij ook. Hoewel ik al op heel jonge leeftijd goed kan zwemmen, verlang ik er niet speciaal naar snelheidsrecords te breken in zwembassins van olympische afmetingen. Ik word daarentegen wel aangetrokken door het schouwspel van waterballet. Daarin worden het artistieke aspect en de atletische prestatie gecombineerd.

Ik ben bijna tien. Ik kom in 1974 op de watersportschool Camilo Cienfuego in Guanabo – een strand waar mijn vader graag met me speelt. Daarna ga ik terug naar Miramar, naar watersportschool Marcelo Salado.

Daar blijf ik tot het einde van mijn middelbare school, op één ongewilde uitzondering na: in 1978 ga ik naar de hogeschool voor de sport in Siboney. Voor een jaar slechts.

Onder de illegale opdrachten die mijn vader heeft vervuld, opdrachten die gewenst zijn door Fidel Castro en die uiteraard in stilte worden uitgevoerd, is er één die een aankondiging is van de wending die zijn carrière in de loop van de komende jaren zal nemen. Havana vraagt hem naast de militaire opleiding nog een pijl aan zijn boog toe te voegen: financiële en commerciële bekwaamheid. Dankzij zijn goede beheersing van de Engelse taal, die hij heeft opgedaan tijdens zijn studie in de Verenigde Staten, kan hij zich overal in het buitenland bewegen.

In de eerste dagen van juni 1975 krijgt mijn vader de opdracht naar Zwitserland te gaan. Het schijnt dat El Líder Máximo namelijk alle vertrouwen heeft in de traditionele wegen om zwart geld wit te wassen. Tony de la Guardia krijgt bevel daar geld te beleggen dat de Montonero's ('linkse' peronisten die voorstander zijn van de gewapende strijd) kort daarvoor hebben afgeperst van twee Argentijnse zakenmannen die ze hebben ontvoerd.

De broers Jorge en Juan Born werden vrijgelaten in ruil voor een bedrag van 60 miljoen dollar. Firmenich, de baas van de Argentijnse guerrillastrijders, heeft Fidel Castro gevraagd het geld in veiligheid te laten brengen. En op voorschrift van zijn superieuren vertrekt mijn vader naar Genève en brengt hij de transactie tot stand.

Heeft hij zich voor een gewone toerist uitgegeven? Op de foto's die hij heeft meegenomen van zijn verblijf in Genève staat mijn vader nu eens alleen, dan weer naast een andere man – hoogstwaarschijnlijk een Cubaanse agent. Hij heeft een zonnebril op en draagt een elegant kostuum. Hij, die van ongedwongen kleding houdt, heeft voor de gelegenheid een stropdas omgedaan als een zakenman die boven elke verdenking verheven is. Hij heeft zijn taak volbracht. Wie zal ooit te weten komen op welke Zwitserse bank en op welke rekening die 60 miljoen dollar is gezet?

In diezelfde tijd wordt mijn oom Patricio naar Vietnam gestuurd als militaire ondersteuning van het communistische regime in Hanoi.

Havana stuurt Tony de la Guardia algauw naar Libanon. De burgeroorlog is daar uitgebroken in juli 1975. De *feddajins* van het Volksfront ter bevrijding van Palestina van Georges Habache en de *feddajins* van het Democratisch Front (FDPLP, ontstaan uit een scheuring van het FPLP) van Nayef Hawatmé tarten de christelijke milities, wanneer ze niet bezig zijn met plunderen, ontvoeringen en overvallen.

Tot in 1976 zal mijn vader vanuit zijn basis in Beiroet steeds meer 'zakenreizen' maken. Havana is de bondgenoot van het FDPLP. Zijn soldaten doen gewapende overvallen op Libanese banken, mijn vader brengt de buit in circulatie. Hij heeft de opdracht te onderhandelen met Nayef Hawatmé en Abdul Leila, de staf van het FDPLP. Goudstaven, edelstenen, museumstukken worden eerst naar Syrië verstuurd, waar Fidel sinds eind 1973 een pantserdivisie van de FAR heeft gestationeerd, en vervolgens via de diplomatieke post rechtstreeks naar Cuba. De eindbestemming van deze illegale handel is Tsjecho-Slowakije.

Soms maakt hij onschuldige culturele reisjes. Op de foto's die hij heeft meegenomen van zijn verblijf in het Nabije Oosten staat hij te midden van de overblijfselen uit de Oudheid, uit de tijd dat Libanon en Syrië een en dezelfde provincie vormden van het Romeinse rijk.

Op dat moment voegt Fidel Castro een nieuw hoofdstuk toe aan zijn 'internationalistische' saga. Hij stort zich in het Angolese avontuur. Volgens zijn zeggen ter ere van de antikolonialistische strijd, het antiracisme, de hulp aan de derde wereld en de Afrikaanse oorsprong van de Cubaanse geschiedenis.

Geleid door de man die Salazar had gevloerd bereidt de Portugese regering (voortgekomen uit de Anjerrevolutie van 25 april 1974) zich erop voor om Angola op 11 november 1975 de onafhankelijkheid te schenken. Ter plaatse, in Luanda, wordt een Portugese admiraal belast met de praktische afwikkelingen.

Drie Angolese bevrijdingsbewegingen strijden op hetzelfde moment om de controle over het land, dat vanwege zijn rijkdommen aan aardolie en mijnen een geweldige inzet is geworden. Castro zal de gang van zaken bespoedigen. Hij trekt partij voor de openlijk communistische, de Sovjet-Unie welgezinde MPLA ten koste van de FNLA en de Unita, die worden gesteund door de CIA...

Op 7 november komen mijn vader en zijn adjudant José Luis Padrón in Luanda aan met een eerste detachement van de Speciale Troepen. De eerste leden van het Cubaanse expeditieleger hebben nauwelijks de tijd om zich in te kwartieren, of ze komen al onder vuur te liggen.

Op 11 november 1975 heeft Neto namelijk zichzelf volgens het Cubaans-Angolese plan tot president van de Volksrepubliek Angola benoemd.

Diezelfde dag wordt midden in het Angolese grondgebied in Huambo door de leiders van de FNLA (gesteund door Zaïre) en de Unita (gesteund door Zuid-Afrika onder het apartheidsregime uit die tijd) de Democratische Volksrepubliek uitgeroepen. Waarbij ze hun troepen het bevel geven naar Luanda op te trekken...

Andere bataljons Cubaanse soldaten arriveren op hun beurt uit Havana. Patricio de la Guardia is er ook bij.

Maar de bankschroef wordt aangedraaid. Algauw wordt de MPLA in Luanda bestormd door de FNLA, die zijn basis heeft in Zaïre, en door de Unita, die zijn basis in Namibië heeft.

De MPLA ondervindt de ene tegenslag na de andere. De situatie verslechtert in de laatste dagen van november, met name wanneer de sectie waarover Tony het bevel voert in een hinderlaag terechtkomt.

Over die gebeurtenis heeft mijn vader me verteld. Ik heb hem, die gewoonlijk zo terughoudend en zo gesloten was, er meer dan eens over gehoord. Hij was het trauma niet meer kwijtgeraakt. Het stond in zijn geheugen gegrift.

Er zijn voertuigen op mijnen gelopen. Aan alle kanten wordt geschoten. Raúlito Jafauel verliest bloed. Hij is heel ernstig gewond. Padrón hijst hem op zijn schouders. Zijn wapenbroeders trekken zich in looppas terug. Onder vuur vecht hij zelf, zich terugtrekkend in de richting van de Cubaanse linies. Hij is buiten adem. Helaas begrijpt hij, wanneer hij eenmaal in veiligheid is en hij Raúlito op de grond heeft neergelegd, dat hun vriend het niet heeft overleefd.

Neto, die wordt gesteund door bijna twintigduizend Cubaanse soldaten, zal pas na januari 1976 weer controle krijgen over het gebied rond Luanda.

Weer een nieuwe bestemming voor mijn vader aan het begin van 1976. Jamaica wordt sinds vier jaar geregeerd door een man van links. De eerste minister heeft de steun van Fidel Castro. Mijn vader wordt naar het eiland gestuurd als militair adviseur, een heel gewone dekmantel voor een speciaal agent. Patricio sluit zich, na zijn terugkeer uit Angola, korte tijd later bij hem aan.

Het jaar daarna reist Tony regelmatig heen en weer tussen Havana en Kingston. Eén ding is zeker. Hij is op 25 mei 1977 op Cuba bij zijn tweede vrouw, Marta, die die dag is bevallen van mijn halfzusje Claudia.

Een van zijn volgende missies naar Jamaica is duidelijk illegaal. Hij zal die taak vervullen in de loop van het jaar 1977. Die bestaat uit de infiltratie en exfiltratie van een vroegere agent van de CIA.

Deze man wordt 'Musculito' genoemd, maar zijn werkelijke naam is Eugenio Rolando Martínez. De Cubaanse regering is ervan overtuigd dat hij een nieuwe geheim agent zal aanwerven – en de CIA speelt het spelletje mee...

De man is in de Verenigde Staten persona non grata verklaard. De gerechtelijke autoriteiten van het land hebben vastgesteld dat hij medeschuldig was aan de afluisterpraktijken in het hoofdkantoor van de democratische partij. Dat speelde al enkele jaren geleden. Het Watergate-schandaal en de impeachment-procedure hadden Nixon in de zomer van 1972 uit het Witte Huis gejaagd.

'Musculito' zal later presidentiële gratie krijgen onder Ronald Reagan. Sinds het eind van de jaren negentig heeft de vroegere CIA-agent een ander beroep: hij is autoverkoper in Miami.

In de loop van het jaar 1979 voeren mijn vader en zijn trouwe vriend Pepe Padrón (José Luis Padrón González) een derde type opdracht uit. Deze keer benoemt Fidel Castro hen tot zijn afgevaardigden, zijn verbindingsofficieren ten aanzien van de Amerikaanse overheid.

De democratische president Jimmy Carter is bereid tot onderhandelingen. Washington en Havana proberen een regeling te treffen waardoor Cubanen die naar de Verenigde Staten zijn uitgeweken hun op Cuba achtergebleven familie kunnen bezoeken. Het gaat erom het eens te worden over eventuele versoepelingen en wederzijdse compensaties. De Verenigde Staten zouden ermee instemmen de politieke gevangenen op te nemen (duizenden *plantados*, die zo genoemd worden omdat ze weigeren in te stemmen met het 'rehabilitatieplan') die nog op Cuba vastzitten.

De missies van mijn vader hebben nog steeds een vertrouwelijk karakter. Hij vertelt mij er niets over. Tussen de regels door laat hij zijn moeder Mimi alleen weten dat hij weleens naar de Verenigde Staten reist. In Miami, Washington, New York en Cuernacava (Mexico) onderhandelt Tony met vertegenwoordigers van het State Department en van het Department of Immigration. En verder... Het zou naïef zijn om te denken dat de c i a zou kunnen accepteren dat ze erbuiten gehouden worden.

De afgevaardigden ontmoeten elkaar ook in Atlanta. Voorzichtig als hij nu eenmaal is, en ook wel omdat de relatie al te lang geleden is verbroken, probeert mijn vader geen contact meer op te nemen met zijn oudste broer, Mario, die in 1962 naar de hoofdstad van Georgia is gevlucht.

De atmosfeer is hoffelijk. Hij verblijft op Amerikaanse bodem onder de hoede van agenten van de f b i. In Florida ontmoet hij bepaalde hooggeplaatste personen uit de Cubaanse gemeenschap die zijn uitgeweken, mensen die een dialoog met Havana accepteren of er belang bij hebben. Hij sluit vriendschap met Mario Benes. Deze bankier uit Miami heeft waardering voor zijn schildertalent. Hij zou, naar men zegt, schilderijen van Tony in zijn kluizen bewaren.

Er is een tijd van onderhandelen, en er is een tijd van oorlog voeren. Deze afwisseling bepaalt het leven van mijn vader. Eind 1978 wordt hij weer een man van de daad. Fidel Castro steunt de sandinistische guerrilla die probeert Somoza, de dictator uit Nicaragua die sinds 1974 aan de macht is, omver te werpen. Voor de zoveelste keer heeft Tony de opdracht wapens afkomstig uit Cuba het land binnen te smokkelen.

Hij betrekt zijn kwartier niet ver van de grens, op het grondgebied van Costa Rica. Met de sandinistische leider voor het zuidfront bereidt hij de eerste grootscheepse militaire operatie voor. De sandinisten maken zich meester van de Nicaraguaanse grenspost Peñas Blancas.

Op 20 juli 1979 trekt mijn vader Managua binnen. Het presidentieel paleis valt in handen van de sandinisten. Somoza is de vorige dag naar Miami gevlucht. De regering nationaliseert de banken in het kader van de 'nationale wederopbouw'. Dat ligt in de logica der dingen... Toch neemt de regering nog een andere maatregel, een maatregel waartegen de Cubaanse Revolutie (Fidel Castro) zich altijd heeft verzet: de afschaffing van de doodstraf.

De wegen van mijn vader en die van ene Jorge Masetti hebben elkaar voor de eerste keer gekruist in Managua. Jorge, die geboren is in Argentinië en is opgevoed op Cuba, is sinds de dood van zijn vader in het verzet de 'aangenomen' zoon van Piñeiro, de peetvader van de guerrilla in Amerika.

Kolonel De la Guardia noch de jonge 'beroepsrevolutionair' heeft er een vermoeden van dat ze later samen zullen werken. Bij geen van beiden komt de gedachte op dat ze in de toekomst deel zullen uitmaken van een en dezelfde familie: de mijne.

7

Donderdag 15 juni 1989. We hebben al zestig uur niets van Tony en Patricio gehoord. Ik verlaat Miramar, vastbesloten een bezoek aan mijn vader te brengen. Jorge, mijn man, gaat mee, evenals Maricha en Patricito. Er heerst overal een drukkende hitte. Er staat niet het geringste zuchtje wind.

Het is de eerste keer dat ik op klaarlichte dag naar Villa Marista ga. De tuinen en architectuur verlenen het gebouw een charme als van een hotel of een luxe verpleeghuis. Het boezemt me niet dezelfde angst in als eergisteravond.

We worden ontvangen door een man in burger, die zich voorstelt als Osmel. Hij is psycholoog. Maricha vraagt of ze Patricio kan bezoeken. Ik vraag of ik mijn vader kan bezoeken. Osmel schudt langzaam zijn hoofd. We dringen aan. Het spijt hem zeer, maar de instructie is: de familie kan de gebroeders De la Guardia niet ontmoeten. Niet in dit stadium, ze worden alleen maar 'vastgehouden'.

Maar we zouden het mis hebben als we aan zijn goede wil zouden twijfelen. Want Osmel vertelt ons dat hij een verrassing voor ons heeft. Hij geeft me een envelop.

'Alstublieft, dit is een brief van uw vader.'

We moeten begrijpen dat het gesprek ten einde is. We zullen proberen hem tegen te houden. We hebben nog zoveel vragen... Ook al kan de familie de 'vastgehouden' personen dan niet bezoeken, de wet verbiedt hun geen bijstand van een advocaat, nietwaar? Op beleefde toon vragen we Osmel of hij ons kan aangeven vanaf wanneer het mogelijk zal zijn contact op te nemen met advocaten.

'Dat is helemaal niet nodig,' waarschuwt Osmel. 'Laat u de zaken gewoon op hun beloop. Maakt u de situatie niet ernstiger. U moet vertrouwen hebben in de Revolutie.'

Ik word wanhopig. Ook al doe ik mijn best Tony en Patricio te hulp te komen, ik zie geen uitweg. We blijven tegen een muur aanlopen.

Wanneer ik Villa Marista uitkom, maak ik de envelop open die Osmel me heeft overhandigd. Het is inderdaad een brief van mijn vader, geschreven op geel papier, maar van zo slechte kwaliteit dat ik de woorden nauwelijks kan ontcijferen.

Ik verwachtte een uitleg van wat er met hem en zijn broer is gebeurd. Ik dacht dat hij me zou vragen hem te helpen en dat hij me zou wijzen op welke zinvolle manier dat, al dan niet dringend, zou moeten gebeuren. Helaas! Mijn vader zegt hetzelfde lesje op als Osmel en alle andere agenten uit Villa Marista. Nu vraagt hij me op zijn beurt 'vertrouwen in de Revolutie' te hebben.

Hij rekent er ook op, schrijft hij, dat ik naast mijn grootouders, mijn broers en zusje zal blijven staan om hen te steunen in deze moeilijke tijden. Met weinig woorden probeert hij me gerust te stellen en zich ervan te vergewissen dat ik mijn best zal doen om zijn familie gerust te stellen.

Ik word bijna moedeloos. 'Vertrouwen in de Revolutie.' Ik kan er niet meer tegen deze formule te lezen of die tot vervelens toe steeds maar weer te horen. Ik heb er juist geen vertrouwen in! Voor mij is het een nietszeggende formule. Nietszeggend, maar wel bedreigend. Een formule zonder betekenis, maar vol ontoegeeflijkheid, vol hypocrisie. Die regelmatig bij elke gelegenheid op overdreven wijze wordt gebruikt om de bevolking zover te krijgen zich rond een groep mensen te scharen die aan de macht zijn. Het doet me verdriet te zien dat mijn vader dezelfde formule heeft neergeschreven.

Moet ik die letterlijk nemen? Ik durf niet te geloven dat hij op zo'n ellendig moment mij graag een lesje heeft willen leren. Ik probeer me door rede te laten leiden. Ik denk bij mezelf dat hij geen keus heeft gehad, dat er pressie op hem wordt uitgeoefend, dat men hem heeft gedicteerd wat hij moest opschrijven, dat hij me tegelijkertijd uit mijn hoofd heeft willen praten iets te ondernemen wat hemzelf in moeilijkheden zou kunnen brengen, iets wat zou leiden tot represailles tegen ons, zijn kinderen, zijn ouders, enzovoort.

Ik houd aan dit alles een bittere smaak over. Zonder precies te weten waarom.

Wanneer ik enige afstand heb genomen en mijn zelfbeheersing weer terug heb, zal ik, nu ik eenmaal de betekenis van de formule 'vertrouwen in de Revolutie' heb ontcijferd, er geen aandacht meer aan schenken.

Het woord 'Revolutie' heeft niet voor alle Cubanen dezelfde betekenis. Daarom leidt het tot verwarring en gesprekken waarbij men langs elkaar heen praat.

Voor mijn grootvader Mario de la Guardia heeft de Revolutie grote verdiensten. Die heeft veel gedaan voor de mensen van het platteland die lange tijd achter werden gesteld ten opzichte van Havana wat betreft opleiding, gezondheid en levensstandaard. De Revolutie heeft de nationale onafhankelijkheid hersteld. Ze heeft gelijkheid gebracht. Ze is de trots van Cuba. De balans is 'over het geheel genomen positief'. Een mening die Graciela zeker niet deelt. Mijn grootmoeder laat zich op geen enkele politieke principeverklaring voorstaan, maar alleen op haar 'praxis': de praktijk van duizend-en-één moeilijkheden en ergernissen in het dagelijks leven die later zijn ontstaan.

Voor de veteranen van de strijd tegen Batista, vroegere actievoerende studenten van het revolutionaire directorium of vroegere vakbondsbestuurders die de repressie van zijn opvolger Fidel Castro hebben overleefd, vertegenwoordigt de 'Revolutie' hun jeugdideaal: een plan tot nationale en sociale verzoening, waarmee de onafhankelijkheid, het staatsrecht en de burgerschapsrechten gerespecteerd zouden worden.

Dat plan is ontspoord. Aan de andere kant, zo protesteren de veteranen, is het feit dat Fidel Castro zich hun droom heeft eigengemaakt en die verkeerd heeft uitgelegd nog geen reden om ervan af te zien. De Revolutie is niet zijn zaak. Die mensen geloven niet meer in Fidel Castro, maar als sociaal-democratisch geïnspireerde pacifistische dissidenten binnen of buiten het eiland, blijven ze geloven in de Revolutie.

De jonge Cubanen daarentegen geloven er niet in. Die willen die hypocrisie niet langer. Als je hen mag geloven is de Revolutie, al naar gelang ze ervan profiteren of eronder lijden, ofwel een vrijgeleide of een noodlot. Ze betekent: airconditioned auto's voor sommigen, stampvol openbaar vervoer op ongeregelde tijden voor anderen; dollars voor sommigen, peso's voor anderen; reizen voor sommigen, een gedwongen verblijf op het eiland voor anderen; villa's in 'bevroren' chique wijken voor sommigen en overbevolkte flats voor anderen...

Voor de generaties die geboren zijn na 1959 staat de Revolutie gelijk aan de persoon van Fidel Castro, die in veertig jaar absolute macht met zijn voortdurende potsenmakerij genoeg heeft gedaan om de woorden 'Revolutie = Fidel' in de geest van zijn landgenoten te griffen. Als een Caribische zonnekoning roept hij steeds maar: 'De Revolutie, dat ben ik.' Hij wordt gesteund door de mensen van zijn apparaat, zijn broer Raúl voorop, die op hun beurt roepen: 'De Revolutie, dat is hij.'

Ik bekijk de brief van alle kanten. Mijn vader is in leven. Dat is het enige bericht waarover geen onduidelijkheid bestaat. Het is niet veel, maar het is alvast iets. Verder herinnert hij me aan mijn plicht als oudste dochter. Dat betekent dat hij met liefde aan ons allen denkt.

Het heeft geen zin me nog langer af te vragen wat dat 'vertrouwen in de Revolutie' betekent. Het is het verplichte zegel, het loyaliteitsbewijs, de frankeringsprocedure en -prijs, zonder welke de Staatsveiligheidsdienst nooit zou hebben toegestaan dat mij zijn brief werd overhandigd.

In de loop van de volgende zesendertig uur hebben we de grootste moeite om Mimi en Popin erbuiten te houden. Het vereist een voortdurend improviseren en daarbij nog een extra verplichting: we moeten van tevoren met elkaar afspreken wat we vertellen, om iedere moeilijkheid te vermijden. Wanneer sommigen hun best doen om het stilzwijgen van de 'jongens' tegenover hen te bagatelliseren, kloppen anderen links en rechts om hulp aan in een poging iets te weten te komen. We worden door één gedachte gedreven: Tony en Patricio uit *Villa Marista* wegkrijgen.

Maar we hebben nog steeds geen opheldering over de toestand van mijn vader en mijn oom. Telkens als een van ons zich bij Villa Marista meldt, krijgt hij hetzelfde te horen: 'Ze worden niet gevangengehouden, ze worden vastgehouden. Het heeft geen zin advocaten in te schakelen.' Mijn grootmoeder voelt onze opwinding en ons ongeduld. Ze kent me door en door. Mijn ontwijkende verklaringen gelooft ze niet.

Kan ik haar dan tenminste verslag uitbrengen van de gesprekken die ik de laatste maanden met Tony en Patricio heb gevoerd? In geen geval. Als Mimi mij zou hören, zou ze alle redenen hebben om het erg-ste te vrezen. Want wat ik uit hun mond heb vernomen, zijn tekenen van vermoeidheid, politieke meningen die overduidelijk afwijken van de lijn van het regime.

Alles wat we onder de huidige omstandigheden kunnen doen, is onze grootouders met zorg omringen. Patricito en Hector, de zoons van mijn oom Patricio, zijn ook naar het witte huis gekomen. Telkens als we over de situatie moeten praten, ontvluchten we de microfoons en gaan we naar buiten.

8

1980 is een belangrijk jaar in de geschiedenis van Cuba. Terwijl mijn vader nog steeds in Nicaragua is, vindt op het eiland van april tot september een massale uittocht plaats.

In Havana was een eerste groep gegadigden voor het ballingschap er in december 1979 in geslaagd toegang te krijgen tot de Peruaanse ambassade in Miramar. De groep had zich daar verschanst. Sindsdien hadden honderden andere Cubanen zich bij hen gevoegd.

En de beweging neemt in omvang toe, vooral vanaf 4 april 1980, sinds Fidel Castro strijdensmoe heeft aangekondigd dat hij zojuist de bewaking rond de ambassade heeft opgeheven. Meteen komen er duizenden Cubanen naar Miramar toe.

In het hoofdkantoor van het Peruaanse gezantschap wordt de sanitaire toestand alarmerend. De mensen moeten te eten krijgen. Ik meen me te herinneren dat mijn oom Patricio dan de opdracht krijgt hen van water en levensmiddelen te voorzien.

Er heerst wanorde in de stad. De Sectie Amerikaanse Belangen in Havana wordt op haar beurt bestormd.

Fidel Castro verliest de controle over de situatie. Maar, waar hij altijd al heel sterk in is geweest, hij weet algauw het nadeel in zijn voordeel te veranderen. Nadat hij zich eerst heeft verzet, besluit hij concessies te doen. Terwijl hij de andere landen, en in het bijzonder de Verenigde Staten, uitdaagt om deze gegadigden voor het ballingschap op te nemen, verklaart hij zich bereid de sluizen te openen.

Weldra zullen duizenden Cubanen vanuit de haven van Mariel scheepgaan naar Florida. Vanaf nu tot het eind van het jaar zal er sprake zijn van meer dan honderdduizend *marielitos*. De puritein Fidel Castro zal de homoseksuelen aanmoedigen om meteen maar mee te gaan. En de cynicus Fidel zal de gelegenheid aangrijpen om ook de geesteszieken en de veroordeelde criminelen, die uit alle hoeken van het eiland worden opgepikt, op de boot te zetten.

Zaterdag 18 mei 1980. Net als duizenden andere jonge Cubaanse scholieren bevind ik me naast mijn moeder en mijn kameraden in de straten van Havana. Ik ben vijftien jaar. Mijn moeder en ik roepen niet: '*Que se vayan!*' (Laten ze weggaan!) Mijn moeder en ik spuwen de *gusanos* niet in het gezicht ('aardwormen' is een benaming voor iedereen die kritisch staat tegenover het regime van Fidel Castro).

Ik ben me er niet van bewust dat ik deelneem aan de *repudiación*. Ik ben geen getuige van daden van publieke vernedering, maar ik hoor er wel over praten. Het staat me absoluut tegen. Een meisje van onze school gaat met haar familie het eiland verlaten; we respecteren haar nog steeds. Mijn moeder is ook verontwaardigd over de grofheid en het geweld waarmee de gegadigden voor vertrek soms te maken krijgen.

Als sullen onder de fanatici behoren wij helaas tot de mensen die door Fidel Castro worden opgeroepen om te defileren, de ene generatie na de andere, de ene 'mars van het strijdende volk' na de andere. Op Cuba is alles 'speciaal' en is iedereen 'strijdend' of doet alsof.

Tot mijn tiende, elfde jaar had ik steeds dezelfde leuzen herhaald, het aanroepen van Che, van de Revolutie, van Fidel, de formules die je al op de lagere school leert. Maar alles is veranderd sinds mijn puberteit, sinds ik heb ontdekt dat er nog een andere tegenstelling bestaat dan de tegenstelling die er volgens de traditie is tussen verlangen en wet.

Op Cuba bestaat er ook nog een conflict tussen praatjes en de werkelijkheid. Het lyceum, dat de holle frasen van de regering overneemt, predikt nog steeds de onderwerping aan het collectief, de internationalistische plicht, enzovoort. Aan de andere kant wordt de jonge Cubaan het meest aangetrokken door de buitenwereld. Voor ons adolescenten, die begerig zijn naar onafhankelijkheid en individuele bevestiging, maakt de muziek uit de landen die gelden als de vijanden van Cuba, de Verenigde Staten en Groot-Brittannië, het wezen uit van die wereld. Gewoon omdat deze zich richt tot de jeugd.

In de jaren zeventig is het op Cuba verboden lang haar te dragen, familie te zien die naar de Verenigde Staten is gevlucht, correspondentie te voeren en rock- en popmuziek te beluisteren of uit te zenden. Onder de vele 'decadente' groepen die op de index zijn gezet, vallen The Rolling Stones en The Beatles. Sommige mensen, die dapper of bevoorrecht zijn, bekommeren zich niet om het verbod. Zoals mijn vader, die niet verzuimt al hun platen te kopen.

In de tijd dat we samen met de andere meisjes van de slaapzaal bang waren betrapt te worden wanneer we midden in de nacht naar 'Let it be' luisterden of naar een willekeurige andere titel van de hitparade op Radio Key West, had geen van ons zich kunnen voorstellen dat Fidel Castro op zekere dag in Havana een standbeeld van John Lennon zou onthullen. Toch is dat onlangs gebeurd. Begin december 2000 stelde de Opperbevelhebber het op prijs te herdenken dat twintig jaar tevoren de tragische dood had plaatsgevonden van een zanger wiens muziek hij lange tijd van zijn eiland had verbannen.

Wanneer mijn vader eind 1980 naar Havana terugkomt, wordt hem de leiding toevertrouwd van de inlichtingendienst binnen de Speciale Troepen. En mijn oom wordt, na de lessen die hij het jaar daarvoor heeft gevolgd aan de hogeschool voor oorlogvoering, benoemd tot hoofd van hetzelfde elitekorps.

In opdracht begint Tony weer met de clandestiene wapenleveranties via de Caribische Zee. Na zoveel jaren weet hij alles van de smokkelaarswegen waarlangs ze verscheept kunnen worden. In 1981 wordt hem gevraagd om de beurt de guerrilla's van El Salvador en Guatemala te bevoorraden, Guatemala waar een nieuwe beweging is opgekomen: de Organización Revolucionaria del Pueblo en Armas (ORPA)*.

* Noot v.d. vert.: Revolutionaire Organisatie van het Volk dat zich opmaakt voor de Strijd.

In 1982 vindt er een breuk plaats in de geschiedenis van de gebroeders De la Guardia. Dat jaar wordt Patricio tot generaal benoemd. Op verzoek van Ramiro Valdés Menéndez verlaat hij de Speciale Troepen en wordt chef-staf op het ministerie van Binnenlandse Zaken.

Kolonel De la Guardia voelt zich daardoor lamgeslagen. Uit trots laat hij het niet merken, maar het bericht heeft hem ontegenzeggelijk overvallen. Ik stel me voor hoe zijn reactie is geweest. Mijn vader heeft geen last van jaloezie, maar hij kan wel het idee hebben dat hij in de steek wordt gelaten, en dergelijke gevoelens maken zich op dat moment van hem meester.

Ik kan me moeiteloos voorstellen hoe hij weifelt. Ook al vindt hij het achteraf kinderachtig of idioot, het gevoel in de steek gelaten en van zijn broer gescheiden te worden, en het besef dat hij zich daar vreselijk door gekwetst voelt, kan hij heel moeilijk van zich afzetten.

Want er is iets wat sterker is dan de rede, iets wat zwaarder weegt dan het gezond verstand en diep in hem zit verborgen; dat heeft te maken met het feit dat hij de helft is van een tweeling.

Het scheelt niet veel of hij zou alles willen opgeven. Welke kant moet het voortaan op met zijn carrière? Op de een of andere manier heeft Tony altijd als team gewerkt met Patricio. De Speciale Troepen, dat was een gemeenschappelijk verhaal, een mentaliteit, een innig gedeelde liefde. *Jimaguas* (tweelingen) hebben telepathisch contact. Meteen. Ze hebben hun eigen taal, die soms voor anderen onbegrijpelijk is. In wetenschappelijke termen wordt dat cryptofasie genoemd. Ze nemen elkaar waar als een manifestatie van een en dezelfde ziel die huist in twee lichamen. En die overtuiging is misschien dieper geworteld en heftiger bij Tony dan bij Patricio...

Tony kan de gedachte niet verdragen. Hij ziet zichzelf nog niet blijven wanneer de ander, zijn tweelingbroer, is vertrokken. Is hij ook vanwege iets anders bitter gestemd, ontmoedigd en gedesillusioneerd? Van het militaire leven, zelfs binnen een elitekorps, heeft hij zijn bekomst. Op het moment walgt hij van de oorlog. Er is iets gebroken. Hij heeft er behoefte aan afstand te nemen, zich te onttrekken aan een rol die hem niet langer ligt. Hij probeert een zekere onafhankelijkheid terug te krijgen. Voor hem is het in ieder geval het einde van een tijdperk. Hij heeft zijn besluit genomen. Hij wil het verleden als afgedaan beschouwen.

Mijn vader vraagt dus of hij de Speciale Troepen mag verlaten. Hij verzoekt zijn superieuren een andere betrekking voor hem te vinden, mits deze hem bevalt. Mochten ze het niet eens worden, dan deelt mijn vader, die dan vierenveertig is, hun mee dat hij zal vragen om met pensioen te gaan.

Maar het komt niet zover dat hij thuis gaat zitten. Met goedkeuring van de minister van Binnenlandse Zaken, Ramiro Valdés, stemt Tony ermee in bij de Cimex te gaan werken. Dat heeft de voorzitter van deze Cubaanse kapitaalvennootschap die staat geregistreerd in Panama, zijn vriend José Luis Padrón González, hem zelf voorgesteld.

Het departement dat hem wordt toevertrouwd en dat 'departement Z' heet, heeft tot doel het vergemakkelijken van de doorstroom naar het buitenland, of het vergemakkelijken van de leverantie en de ontvangst op Cuba van bepaalde goederen en bepaalde personen, soms, en zelfs vaak, recht voor de neus van de douane en de politie. Zoals mijn vader dat had leren doen telkens wanneer zijn superieuren hem hadden opgedragen wapens voor de guerrilla door te spelen. Zijn eerste commerciële 'transacties' vinden plaats met Spaanse partners en vervolgens met een Franse partner.

Tony de la Guardia krijgt algauw het verzoek de oplichter Robert Vesco te begeleiden bij zijn aankomst op Cuba in oktober 1982. Dat heeft hij zelf niet beslist, dat spreekt voor zich: hij heeft er de opdracht toe gekregen. En wie kan er op Cuba een dergelijke opdracht verstrekken?

Het is het jaar waarin ik achttien word. In 1982 ga ik voor het eerst naar de faculteit psychologie aan de universiteit. Om daar toegelaten te worden moet je op de middelbare school goede cijfers behaald hebben en deelnemen aan de politieke activiteiten van de Communistische Jeugdbeweging. Mijn vader heeft goed gereageerd op mijn keuze. Hij wil niet dat ik een militaire carrière maak – en ik evenmin.

Mijn studie zal duren van 1982 tot 1988.

Waarom deze studierichting? Ik wil graag begrijpen wat er om me heen gebeurt, sociaal gedrag in het algemeen. Het zou niet juist zijn om te beweren dat het er voor mij om gaat uit de partij te treden. En toch word ik door de sfeer in het onderwijs en het veldonderzoek waaraan we werken langzaam maar zeker daartoe gebracht. Psychologie betekent eerst de dingen van een afstand beschouwen...

Door aan het begin van de Revolutie de katholieke universiteit van Havana te sluiten had Fidel Castro tegelijkertijd de enige psychologische faculteit van het hele land opgeruimd. Niemand had de zin van zijn beslissing begrepen. Hoe kon een revolutionair verbieden dat er onderzoekers en vakmensen werden opgeleid die zijn land nodig had om de maatschappelijke problemen te bestuderen? Misschien heeft hij aangevoeld waartoe de faculteiten sociologie en psychologie zouden uitgroeien in een land als Frankrijk in 1968: tot haarden van maatschappijkritiek.

Op Cuba is het toezicht benauwend. Op de universiteit wordt er toezicht gehouden door de secretaresse van de Unie voor de Communistische Jeugd, door het bestuur van het Universitair Verbond, door het faculteitsbestuur, door het ambtenarenapparaat en door politie-agenten (in burger, zoals de meesten) die zich onder de studenten begeven. Wanneer ik thuiskom, krijg ik te maken met het toezicht van het Comité de Defensa de la Revolución (CDR)*. Gelukkig is het CDR in mijn wijk Miramar niet al te ijverig.

In Havana bereikt de maatschappijkritiek in die jaren van 1982 tot 1986 niet zo'n omvang als in Parijs in mei 1968, maar er hangt een bepaalde sfeer van onafhankelijkheid en tolerantie. De richtlijnen van het departement Revolutionaire Koers, een uitvloeisel van het Centraal Comité van de Communistische Partij, treffen de faculteit psychologie minder dan de andere faculteiten. Ze worden zelden toegepast en soms zelfs ronduit genegeerd.

Wanneer de opdracht is gekomen een van onze studenten te straffen, die wordt beschuldigd van homoseksueel gedrag, houden het hoofd van de faculteit en de adjunct-directrice zich Oost-Indisch doof. Elders zou hij uit de Communistische Jeugdbeweging zijn gezet. Vervolgens zou hij ertoe zijn aangezet zichzelf te beschuldigen, berouw te tonen en een verzoek tot rehabilitatie in te dienen.

Promoties worden voorbereid door grondig onderzoek dat de studenten de gelegenheid biedt tot een confrontatie met de werkelijkheid

---

* Noot v.d. vert.: Comité ter Verdediging van de Revolutie.

en de praktijk. Wat is er zo bijzonder aan? De promovendi mogen hun proefschrift alleen achter gesloten deuren verdedigen, voor het geval er een maatschappelijk misnoegen aan de dag zou treden, zoals het misnoegen dat blijkt uit het zeer hoge aantal zelfmoorden op Cuba. Ieder symptoom van mislukking moet verborgen blijven.

Een van mijn vriendinnen, Laura, heeft zich gewijd aan een verhandeling over de positie van de vrouw op Cuba. Ze probeert te weten te komen hoe de verhouding van de vrouw ten opzichte van de man en ten opzichte van bepaald archaïsch gedrag, en dergelijke, zich heeft ontwikkeld. Het resultaat is verschrikkelijk. Natuurlijk, vrouwen kunnen buitenshuis werken terwijl ze dat vóór de Revolutie niet konden. Maar let op: intussen blijft de last van het huis en het gezin ook op hen drukken, omdat de mentaliteit van de Cubaanse man in sociaal opzicht niet is veranderd.

De vrouwen nemen alles voor hun rekening: het werk buiten de deur, de taken van de partij, het huishouden. Ze moeten proberen eten te krijgen, in de rij staan, thuis de kinderen opvoeden in afwezigheid van de vader, die ergens rondzwalkt of in de rij staat of in beslag wordt genomen door een revolutionaire taak. De vrouwen kunnen de situatie niet meer aan, legt Laura uit. Ze zijn zo moe dat ze er op hun dertigste uitzien als veertig.

Ze hebben moeite met het vinden van shampoo en kleren. Intussen roept de Revolutie: 'Kijk! De vrouw kan buitenshuis werken. Ze krijgt eindelijk erkenning!' Wanneer we voortgaan met ons onderzoek, constateren we dat de vrouwen lijden aan depressies, soms tot zelfmoord aan toe. Dat er zoveel scheidingen plaatsvinden (vier op de tien huwelijken, een record in Latijns-Amerika), komt ook doordat getrouwde paren geen huisvesting vinden. Ze zijn verplicht bij de ouders van een van beiden te gaan wonen en hebben geen privacy. Ze kunnen geen appartement huren. Dus ze wonen in het huis van hun ouders of grootouders of ze gaan zelf een huis bouwen: de 'microbrigade', zoals de Revolutie een goedkope huurflat op Cuba noemt. Na vier jaar werken krijgen ze te horen dat er tien gezinnen zijn voor één woning. Ze kunnen alleen maar geduldig afwachten en ze wonen in houten gebouwtjes.

De regering doet niets om dit te veranderen. De vergaderingen van de Communistische Partij staan altijd onder toezicht van fallocraten.

Ze mogen hun vrouw bedriegen; daar kunnen ze trots op zijn. Het is uitgesloten dat hun vrouw hen bedriegt; dat is een schande. In het Centraal Comité zit maar een klein percentage vrouwen. Alleen onder jongeren wordt het gedrag van de mannen wat soepeler.

Volgens de regering is psychoanalyse reactionair omdat die zich beperkt tot het individu. Met mijn promotor probeer ik aan te tonen dat er een toenadering gerechtvaardigd is tussen de marxistische psychologie en de psychoanalyse, waardoor de mogelijkheid wordt geboden noch de sociale component noch de individuele component te veronachtzamen. In werkelijkheid draait iedereen om de hete brij heen! Een van onze docenten legt de nadruk op de tegenstrijdigheden binnen het individu. Dat inspireert hem tot een schitterend theoretisch werk. Hij merkt nooit op dat individuele problemen kunnen worden veroorzaakt door gebeurtenissen in de buitenwereld, door maatschappelijke fenomenen. Dan zou hij hebben moeten praten over wat er zich binnen Cuba afspeelt. Een onmogelijke taak: er zijn geen problemen in dit land.

9

Sinds vrijdag 16 juni 1989, de dag waarop de arrestaties van Tony en Patricio in *Granma* bekend worden gemaakt, geven mijn grootouders toevallig openlijk uiting aan hun wantrouwen. Ze verbazen zich over onze (geveinsde) kalmte. Ze verbazen zich over onze (schandelijke) uitvluchten. En toch hebben we erop toegezien dat ze niets weten.

Gelukkig hechten ze, zoals de meeste Cubanen, allang geen geloof meer aan de 'informatie' die door *Granma* wordt gegeven. Die lezen ze niet. In plaats van 'his master's voice' is de meester in eigen persoon hier te horen – alleen in een dictatuur hebben ze de staatspolitie aan het hoofd kunnen stellen van een persorgaan, zoals Fidel Castro dat in 1965 heeft gedaan door de chef van de Staatsveiligheidsdienst de leiding over de krant te geven.

De mensen uit onze buurt in Miramar reageren niet op het nieuws van de arrestatie van Tony en Patricio.

Waarom is dat nieuws uitgesteld? Het komt achtenveertig uur na het bericht over Arnaldo Ochoa, terwijl ze allemaal op dezelfde dag, op de avond van maandag 12 juni, zijn gearresteerd. *Granma*, waarin Fidel zijn eerste (zoals gebruikelijk niet ondertekende) hoofdartikel over de 'affaire-Ochoa' publiceert, bevat in vette letters de waarschuwing: 'Het onverbiddelijke gewicht van de revolutionaire rechtspraak zal op hen neerdalen.'

In onze omgeving hecht niemand er waarde aan, geeft niemand er commentaar op. Zoals elke morgen heeft mijn grootvader zijn wandeling gemaakt. Het is een gewoonte dat een bevriende buurman met hem mee gaat. Deze heeft de affaire niet ter sprake gebracht. Tegenover ons witte huis woont een charmant echtpaar van dezelfde leeftijd als Mimi en Popin. Er is niets aan hun gedrag veranderd.

Terwijl het de eerste keer is dat het regime via *Granma* een verband legt tussen Ochoa en de gebroeders De la Guardia, doen hun families geen pogingen elkaar te benaderen of afspraken te maken over gezamenlijke hulp of advocaten.

Dat is in één opzicht logisch: mijn vader werkte niet rechtstreeks met Arnaldo; ze waren geen dikke vrienden. Ikzelf kende Ochoa vaag, maar mijn familie had geen persoonlijke, intieme of hartelijke banden met zijn familie. Dat is anderzijds verbazend, wanneer je de nauwe betrekkingen in aanmerking neemt tussen de vrouw van Ochoa en de vrouw van mijn oom Patricio.

Uit een zelfverdedigingsreflex trekt iedere familie zich in zijn eigen schulp terug.

Maida is lid van de Communistische Partij van Cuba. Ze zal na het proces haar lidmaatschapskaart verscheuren. Ik hoor later dat ze, zodra de affaire begon, had begrepen wat er zou gebeuren. Wij hielden nog hoop; zij vreesde het ergste. Tegen een buitenlandse journalist die haar interviewde op de dag dat *Granma* berichtte over de arrestatie van Ochoa, had Maida niet geaarzeld te verklaren: 'Ik weet zeker dat ze hem zullen fusilleren.'

Vanaf die dag, vrijdag 16 juni, zullen we langzamerhand ontdekken hoe het killersapparaat werkt. Met zijn handlangers. En zijn propaganda. En zijn leugens. En zijn fanatieke dienaren.

De pijn maakt zich langzaam van me meester. Die zal mijn houding ten opzichte van het leven veranderen. Ik, die doorging voor verlegen, voor onhandig, ik zal een onverwachte durf weten op te brengen. Ik, die zoals bekend van nature al terughoudend was, ik zwijg nu als het graf. Ik vertrouw alleen nog de mensen uit mijn naaste familie.

Ik verkeer voortdurend in een staat van alarm. Wanneer ik op straat loop, kijk ik nu eens ver voor me, en dan weer draai ik me om om dreigend gevaar te ontdekken. In gesprekken roer ik thuis geen enkel gevoelig onderwerp meer aan, en in de auto evenmin.

Als tegenwicht doe ik mijn best om aandacht te hebben voor de goede kant van de dingen. Dat helpt me moed te houden. Onderscheidingsvermogen kun je aanleren. Van een beetje futiliteit word je vrolijk, maar van al te veel futiliteit raak je het spoor bijster.

Over een tijd, in een toekomst waar ik geen idee van heb, zal ik, ver van Cuba, met ontsteltenis staan te kijken naar een Parisienne die staat te schreeuwen omdat ze de zachtpaarse jurk of de zwarte lange broek niet bij de hand heeft die zo goed bij haar zwarte jasje zou passen. Ik zal me afvragen of ze krankzinnig is, tenzij ze nooit iets heeft meegemaakt. Door gevangenschap, ziekte of de dood van iemand uit je naaste omgeving leer je je fatsoen te houden. Een kwestie van maatstaven. Een incident, een teleurstelling kan niet tot een drama uitgroeien voor wie een drama meemaakt of heeft meegemaakt.

De eerste handlanger van het killersapparaat heet dus Osmel.

In werkelijkheid laat hij zich zo noemen, want het is maar een pseudoniem, een schuilnaam. Het is een donker mannetje met een blanke huid en een rond gezicht. Hij is volgens zijn zeggen psycholoog. Hij werkt in Villa Marista met een 'speciale opdracht' – het is gek, maar op Cuba is bijna alles, tot en met het normale leven, 'speciaal'.

Je kunt je erover verbazen dat de staatspolitie veel waarde hecht aan psychologen. In feite zit het in Villa Marista vol psychiaters en psychologen. Want in dertig jaar zijn er vorderingen gemaakt in de manier waarop verhoren worden afgenomen, zoals er ook vorderingen zijn gemaakt in de manier waarop de familie wordt 'behandeld'. Terwijl de ene groep moeite doet om volledige bekentenissen los te peuteren, zint de andere op middelen om de goedkeuring van de naaste verwanten te krijgen.

Osmel behoort tot de laatste groep. Hij praat uiterst vriendelijk met ons. Hij heeft de zalvende toon van een goede priester. Hebben we bezwaren? Hij geeft niet toe aan ongeduld, hij herhaalt zijn lesje nog eens. Een les in ontspanning. Zijn we verontwaardigd? Hij brengt ons tot bedaren: tekeergaan levert niets op. Daarmee bewijzen we Tony en Patricio een slechte dienst.

Wat Osmel wil, is het vertrouwen in de Revolutie op ons overdragen. We moeten onze ondoordachte aarzelingen, onze instinctieve aarzelingen laten varen. Het begrip trouw of verraad ten opzichte van je familie is zinloos; alleen de Revolutie verdient trouw. Alleen de Revolutie heeft het recht om rekenschap te vragen.

Hij zal er niet genoeg van krijgen ons dat voor en na de sinistere ontknoping van de zaak te laten voelen: we hebben niets te winnen, maar alles te verliezen door ons te verzetten tegen het lot waartoe mijn vader is veroordeeld.

Zijn gevangenschap, zijn proces, zijn terdoodveroordeling, het afwijzen van gratie, zijn executie: bij iedere etappe zal Osmel moeite doen om ons duidelijk te maken dat het hier gaat om de 'normale' voortzetting van de 'normale' gang van zaken. Hij zal zijn best doen om ons ervan te overtuigen, ons ervan te doordringen, onze goedkeuring te verkrijgen. Staan we alles welbeschouwd niet aan dezelfde kant als hij? Wat hij zegt, geloof dat nou maar, is in ons eigen belang en in het belang van de Revolutie.

Op een avond staan we voor het huis van Maricha te babbelen, wanneer we een vreemd licht zien in het huis van de buren. Het brandt voortdurend. We gaan eens kijken. In het huis bevindt zich een videosysteem, dat continu alle bewegingen filmt die waarneembaar zijn op de drempel en in de nabijheid van het huis van Maricha. Vanaf dat moment besluiten we binnen maar ook buiten niet meer met elkaar te praten.

10

Illegaliteit, geheimhouding en clandestiniteit kenmerken het grootste deel van de missies van Tony de la Guardia. Ook al heeft hij de volmacht gekregen de missies ten uitvoer te brengen, toch kan mijn vader ook daarbij per definitie geen geschreven, gedateerde en gesigneerde opdrachten laten zien van de hand van zijn superieur of van de superieur van zijn superieur, de Opperbevelhebber! En weer is het Fidel Castro in eigen persoon die zal besluiten tot de oprichting van het departement M C in het voorjaar van 1986.

Na een reorganisatie van de Cubaanse regering tijdens het derde congres van de Partido Comunista de Cuba in februari 1986 was 'commandant' Ramiro Valdés Menéndez namelijk uit het Politbureau en het ministerie van Binnenlandse Zaken verdreven. Hij wordt opgevolgd door zijn adjunct, generaal José Abrantes, die lange tijd de chef was van het escorte van Fidel Castro. Mijn vader heeft het vertrouwen van Fidel Castro, en natuurlijk ook van Abrantes.

Het departement Z wordt dus het departement M C. Men vraagt Tony de la Guardia het aantal commerciële handelingen, transacties en commissies uit te breiden, op allerlei terreinen. Bij voorkeur zodanig dat ze nog eens herhaald kunnen worden. Mits ze een maximaal aantal dollars kunnen opleveren, want Cuba maakt in het begin van dat jaar 1986 een ongekende financiële crisis door.

De schulden lopen op tot 11 miljard dollar, waarvan 4 miljard buitenlandse schuld. Het eiland lijdt aan een daling van inkomsten in deviezen. Dat komt door de koersdaling van brandstoffen – Cuba haalt niet meer zoveel geld uit de wederuitvoer van aardolie die de Sovjet-Unie het land levert in ruil voor suiker. Het komt door het abnormaal lage niveau van de dollar, de referentievaluta in iedere transactie met buitenlandse cliënten. Het komt ook door Gorbatsjov, die heeft gewaarschuwd dat de Sovjet-Unie zich niet zal beperken tot het op orde brengen van zijn eigen economie, maar dat het een gelijksoortig streven verwacht van de kant van de 'broederlanden', met inbegrip van de verre satellietstaten die het rijkelijkst zijn 'gesubsidieerd'.

In feite had het Kremlin, dat financieel in de problemen zit en daar uiteindelijk aan zal bezwijken, al aan het begin van de jaren tachtig, dus vóór Gorbatsjov, aan Fidel Castro gevraagd zijn economische systeem te saneren...

De Cubaanse regering voelt zich in het nauw gedreven en besluit het afbetalen van de schuld op te schorten. Om de dagelijkse uitgaven het hoofd te bieden heeft de Staat geen andere uitweg dan zich op korte termijn, voor twaalf, achttien of vierentwintig maanden, in de schulden te steken tegen zeer hoge rentepercentages (soms bijna twintig procent). De regering waarborgt en vermeerdert het aantal hypotheken om daarmee de schulden af te kopen. Het financieel beheer is een staaltje acrobatiek, maar acrobatiek waarbij van de ene dag op de andere wordt geïmproviseerd zonder vangnet... en zonder publiek. Er komen veel tussenpersonen aan te pas en er wordt een beroep gedaan op allerlei regelingen, en in het bijzonder op de ruilhandel (een bron van commissies die zelden gemakkelijk te doorgronden zijn) waarin bepaalde handelsfirma's uitblinken. Dat is het geval bij het Franse concern Sucre et Denrées (Sucden), wereldwijd nummer één op het gebied van de suikerhandel.

De baas van het concern, Serge Versano, trekt handig profijt van de persoonlijke banden die zijn vader al in de jaren zestig heeft aangeknoopt met Fidel Castro. Hij beschikt over een mooie villa in Miramar. De permanente vertegenwoordiger van Sucden in Havana is de Venezolaan Carlos Cerna. Wekt het verbazing dat Tony de la Guardia tot zijn gesprekspartners op Cuba behoort? Hun relatie dateert niet van vandaag of gisteren.

Ik heb Serge Versano tweemaal ontmoet aan de zijde van mijn vader, waarvan eenmaal bij een vriend van mijn vader thuis. Hij had bruin haar, zware wenkbrauwen en was gekleed in kostuum met stropdas. Ik was samen met een jonge vriendin gekomen. Ik herinner me dat hij nadrukkelijk probeerde haar te versieren.

Of het nu gaat om rijst, graan, suiker, cacao, koffie of aardolie, handelstalent berust op discretie, op verrassingseffecten, op exclusiviteit, op termijntransacties, op fantasie en op de steun van bank- en politieke garanties, want het gaat er telkens om het eens te worden over een ruilmiddel en over waarborgen. Een onderhandelaar die goed de weg kent in Havana kan, wanneer hij eenmaal handigheid in de omgang en affiniteit met de hooggeplaatsten van het regime heeft gekregen, gemakkelijk van werkgever veranderen en bijvoorbeeld van Sucden overgaan naar Total-Fina-Elf. Zonder werkelijk van beroep te veranderen.

Het ruilen van suiker tegen aardolie vertegenwoordigt de schijnbaar eenvoudigste vorm van ruilhandel. Maar alles is mogelijk zodra het gaat om 'business to business', speciaal met de arme landen waarvan de economische sector op grote schaal onder het beheer van de staat is geplaatst. Zonder politieke contacten, zonder tussenpersonen gebeurt er niets. Er moet een regeling worden getroffen, waarbij soms een beroep wordt gedaan op andere partners.

Een staat die slecht bij kas is, kan er voordeel bij hebben grondstoffen af te staan tegen andere grondstoffen, tegen diensten, of ook wel tegen uitrustingen, soms van civiele, maar vaak van militaire aard. Is het verbazingwekkend dat de wapenhandelaar Pierre Falcone, die na de vredesakkoorden is betrokken bij wapensmokkel naar Angola, lange tijd het toneel van handeling van het Cubaanse leger, zelf een vriend is van Serge Varsano?

M C overkoepelt een groot aantal 'commerciële' activiteiten via vage maatschappijen en dekmantels. Mijn vader, die sinds tien jaar alles weet van wapensmokkel, zal noodzakelijkerwijs een deel hiervan, waarbij Frankrijk, Spanje en Angola zijn betrokken, voor zijn rekening nemen. Hij weet er genoeg van om van die kant aan alle mogelijke gevaren bloot te staan.

M C is een van die kleine, discrete 'handelsfirma's' waarmee Fidel Castro zich wilde omringen en die alleen aan hem verantwoording hoeven af te leggen. Zoals hij later openlijk heeft toegegeven, is het een van de organisaties om winst te maken en het geld weer in circulatie te brengen. In zoverre hij sinds de 'vreedzame coëxistentie' het einde van de Koude Oorlog heeft afgewezen, is de Opperbevelhebber van het tijdperk Kennedy-Chroesjtsjov tot het tijdperk Reagan-Gorbatsjov, van de ontmanteling van de raketten van de Sovjet-Unie op Cuba in 1962 tot het plan tot het wederzijds afdanken van de raketten met kernkop, nog steeds in een strijd verwikkeld. Hij kan zich zijn binnenlandse of buitenlandse politiek niet anders voorstellen. Vandaar zijn zeer bijzondere opvatting over budgettaire middelen...

Uit naam van het internationalisme, het vaderland en de Revolutie wordt Tony de la Guardia dus belast met de taak stapels dollars naar Cuba terug te brengen, ook al gebeurt dat met minachting van alles wat legaal is: met minachting van het embargo van de Verenigde Staten, maar ook en vooral met minachting van het handelsrecht, de douanereglementen en de migratiewetten van alle andere landen ter wereld. Terwijl hij zich overgeeft aan de illegale uitvoer van sigaren naar de Verenigde Staten en aan de illegale invoer van militair materieel en medisch gereedschap, organiseren anderen, met de zegen van de Cubaanse autoriteiten, vervalsingen van jeans... of van champagne van Moët et Chandon, die in de rumstokerij in Santa Cruz del Norte wordt gebotteld op initiatief van de baas van de toeristenorganisatie Cubanacan die daarvoor Franse partners heeft opgescharreld.

De smokkelhandel hoefde niet op mondialisering te wachten om in het buitenland handlangers te vinden.

Het doet er weinig toe waar de winst vandaan komt, op het moment dat MC honderd keer zoveel opbrengt als de bedrijfskosten bedragen. Dat is de missie die Fidel Castro en José Abrantes mijn vader toevertrouwen vanaf de dag waarop ze hem aan het hoofd van MC plaatsen.

Hij kent de wegen van de smokkelhandel, de veilige baaien, de bemanning van de schepen die om het even elektrische huishoudapparatuur, tabak, wapens of drugs vervoeren. Op geen enkele andere dan de Caribische Zee spreken piraten en kapers af om samen te werken. De piraten wagen zich daarentegen niet op de Cubaanse kusten zonder de garantie van de Staat die zijn officieren het patent op de kaapvaart heeft bezorgd.

De smokkel begint met de illegale invoer van tabak en breidt zich uit met het aanbod van de *lancheros*, de Cubanen uit Florida die tussen

Centraal-Amerika en Miami heen en weer reizen en spotten met de kustwachten van de v s.

De *lancheros* verzamelen de fluorescerende zakjes met cocaïne die het vliegtuig uit Colombia heeft gedropt. Ze komen ter hoogte van de Cubaanse kusten om brandstof te tanken. Mijn vader heeft de opdracht de bemanning logistieke steun te verlenen, zoveel mogelijk op open zee. Binnen m c gaat de marinesectie over de planning. Die laat de snelle motorbootjes van de Cubaanse kustwacht, beladen met brandstof, uitvaren. De *lancheros* moeten zo ver mogelijk van de territoriale wateren vandaan blijven.

m c koopt noch verkoopt drugs. Het departement wordt betaald naar gelang de hulp bij het verschepen en het verzenden. De afspraak is: duizend dollar per kilo cocaïne.

Of het nu officieel of officieus is, legaal of illegaal, er wordt op Cuba niets beslist en er kan geen enkele activiteit langdurig plaatsvinden zonder dat Fidel Castro het zelf heeft gewild of zonder dat hij is geraadpleegd. Dat geldt voor het smokkelen van ivoor en diamanten uit Angola, en al helemaal voor de drugshandel met Colombia. Maar hij is ongetwijfeld verplicht dat in het openbaar te ontkennen, met name wanneer een affaire waarmee hij zich de verwijten van de internationale publieke opinie op de hals kan halen, zoals die waar mijn vader bij betrokken is, door toedoen van de gerechtelijke autoriteiten of door de media van een ander land plotseling aan het daglicht wordt blootgesteld.

Want zodra zijn kuiperij is ontdekt en aan de kaak gesteld, probeert Fidel de aandacht af te leiden. Hij doet net of hij het bedrog op dat moment ontdekt. Hij tovert daders te voorschijn. Hij laat duidelijk merken dat hij erg boos op hen is.

Aan de senator van het departement Sarthe, in februari 1992 op doorreis in Havana en zo brutaal hem te ondervragen over de gevolgen van het schandaal met de namaakchampagne, antwoordt El Líder snibbig: 'We zijn niet gewend dit soort dingen te doen, maar de zaak is afgedaan.' Uit deze anekdote blijkt wat voor persoon hij is en tegelijkertijd dat hij buitengewoon sluw is.

11

Er is een week voorbij sinds de arrestaties. Het is dinsdag 20 juni. Met geen van onze pogingen bij Villa Marista zijn we iets opgeschoten. Het is ons nog steeds verboden Tony en Patricio te bezoeken. Daarentegen heeft Osmel, alsof dat met elkaar verband zou kunnen houden, van Jorge geëist dat hij zijn wapens aan hem uitlevert. De psycholoog dringt krachtig bij hem aan ze terug te geven of hem te vertellen waar hij ze heeft verborgen.

Maar Jorge verzet zich. Hij wil er niet van horen. En hij poeiert hem zonder meer af.

'Wat is dat voor verhaal? Ik hoef niets terug te geven. Die wapens zijn altijd van mij geweest. Ik heb ze niet van jou en ook niet van de Revolutie. Het eerste wapen heb ik verdiend tijdens de oorlog in Nicaragua tegen Somoza. Ik heb het van de vijand afgepakt tijdens een gevecht aan het zuidfront. Het andere heb ik van mijn vader, Jorge Masetti. Ik heb het geërfd na zijn dood, in Salta, tijdens de guerrilla in Argentinië. Dat zullen jullie me nooit afnemen!'

'Je bent illegaal bezig,' brengt Osmel daartegen in. 'Met welk recht mag jij er wapens op na houden op Cuba?'

Jorge wordt razend. Ik zie in zijn ogen en hoor in zijn stem de bittere, niet te stuiten verontwaardiging. Woede maakt zich van hem meester. Ik beduid hem een toontje lager te zingen. Hij trekt zich van mijn gebaar niets aan.

'Illegaal bezig, hoezo? Wat een hypocrisie! Zo praat een imbeciel! Je

84

gaat me toch niet vertellen dat jullie er niet van op de hoogte waren dat ik wapens bij me had elke keer als ik van het vliegveld José Marti van Havana kwam! Dat was alleen zo'n lange tijd mogelijk met jullie toestemming, onder het gezag van het departement Amerika of de Staatsveiligheidsdienst. Nou, als jullie me werkelijk zo graag mijn wapens willen afnemen, ga dan je gang! Ik wens jullie veel geluk. Het zal je nog niet meevallen! Want mijn wapens zul je met een kanon moeten afpakken, en weet wel dat ze geladen zijn... Dus dat is afgesproken?'

Osmel is van zijn stuk gebracht.

Jorge heeft hem de mond gesnoerd. Ik geloof echt dat hij zo'n tegenstand en vastbeslotenheid, die zo zelden voorkomen binnen de muren van Villa Marista, niet verwachtte... En zonder nog een woord te zeggen licht hij zijn hielen.

Mijn man heeft zich niet laten intimideren. Bij zoveel brutaliteit zou elke willekeurige Cubaan die problemen had met de Staatsveiligheidsdienst meteen gevangen zijn genomen. Maar Jorge Masetti heeft de Argentijnse nationaliteit. En de autoriteiten zijn niet van plan een diplomatiek incident uit te lokken en willen evenmin de aandacht van de buitenlandse pers op zijn persoon vestigen.

Jorge weet zoveel over de illegale activiteiten van Manuel Piñeiro Losada, de voormalige baas van het departement Amerika die de guerrillabewegingen ten koste van allerlei clandestiene handel van wapens en financiën voorziet. In ruil voor winstgevende en duistere opdrachten...

Op donderdag 22 juni, ofwel nog geen tien dagen na de arrestaties, hebben de Cubaanse autoriteiten het over drugshandel. Voor de eerste keer. Tot dan toe was alleen sprake geweest van 'onrechtmatig gebruik van economische middelen', dat Ochoa werd verweten.

In het hoofdartikel in *Granma*, dat zoals gebruikelijk is geschreven door Fidel Castro, wordt beweerd dat de verdachten tegelijkertijd de 'veiligheid' van Cuba in gevaar hebben gebracht. Wie gevaar oplevert, staat gelijk aan een verrader. Op dit misdrijf kan dus de doodstraf volgen.

Tot die datum was er alleen sprake geweest van morele scheefgroei en corruptie. Deze keer neemt de zaak een heel andere wending. Een macabere wending. Daarvan getuigen deze schokkende woorden: 'De

Revolutie zal dit vergrijp tegen het vaderland met bloed wegwassen.'

Ik ben gebroken. Revolutie, bloed, vaderland... Revolutie, bloed, vaderland... Die woorden, hun onheilspellende gegons, hun macabere spoor, is iets wat ik nooit zal vergeten. Sindsdien vergezellen ze me overal, zoals het lied van Charly García dat ik die zomer steeds weer hoorde: 'Ik geloof dat alles een leugen is.'

We zijn op een kritiek punt aanbeland. We kunnen onze grootouders onmogelijk weer een dag in onwetendheid laten. We hebben een dokter gebeld. Het is het begin van de middag. Hij zit klaar om hulp te bieden, terwijl wij Mimi en Popin de waarheid vertellen. Zonder dramatisch te doen, maar ook zonder iets van de ernst van de situatie te verbergen.

Ik zie de verbijstering op hun gezichten. Ze hadden in de verste verte niet zo'n verklaring verwacht voor het verdwijnen van de tweeling. De gevangenschap in Villa Marista, de beschuldiging van betrokkenheid bij drugshandel, het zogenaamde verraad, de link met Ochoa... ze kunnen er niet over uit, ze begrijpen het niet.

Mijn grootmoeder huilt. Ik neem haar in mijn armen. Ze is ontroostbaar. Mijn grootvader is bezorgd en gekwetst en zegt geen woord. Je kunt gemakkelijk raden hoe ze op dit moment redeneren, een redenering die hen gisteren nog geruststelde en die hen er vandaag van weerhoudt ons verhaal te geloven.

Hun 'jongens' hadden toch hun sporen als hoofdofficier verdiend? Ze hadden zich verdienstelijk gemaakt in de loop van hun internationalistische missies. Hadden ze hun leven niet op het spel gezet? Waren ze de Revolutie niet ter wille geweest, en nog wel zo lange tijd? Mimi en Popin meenden dat hun zonen met zo'n indrukwekkende staat van dienst tot het einde van hun dagen gevrijwaard zouden zijn van narigheid. Gevrijwaard van zo'n onverwachte beschuldiging, gevrijwaard van straf.

Kort daarna krijg ik bezoek van mijn moeder Lucila. Ze heeft gehoord van het wrekende bericht in *Granma*. Ze is al een jaar of twintig gescheiden van mijn vader en heeft daarna samengeleefd met een Italiaanse architect. Vervolgens is ze hertrouwd met een generaal van de Strijdkrachten, Fernando Ruiz Bravo.

Mijn moeder probeert me te troosten, maar ze kan geen woorden vinden. Ze is oprecht onthutst door wat ons overkomt. Stille ontsteltenis is aanstekelijk. Het scheelt niet veel of haar onhandigheid zou het tegendeel van het bedoelde effect teweegbrengen. Ik zou van mijn kant haar graag willen vertellen wat ik juist op dit moment voel. Niets aan te doen. Duizend-en-één gedachten dwarrelen onsamenhangend door mijn hoofd, maar ik krijg er niet één over mijn lippen.

Door voortdurend van de ene plaats naar de andere te gaan, op goed geluk, zonder weldoordacht plan, krijg ik het gevoel dat ik krankzinnig ben. Met Jorge ga ik nog steeds bij onze vrienden langs, nog altijd in de hoop iets te zullen horen. Het ongeloof van de een en de angst van de ander vliegen me naar de keel. Ik moet begrijpen dat ze niets meer kunnen doen vanaf het moment dat onze familie op Cuba doorgaat voor 'verraders van het vaderland'.

Zaterdag 24 juni. We maken ons ongerust over Mimi en Popin. Achtenveertig uur zijn verstreken sinds we hun de waarheid hebben verteld over de situatie waarin Tony en Patricio verkeren. Hun verslagenheid is vreselijk om aan te zien. We blijven dan ook liever het hele weekend bij hen thuis in Miramar.

Als de nacht is gevallen, gaan Jorge en ik weer op weg naar Víbora Park. Deze keer niet om ons weer bij Villa Marista te melden, maar om een bezoek te brengen aan een bevriend echtpaar dat toevallig in die wijk woont, niet ver van het hoofdkwartier van de Staatsveiligheidsdienst.

Hipólito is Braziliaan. Hij doet zaken met de Cimex. Deze import/exportmaatschappij wordt gecontroleerd door de Cubaanse autoriteiten en heeft opdracht gehoor te geven aan hun diverse verzoeken, in weerwil van het Amerikaanse embargo in de eerste plaats, en uiteindelijk in weerwil van de wet in het algemeen... De Cimex is gevestigd in Panama, het paradijs van de 'goedkope vlag' en bovenal het middelpunt van de smokkelhandel. Daar waar mijn vader is begonnen toen hij werd belast met het departement Z, de voorganger van wat vervolgens het departement MC zou worden (oorspronkelijk alleen een codenaam, later geïnterpreteerd alsof het altijd 'Monedas Convertibles'* had betekend).

* Noot v.d. vert.: Inwisselbare valuta's.

Het is echter niet Hipólito die we die avond graag willen raadplegen, maar de vrouw met wie hij in Havana is getrouwd: een opmerkelijke blonde Cubaanse met blauwe ogen van wie we alleen weten dat ze *santera* is.

Wanneer je een zaak die zo dramatisch is als de plotselinge gevangenschap van een vader en een oom, van wie je dacht dat ze onaantastbaar waren, niet hebt kunnen ophelderen, wanneer legitieme, rationele en logische pogingen slechts de dwaasheid van de situatie nog meer hebben benadrukt, wanneer je er genoeg van hebt tegen een muur aan te lopen, wanneer je je schaamt dat je niet bij machte bent door die muur heen te dringen, word je vanzelfsprekend gevoelig voor die andere taal, die schijnbaar even absurd en schijnbaar even bezwerend is als de rigide taal van 'Heb vertrouwen in de Revolutie'; die andere taal is in de *santería* de taal van het spiritisme, van de waarzeggerij en de zwarte magie.

Wat gaat er gebeuren met Tony en Patricio? Dat is alles wat ik wil weten. Ook al moet ik, omdat ik het niet te horen krijg van de rechthebbende, naar een medium luisteren...

De vrouw van Hipólito heeft ons in haar eetkeuken op de eerste verdieping uitgenodigd. Ze begint Jorge en mij de tarotkaarten te leggen. Alles wat tot me doordringt van haar opmerkingen, kan in enkele woorden worden samengevat: 'Er is een volwassen man die jullie wil redden.'

Ik zucht...

Voor een serieuzer consult, met de *orishas* (de geesten) belooft ze ons later in contact te brengen met de *babalaos*.

Er moet een heel ritueel in acht worden genomen. Er branden wierookstaafjes in een bekertje. Ze gaat op een poef zitten. Ze sluit haar ogen. Ze spreekt een taaltje dat ik niet begrijp, het *abacuá*. Langzamerhand raakt ze in trance. Dat is het teken dat de communicatie tot stand komt.

Vanaf dat moment stel ik geen enkele vraag meer. Ik voel me niet op mijn gemak. Ik zeg geen woord meer. Ik zorg dat ik haar niet lastigval. Plotseling heb ik geen vertrouwen meer in haar. Wat weten we van haar? Bijna niets. Ik bedenk zelfs dat ook zij misschien een handlanger van de Staatsveiligheidsdienst is.

Wat is ze te weten gekomen van haar bespreking met de goddelijke krachten uit het hiernamaals? Dat de situatie van mijn vader en mijn oom ernstig, heel ernstig is, maar dat 'de man met de baard' niet zal durven een van de tweelingbroers te laten doden? Voor de Yoruba-priesters, die trouw zijn aan de traditie van de slaven die zijn wegge-haald uit de delta van de Niger en die op Cuba in de meerderheid zijn, zijn de kinderen van Changó (god van oorlog en vuur) heilig. De twee-lingbroers zijn voor het leven verbonden. Hen scheiden, een van bei-den doden, zou de woede opwekken van Changó, en zou allerlei ram-pen teweegbrengen.

Het is drie uur 's ochtends wanneer we haar en Hipólito verlaten.

Wanneer we thuis in Miramar zijn, gaan we zachtjes naar mijn ka-mer. We werpen ons op het bed, op van de zenuwen. We omarmen el-kaar. Ondanks de vermoeidheid zijn we nog in staat tot vroeg in de morgen de liefde te bedrijven. Wat is het fijn om het lichaam van de ander te voelen, wat is het heerlijk om in elkaar op te gaan, wat is het stimulerend in hem te bijten, te voelen dat hij er is, zijn opwinding te ervaren, wanneer je er zo genoeg van hebt steeds te stuiten op een wer-kelijkheid die ongrijpbaar is, een bedrieglijke werkelijkheid!

Door de vreselijke kwellingen van die laatste tien dagen hadden we hier geen aandacht meer aan geschonken. Die nacht vinden we onze liefde weer terug.

12

De dagen volgen elkaar op zonder iets nieuws te brengen. Tot donderdag 29 juni. Een ambtenaar van het ministerie van Binnenlandse Zaken belt Mimi en Popin op. Mijn halfbroer Antonio, mijn halfzus Claudia, Maria Elena en ik krijgen eindelijk toestemming Tony te zien. Hij benadrukt dat we stante pede worden opgeroepen.

We haasten ons naar Villa Marista.

Osmel vertelt ons meteen al dat mijn vader zich daar niet bevindt... Het bezoek is op een andere plek gepland. Hij verzoekt ons achter de auto van de Staatsveiligheidsdienst aan te rijden die ons erheen zal brengen.

We vertrekken weer in zuidelijke richting.

We rijden Siboney binnen, het gebied dat uitdrukkelijk is gereserveerd voor Fidel Castro. De plek waar de internationale congressen worden gehouden en de topconferenties waar de staatshoofden bijeenkomen. Waar hij zijn buitenlandse bezoekers ontvangt, allemaal belangrijke gasten. Waar al die zalen zijn waar de beslissingen vallen over illegale acties, waar opleidings- en trainingscentra worden opgericht, bedoeld voor toekomstige samenzweerders en terroristen uit alle hoeken van de aardbol, of ze nu uit Baskenland, uit El Salvador of uit Colombia komen.

In een van deze villa's, die net als alle andere vol piepkleine camera's zit om de woorden en het gedrag van de bezoekers te registreren, zullen we Tony de la Guardia dus ontmoeten.

Het is een groot huis, heel mooi en licht.

Zodra de politieman de deur opent, zie ik hem.

Ze hebben mijn vader in een rotanstoel neergezet, midden in een kamer die baadt in het licht. Hij draagt een spijkerbroek en een geruit overhemd. Hij glimlacht tegen ons.

Een armzalige glimlach, waaruit duidelijk matheid spreekt. Meteen besef ik dat er iets niet in orde is. Mijn vader ziet er uitgeput uit. Het valt me op dat hij een kloppende, gezwollen halsader heeft. Hij ziet er slecht uit. Hij heeft rode ogen. Ik heb zijn gezicht nog nooit zo moe gezien.

Ik ga naast hem zitten. Ik neem zijn hand in de mijne. Ik zie dat zijn aderen zijn opgezwollen. Zijn pols klopt heel krachtig.

Ik voel me niet verdrietig. En trouwens, als dat wel het geval was, zou ik mezelf niet toestaan hem dat te laten merken. Ik ben niet verdrietig, nee, eigenlijk ben ik woedend. Ik begin heel gewoon tegen hem te praten, op een liefdevolle, kameraadschappelijke toon.

'Hé, pap! Hoe gaat het? Je ziet er moe uit... Vertel eens, wat is er aan de hand?'

'Ik weet het niet... Ja, ik ben heel moe, ik heb lang niet geslapen.'

Maria Elena naast me wordt ongeduldig.

'Heb je de kranten gelezen?'

'Nee.'

Maria Elena dringt aan. 'Heb je gezien wat er in *Granma* staat?'

'Nee.'

Ik stel hem nog een paar vragen. 'Zeg eens, pap, weet je welke dag het is?'

Hij schudt zijn hoofd.

'Hoe lang ben je hier al, in dit huis?'

Hij schudt zijn hoofd. Maria Elena kijkt me bedroefd aan. Ze geeft zelf het antwoord.

'Twee weken, Tony! Je zit al twee weken opgesloten.'

Mijn vader lijkt heel verbaasd.

Maria Elena en ik dringen in koor aan. 'Kun je ons vertellen wat er is gebeurd?'

Hij schudt zijn hoofd.

'Weet je hoe het nu verder gaat?'

Hij schudt zijn hoofd.

Hij weet niet meer wanneer hij is gearresteerd. Hij heeft geen tijds-besef meer. Mijn vader verkeert duidelijk in een shocktoestand. Ik ver-baas me nogmaals over zijn slechte lichamelijke conditie. Ik vraag hem wat daar de oorzaak van is.

Eindelijk reageert hij. Terwijl hij beschrijft hoe zijn dagen in Villa Marista verlopen, wordt zijn gezicht langzamerhand levendiger.

Ze hebben hem zijn horloge afgenomen. Hij zit helemaal alleen op-gesloten. Hij heeft sinds zijn arrestatie geen enkele andere gevangene gezien. Hij denkt dat zijn eten op onregelmatige tijden wordt gebracht: nu eens met korte, dan weer met lange tussenpozen. Hij kan geen on-derscheid meer maken tussen dag en nacht: het raam van zijn cel is dichtgemetseld. Hij is blootgesteld aan heel fel licht. Het is onmogelijk aan dit verblindende licht te ontkomen: de lamp zit aan het plafond, buiten zijn bereik, en brandt dag en nacht.

Bij de zeldzame gelegenheden dat hij ondanks alles op het punt stond om in te dutten, kwam een cipier hem dat beletten. Hij is zo ge-desoriënteerd, zo uitgeput dat hij de documenten niet meer kan ont-cijferen die ze hem tijdens de verhoren voorleggen.

Ik vraag hem of hij een advocaat heeft gezien.

Ook nu weer schudt hij zijn hoofd.

Na die dag hoorde ik dat mijn oom Patricio dezelfde behandeling, dezelfde mishandeling te verduren had gekregen als mijn vader. Osmel en zijn collega's, psychologen en psychiaters van Villa Marista, hadden hem dringend verzocht zijn familie ervan te overtuigen niets te onder-nemen. De familie had er vooral geen belang bij contact op te nemen met advocaten, benadrukte Osmel, noch met vertegenwoordigers van mensenrechtenbewegingen.

Ten einde raad stel ik mijn vraag nogmaals.

'Zeg eens, pap, weet je wat er nu verder gaat gebeuren? Denk je, denk je dat er een proces komt?'

Hij weet het niet.

Zijn stilzwijgen beklemt me. Ik wil mijn emotie niet laten blijken. De politieagent waarschuwt dat het gesprek is afgelopen. Ik zal papa met een glimlach achterlaten. Ik laat die zo lang mogelijk duren. In zo korte tijd moet hij voelen hoeveel zijn familieleden aan hem denken, hoe ze in de weer zijn om hem te hulp te komen, hoeveel ze van hem houden, en hoeveel we elkaar nog willen vertellen en met elkaar bele-ven.

Hij zegt verder niets meer. Hij praat tegen me met zijn ogen, tussen het knipperen van zijn ogen door. Een soort infra-taal... Het kan alleen maar betekenen: 'Doe wat je kunt, meisje. Maar breng jezelf niet in gevaar.'

Op de terugweg vecht ik tegen mijn verdriet, tegen mijn angst. Ik hoopte op een verklaring, ik houd er het gevoel aan over dat het een mislukking was. Toen we hem gingen opzoeken, had ik mijn vader met kracht en hoop willen vervullen. Het weinige dat ik uit zijn mond heb gehoord, verplettert en ontmoedigt me.

Maria Elena, mijn stiefmoeder, lijkt nog verslagener te zijn dan mijn jongere broer en zusje. Het is alsof de hemel op haar is neergedaald. Haar vader, Diocles Torralba, en haar man, Tony de la Guardia, zitten in de gevangenis. Ze weet niet waar ze hulp kan vinden.

Wanneer ik haar zo terneergeslagen zie, vind ik mijn zelfbeheersing weer terug. Plotseling denk ik aan de hulp die Jorge me nog kan bieden. Hij is waarschijnlijk onze laatste hoop. Want mijn man kent bepaalde hoge ambtenaren uit de onmiddellijke omgeving van Fidel Castro. Ik zou er verkeerd aan doen deze troef te onderschatten. Wie weet? Zij zullen er misschien mee instemmen tussenbeide te komen of een bemiddeling gemakkelijker te maken...

Wanneer ik Jorge vertel over het gesprek met mijn vader windt hij zich vreselijk op over het regime: 'Nee, nou wordt-ie mooi! Dit is het nieuwste! Op Cuba worden revolutionairen gemarteld!' Inderdaad, wat wij tot dat moment niet wisten, is dat op Cuba iedereen, wie dan ook, wordt gemarteld...

Na enige tijd nagedacht te hebben legt Jorge me uit dat de behandeling die mijn vader heeft ondergaan in Villa Marista rechtstreeks afstamt van een sovjetmethode. De KGB heeft die methode uitgewerkt en onderwezen aan de psychologen en psychiaters van de Cubaanse Staatsveiligheidsdienst. De methode is bij wijze van voorbeeld voor het eerst gebruikt onder Stalin tijdens de processen van de jaren dertig in Moskou. Het gaat erom de 'verdachten' lichamelijk en geestelijk te breken zonder hun ooit respijt te gunnen, ze uit hun evenwicht te brengen, ze zover te krijgen dat ze volkomen gelaten zijn, ze zo gedwee te maken als een robot.

Meteen bij het eerste verhoor wordt de gevangene op de hoogte gebracht van zijn isolement. Zijn familie en vrienden denken misschien dat hij op dienstreis is op het eiland of op reis naar het buitenland. Niemand heeft hen ingelicht over zijn voorlopige hechtenis. Als ze er al een vermoeden van hebben, weten ze niet precies op welke plek hij wordt vastgehouden. De gevangene zal een kruisvuur van vragen te verduren krijgen. In opeenvolgende, steeds terugkerende golven. Want het gaat bijna altijd om dezelfde vragen die opnieuw gesteld worden. De inquisiteur doet alsof het per definitie is uitgesloten dat hij geloof hecht aan de antwoorden; hij wil geen antwoorden, hij wil aanvaardbare antwoorden, bevredigende antwoorden. De gevangene krijgt te horen dat hij is verraden door degenen die verondersteld werden zijn medeplichtigen te zijn, dat hij er belang bij heeft hen met gelijke munt te betalen, en dat hij pas rust krijgt nadat hij zijn bekentenissen heeft ondertekend, nadat hij oprecht berouw heeft getoond.

Ik stel me voor hoe wreed de situatie is. Hoe kan mijn vader het verdragen om op die manier mishandeld te worden door ambtenaren die net als hij tot het ministerie van Binnenlandse Zaken behoren? Hoe kan hij toelaten dat hij zo gemarteld wordt door de vertegenwoordigers van een politiek regime dat hij zelf altijd heeft verdedigd?

Tony de la Guardia had vertrouwen gehad in de Revolutie. Hij had dat aangetoond door zich niet te ontzien. Hij had ervoor gekozen af te zien van het comfortabele bestaan van het burgerleven dat de familie De la Guardia lange tijd had gekend. Hij had naar de Verenigde Staten kunnen emigreren. Dat hadden andere familieleden gedaan, zoals zijn oudste broer Mario, die in 1962 zonder geld of bagage was vertrokken ten tijde van de eerste emigratiegolf. Maar nee, hij had liever 'vertrouwen in de Revolutie' gehad...

Jorge vertrekt midden in de nacht naar Siboney. Hij is door het dolle heen. Hij rijdt naar het huis waar de Staatsveiligheidsdienst de ontmoeting met mijn vader had gearrangeerd. Hij verwachtte natuurlijk niet dat daar iemand was. Maar ik weet dat hij een diepe genegenheid koestert voor de man die zijn 'baas' werd toen hij van het departement Amerika, waar hij in ongenade was gevallen, naar MC was overgeplaatst, en die vervolgens zijn schoonvader werd na ons huwelijk, enige maanden daarvoor.

Wanneer Jorge bij het donkere, stille huis aankomt, begint hij tegen de deur aan te trappen en te schreeuwen. Er is niemand die hem antwoordt. Pech gehad. Hij gaat door met herrie schoppen totdat hij eindelijk het gevoel heeft dat hij zich heeft afgereageerd.

Waarna mijn man naar Miramar terugkeert.

Met Tony de la Guardia, die hij na de zomer van 1988 had leren kennen, had Jorge zich meteen verwant gevoeld. Hij had zojuist het misnoegen van Piñeiro te verduren gekregen. Enige tijd eerder had de man die de touwtjes in handen had op het departement Amerika de Argentijn, zijn employé, in het ongelijk gesteld bij bepaalde geschillen waarin hij werd geconfronteerd met de nieuwe leiders in Nicaragua, en eveneens met een aanvoerder van de strijders van de Colombiaanse guerrillagroep M19 die verwikkeld was in een duister spel...

Dat men hem zo liet vallen had Jorge diep teleurgesteld. Het was zo ongeveer alsof hij voor de tweede keer wees was geworden. Misschien had hij er op dat moment behoefte aan zijn zelfvertrouwen terug te vinden en nieuwe perspectieven voor zichzelf te openen. Misschien had hij, nu Piñeiro hem had afgewezen, er heimelijk behoefte aan door een andere adoptievader geaccepteerd te worden. Mijn vader had geen verstek laten gaan. Achting en oprechte genegenheid brengen hen nader tot elkaar. Jorge heeft evenveel respect voor mijn oom Patricio. En nu krijgt Jorge door zijn huwelijk een onverwachte zaak te verdedigen en moet hij alles in het werk stellen om het leven en de eer van de go broeders De la Guardia te redden.

13

De zon is ondergegaan in Miramar. De telefoon rinkelt. Het is een zekere Ramiro, een van de officieren van het Minint die de affaire volgt vanuit Villa Marista. Hij vertelt ons dat mijn vader morgen, vrijdag 30 juni, voor een 'speciaal tribunaal' zal worden gedaagd.

Terwijl ik naar Ramiro luister, denk ik weer aan de ongelovige uitdrukking en het stilzwijgen van mijn vader toen ik hem een paar uur eerder had gevraagd of hem een proces te wachten stond. Ik kom in opstand.

'Hoezo, een proces? Jullie houden de mensen voor de gek. Ondanks al onze inspanningen bij Villa Marista, ondanks al onze vragen is daar tot nu toe nooit sprake van geweest. En dan vertelt u ons dat het morgenochtend begint!'

De zitting zal gehouden worden in de *Sala universal* van de Cubaanse Strijdkrachten, hetzelfde toneel waar twee weken daarvoor Raúl Castro was opgetreden voor de militairen en de televisiecamera's.

We worden opgeroepen 's ochtends om acht uur te komen. Alleen de naaste verwanten van de verdachten krijgen toestemming de zitting bij te wonen.

'Maar wat is dat voor proces? Dit is waanzin! U sleept mijn vader binnen twaalf uur voor het gerecht, terwijl hij al zo'n veertien dagen in het geheim gevangen wordt gehouden en nog steeds geen advocaat heeft gezien!'

Ramiro vraagt me kalm te blijven. Het is onterecht dat ik in opstand zou komen, want de autoriteiten zien er nauwlettend op toe dat alles volgens de regels verloopt: Tony de la Guardia zal wel degelijk kunnen rekenen op een advocaat. Het is trouwens al geregeld dat hij zijn advocaat, die hem wordt toegewezen, aan het begin van de ochtend zal ontmoeten, vlak voordat hij op de zitting verschijnt...

Ik kom er bij die gelegenheid achter dat de gang van de rechtspraak in mijn land inderdaad een heel 'speciaal' beloop heeft. Er wordt voorbijgegaan aan wat gebruikelijk is bij justitie, aan het recht op verdediging. Dit is geen proces, het is een valstrik.

Ik praat met Mimi en Popin. Ik vertel hun het nieuws en voeg eraan toe dat we van plan zijn ons niets aan te trekken van het verbod van het Minint om mensenrechtenactivisten te alarmeren.

Daarna gaan we snel naar Maricha. De vrouw van mijn oom Patricio houdt zich beter dan mijn stiefmoeder Maria Elena. 'La Cucusa', zoals ze wordt genoemd, gaat niet bij de pakken neerzitten. Ze is de strijdlustigste van ons allemaal. Samen spreken we af een kennis te vragen of hij een bericht wil overbrengen aan bepaalde mensenrechtenactivisten.

Deze mensen hebben geen toegang tot de media, worden dag en nacht in de gaten gehouden, zijn aan willekeur overgeleverd, maar wanneer ze zelf niet in de gevangenis zitten, pleiten ze met een handjevol mensen op het eiland bij de autoriteiten voor respect voor de burgerlijke vrijheid (die min of meer officieel wordt erkend, maar in de praktijk niet bestaat) en voor respect voor het recht op vereniging (officieel erkend, maar in de praktijk verboden). De namen van deze dappere mannen, die beslist geen geweld gebruiken, doen sinds kort de ronde dankzij de mond-tot-mondreclame (*radio bemba*) en Radio Martí vanuit Miami, of dankzij de vonnissen die nu eens geheim worden gehouden en dan weer openbaar worden gemaakt in *Granma*. Ze heten Elizardo Sánchez, Gustavo Arcos, en verder Vladimiro Roca en Oswaldo Paya...

In kringen van 'historische' dissidenten gaat Gustavo Arcos door voor de 'grote wijze man'. Hij heeft aan het begin van de jaren tachtig het Comité Cubano de Derechos Humanos (CCDH)* opgericht.

* Noot v.d. vert.: Cubaans Comité voor de Mensenrechten.

Hij is een voormalige *compañero* die op 26 juli 1953 gewond raakte bij de rampzalige bestorming van de Moncadakazerne onder leiding van Fidel Castro, hij is ambassadeur van Cuba geweest in Luxemburg, Kopenhagen en Brussel, tot hij in het midden van de jaren zestig in ongenade viel. De minister van Binnenlandse Zaken, Ramiro Valdés, ook een veteraan van de Moncada, had hem laten arresteren. Vanwege een 'misdrijf tegen de staatsveiligheid'. In werkelijkheid zou Arcos zo brutaal zijn geweest om onvriendelijke opmerkingen te maken aan het adres van Fidel Castro.

Tevergeefs vraagt hij om wettelijke erkenning van het ccdh; de Cubaanse regering past het recht van vereniging niet toe.

Gustavo Arcos is voorstander van een oplossing waarover wordt onderhandeld in het kader van een politieke overgang, die hij zonder geweld en zonder wraakgevoelens wil laten verlopen en daarmee irriteert hij een deel van de uitgeweken Cubanen, die klagen over zijn 'engelachtige' gedrag. Hij verdedigt zich daartegen met het argument dat je mensen die in de voorste linie repressie en censuur trotseren geen lesje hoeft te leren. Hij kiest ervoor op het eiland te blijven, waardoor hij in contact blijft staan met de dagelijkse werkelijkheid waarmee de meeste Cubanen te maken hebben.

Van de buitenkant gezien lijkt zijn speelruimte uiterst klein, eigenlijk bijna nihil. Maar naar Cubaanse maatstaven heeft ze langzamerhand een onmisbare betekenis gekregen. Zijn landgenoten op de hoogte brengen van het bestaan van onvervreemdbare rechten in een land waar het verspreiden van de Universele Verklaring van de Rechten van de Mens gelijk staat aan een misdrijf, is op zich al een heldhaftige daad.

De voorzitter van het ccdh wordt dag en nacht door de stille agenten van de Staatsveiligheidsdienst bespied, maar gaat evengoed door met zijn nijvere arbeid. Hij en zijn broer Sebastián, allebei regelmatig in de gevangenis gegooid, verzamelen informatie over misbruik en schending van het recht en de grondwet en over politieke gevangenen (identificatie, vervaldatum van de straf, plaats en omstandigheden van de gevangenschap, hongerstakingen). Wanneer je denkt aan de willekeur van onze rechtspraak, wat kun je dan verwachten van het gevangenisstelsel! Vooral omdat, in tegenspraak tot een wijdverbreid cliché, niet de Verenigde Staten maar Cuba het wereldrecord heeft wat het aantal gevangenen aangaat: 910 op de 100 000 inwoners.

Het CCDH krijgt geen enkele kans in het openbaar te spreken, er worden alleen communiqués en lijsten opgesteld van politieke gevangenen die op een oude schrijfmachine worden getypt met doorslagen met behulp van carbonpapier. De verspreiding vindt plaats op goed geluk, via ambassades, persagentschappen en buitenlandse bezoekers.

Vrijdag 30 juni. We hebben Miramar verlaten. Sinds enige tijd worden we gevolgd door verscheidene auto's, van verschillende types. Hun bestuurders rijden vlak achter elkaar, in tegenstelling tot de andere dagen. Ik veronderstel dat ze de instructie hebben ons te verhinderen in contact te treden met wie dan ook in de directe omgeving van de *Sala universal.*

De vertegenwoordigers van de internationale pers hebben daar afgesproken. Allemaal proberen ze zoveel mogelijk informatie te krijgen over de verdachten. Ze laten zich niet voor de gek houden. Ze kunnen de artikelen van Fidel Castro in *Granma* niet letterlijk nemen. Ze hebben andere bronnen nodig. Hoe zouden ze een poging tot onderzoek kunnen doen zonder de mogelijkheid de familie van de verdachten te raadplegen?

Wanneer we ons melden, blijken tot onze verbazing de deuren gesloten te zijn. We kijken elkaar verbijsterd aan. Een soldaat houdt de wacht. Ik ondervraag hem. Hij vertelt ons dat het proces niet voor het begin van de middag zal plaatsvinden.

Verongelijkt vertrekken we weer naar het witte huis in Miramar, ervan overtuigd dat de autoriteiten eropuit zijn ons te bedriegen, ons uit ons evenwicht te brengen, ons te ontmoedigen. Wat een kleingeestig gedoe! Wat een minachting!

Ik hoor later dat ondertussen, enige dagen eerder, al een ander proces had plaatsgevonden. Op zondag 25 juni was Ochoa alleen, in zijn uniform van divisiegeneraal, verschenen voor een eretribunaal van zo'n veertig andere generaals. De zitting was gefilmd. Gedeelten ervan zijn op de televisie uitgezonden.

Ochoa had daar welwillend zijn ongelijk bekend.

Terwijl hij wacht tot hij opgeroepen wordt om zijn getuigenis af te leggen, probeert hij zijn gevoel van onbehagen te verdrijven door steeds met zijn hand over zijn bezwete gezicht te strijken. Wanneer het moment is aangebroken, begint 'de mulat' – zoals Fidel Castro hem in de omgang placht te noemen – eerst zijn aanklagers vrij te pleiten. Hij is van mening 'zeer goed' te zijn behandeld sinds hij in hechtenis is genomen.

Met weinig gebaren en zich langzaam uitend, neemt Ochoa, die als mededeelzaam en spraakzaam bekendstaat, de verantwoordelijkheid op zich voor alle aanklachten. 'Het rapport dat de minister zojuist heeft voorgelezen,' zegt hij, 'is veel explicieter dan wat ik zou kunnen vertellen.'

Wanneer hij zich afvraagt wat hem heeft gebracht 'tot deze staat van verval' zegt hij: 'Ik geloof dat je in het leven begint met kleinigheden. Je begint met tegensputteren wanneer je een bevel krijgt. En het eindigt ermee dat je denkt dat bevelen van superieuren altijd aanvechtbaar zijn. Wanneer je die weg inslaat, begin je onafhankelijk te denken en uiteindelijk geloof je dat je de enige bent die het weet. Je rechtvaardigt in je eigen ogen op een immorele manier de stommiteiten die je begaat.'

Ochoa zegt dat hij zichzelf veracht, dat hij geen recht heeft nog langer te leven, dat hij niets meer verwacht, dat hij zedelijk bedorven is, dat het hem nooit aan hulp heeft ontbroken.

'... Je doet dingen in je eentje en op een dag zie je wat voor afschuwelijke dingen je hebt gedaan. Op het moment zelf zie je dat niet. Maar daar komt ongetwijfeld het verval vandaan, van morele problemen, van allerlei problemen... Ik wil graag tegen mijn kameraden zeggen dat ik geloof dat ik het vaderland heb verraden. En ik zeg het u in alle eerlijkheid, de prijs die je betaalt voor verraad is je leven.'

Er is één scène die niet is uitgezonden. Dat is me later meegedeeld. Die dag had de president van het eretribunaal, generaal Ulises Rosales del Toro, een goede vriend van Raúl Castro, verscheidene getuigen, onder wie mijn vader en mijn oom, naar voren geroepen.

Patricio de la Guardia had de waarheid verteld over de herkomst van de illegale handel die Ochoa en de andere verdachten ten laste werd gelegd. Hij had de rechters met de rug tegen de muur gezet: 'Wie geeft u toestemming ons te veroordelen voor illegale handel die bekend is bij en gewenst is door onze superieuren?'

Ik heb geen zin deel te nemen aan de lunch. Mijn grote zorg is er zo snel mogelijk achter te komen wie de advocaat wel mag zijn die is aangewezen om mijn vader te vertegenwoordigen. Ramiro had me te verstaan gegeven dat ik de mogelijkheid zou hebben hem voor de eerste zitting te ontmoeten. Maar ook wat dat aangaat zal ik nog menige teleurstelling ondervinden.

Het is middag. De hitte wordt steeds drukkender. Ik heb last van de verblindende zon. Vanaf de ochtend zijn mijn ogen rood en gezwollen door mijn huilbui 's nachts.

We gaan de voorhal van de *Sala universal* binnen. Een vrouw in uniform controleert ons. Ze verzoekt ons met haar mee te gaan. Ze laat ons plaatsnemen aan de rechterkant, die gereserveerd is voor de familie van de vijftien verdachten. Maricha gaat tussen Maria Elena en mij in zitten.

In de rechtszaal zijn de meeste rijen al bezet door militairen. Ik denk dat het er tussen de twee- en de driehonderd zijn. Tussen hen bevindt zich, naar ik weet, Fernando. De man van mijn moeder kan deze geschiedenis niet volgen. Hoewel hij generaal is, weet hij niets van de omstandigheden en de inzet van het proces. Door zijn werk in het Escambraygebergte aan het hoofd van een medisch centrum voor revalidatie van de Strijdkrachten wordt hij al lange tijd weggehouden van de plek waar de beslissingen vallen.

Er verschijnt een officier. Hij beduidt ons hem te volgen. Hij heeft de opdracht ons naar de advocaten van Tony en Patricio te brengen.

De verdediger van mijn vader is een kleurling. Hij stelt zich voor: 'Majoor Aramis Villalón Ona, ik bekleed een leerstoel in de criminologie aan het Hoger Instituut van het Minint.' De advocaat van mijn oom, majoor Julio González Guethón, heeft een blanke huid en een rond gezicht.

We wisselen nauwelijks een paar woorden, om meteen vragen te stellen over het verloop van het proces, over de aard van de sancties, over de gedragslijn die wij, hun familie, van nu af aan het beste kunnen volgen. Tot mijn ontsteltenis vertelt majoor Aramis Villalón me hoe moeilijk hij het vindt om de verdediging van mijn vader op zich te nemen. Hij schaamt zich te zeer voor de misdaden die zijn 'cliënt' heeft begaan. Bovendien heeft hij geen tijd gehad kennis te nemen van het dossier! Wanneer ik hoor hoe hij zich ervan af probeert te maken, barst ik bijna in huilen uit. Ik weet me nog net te beheersen, omdat ik mijn zwakheid wil verbergen. Er is niets gedaan om recht te spreken; alles is erop berekend te veroordelen.

We zitten weer op onze plaatsen. Het tribunaal zetelt in het midden van het toneel. Er zijn drie generaals bij. Naast Ramón Espinosa Martín, die de president is, en Julio Casas Regueiro, herken ik generaal Fabián Escalante Font. We hebben elkaar ontmoet tijdens mijn verblijf in Luanda. Hij is degene die half mei mijn oom Patricio, leider van de missie van het Minfar in Angola, te kennen had gegeven dat hij met spoed naar Havana werd geroepen.

Links staat de tafel van het Openbaar Ministerie. De openbare aanklager, bijgestaan door drie bijzitters, is niemand minder dan de minister van Justitie. Juan Escalona Reguerra heeft geen oorlogsonderscheidingen, maar hij draagt wel zijn generaalsuniform.

Aan de rechterkant zitten twee rijen verdedigers. Er zijn er negen voor veertien verdachten. Sommige advocaten zullen de taak hebben verscheidene zaken te verdedigen. De hoogste in rang, kolonel Alberto Rubén D'Toste Rodríguez, zal tegelijkertijd de zaak van generaal Arnaldo Ochoa Sánchez en die van Jorge Martínez Valdés moeten bepleiten...

De verdachten zijn in één enkele rij neergezet. Ze dragen allen burgerkleding, met inbegrip van Ochoa en Tony en Patricio de la Guardia.

Is dat een list van een psycholoog die goed op de hoogte is van de enscenering van de 'transparante processen'? Als toppunt van belachelijkheid hebben mijn oom en mijn vader hetzelfde geruite overhemd moeten aantrekken – als om te benadrukken dat ze als tweeling te midden van de andere beschuldigden zitten en daarmee ten onrechte een vanzelfsprekende verstandhouding te suggereren ten opzichte van onverschillig wat dan ook.

De president van de krijgsraad, Ramón Espinosa Martín, opent de zitting.

'Beklaagden, verdedigers, staat op. Hebt u iets tegen de samenstelling van het tribunaal of de aanklager die het proces instrueert?'

Aangezien wij de beklaagden van achteren zien, kan ik onmogelijk hun gezichten onderscheiden.

Er wordt een lijst opgelezen van de feiten die hun ten laste worden gelegd: drugshandel, oneerlijk, corrupt, trouweloos gedrag en verraad.

De president roept Ochoa op om voor de rechtbank te verschijnen.

De generaal komt vlug uit de beklaagdenbank. In twee, drie stappen staat hij op het podium. Geen enkele beschuldigde straalt zo onbeschaamd nonchalance en ongedwongenheid uit. Er is een overduidelijke kloof tussen de Ochoa die moeizaam en bitter zijn spijt had betuigd voor het eretribunaal van 25 juni en de Ochoa met de katachtige souplesse van deze dag.

Het dier heeft nog niet al zijn reserves aangesproken. Zou hij zich zo meteen koppig gaan gedragen? President Espinosa vermoedt van wel en verzoekt de generaal te antwoorden op de vragen 'terwijl u steeds naar het tribunaal blijft kijken'.

Openbare aanklager: Ochoa, wist u dat een groep onder leiding van ex-kolonel Antonio de la Guardia aan drugshandel deed op Cuba?

Ochoa: Dat heb ik nooit geweten. Tony heeft me nooit verteld dat hij handelde in verdovende middelen. Hij had het over tabak. Hij zei dat hij in de handel in tabak en kunstvoorwerpen zat. De laatste clandestiene handel, van een of twee maanden geleden, ging om vechthanen, niet? Maar werkelijk, hij heeft me nooit verteld dat hij hier in de drugshandel zat. Voorzover ik het kon weten, is het nooit zo geweest... Het ging er niet om drugs te laten doorvoeren via Cuba. Dat heb ik nooit overwogen. Veel kameraden hier kennen me en weten dat ik dat niet zou hebben gedaan. Dat is de waarheid.

Aanklager: Toen u ontdekte dat Antonio de la Guardia aan handel deed die de geloofwaardigheid van de Cubaanse Revolutie in gevaar kon brengen, hebt u er toen nooit aan gedacht hem aan te geven?

Ochoa: Nee, dat zeg ik nogmaals. Ik heb nooit met zekerheid geweten dat ze in drugs handelden.

Aanklager: Hebt u als revolutionair, generaal en held, voordat het mechanisme uiteenviel dat u in die positie hield, nooit de gevolgen van uw daden verafschuwd?

Ochoa: Hoewel de feiten tegen me spreken, weten de mensen die me kennen hoe ik leef, ze weten dat ik nooit egoïstisch ben geweest en dat ik niets bezit. Dat is de waarheid.

Aanklager: Ochoa, wat heeft Martínez aan Escobar voorgesteld?

Ochoa: Wat Martínez aan Escobar heeft voorgesteld? Ik weet het niet.

Aanklager: Zou u zich net als Pablo Escobar op een dag gelukkig hebben kunnen voelen in de wetenschap dat u een deel van de mensheid vermoordde om uzelf te verrijken en hotels te bouwen op Cuba? Gelooft u dat de Revolutie de schande verdient dat het toerisme zich ontwikkelt op basis van geld dat is bezoedeld door drugs, door het bloed en de vernietiging van duizenden wereldburgers? Het zou beter zijn als Cuba op die dag zou verdwijnen in plaats van te leven van de illegale handel van deze heren.

Ochoa: Toch functioneert het allemaal al op die manier.

Escalona gaat niet in op het aanstootgevende antwoord van Ochoa.

De generaal heeft hem zojuist geantwoord dat het witwassen van zwart geld niet van vandaag dateert, dat het al langer een courante en gewone handelwijze is op Cuba. De aanklager doet alsof hij het niet heeft gehoord. Hij bedekt het antwoord onder de stortvloed van woorden waarmee hij zijn internationalistische principeverklaring uit, verontwaardigd bij de gedachte dat Ochoa kan hebben overwogen 'het sein op veilig te stellen voor drugs' om de winst te investeren in onroerend goed en toeristencomplexen op Cuba...

Escalona heeft zijn pseudo-verhoor afgesloten. De president vraagt Ochoa of hij er nog iets aan heeft toe te voegen. De generaal geeft te kennen dat dat het geval is...

Ochoa: Ja, ik zou graag iets willen zeggen, gebruikmakend van de gelegenheid die het tribunaal me biedt, over wat er is gebeurd voor het eretribunaal. Ik was de enige die als beschuldigde moest verschijnen. Veel beschuldigden die hier zijn en getuigen die buiten zijn, hebben een getuigenis afgelegd. Ik zou voor dit tribunaal willen zeggen dat velen hebben geprobeerd hun verantwoordelijkheid af te schuiven. Ze zijn niet duidelijk geweest. En sommigen hebben gelogen. Met inbegrip van de getuigen die niet hier zijn, geloof ik. Er zijn er die overdreven hebben, hè? In wezen om zichzelf vrij te pleiten.

Escalona gaat door met het verhoor van de adjudant van Ochoa.

Aanklager: Martínez... was de Ochoa met wie je in Angola was dezelfde als de Ochoa in Ethiopië?

Martínez: Nee.

Aanklager: Waarom niet?

Martínez: Hij was behoorlijk veranderd.

Aanklager: In welke zin?

Martínez: Hij was veranderd in de manier waarop hij... Er viel bij hem een gevoel van almacht te constateren [in beeld zie je Ochoa op de opmerking van Martínez reageren met opnieuw een glimlach] en ook een gebrek aan politieke en ideologische volwassenheid.

De aanklager grijpt de gelegenheid aan om het scenario te illustreren dat een paar dagen eerder is uitgeprobeerd toen Ochoa voor het eretribunaal verscheen.

Aanklager: Denk je dat hij op politiek niveau bezig was achteruit te gaan?

Martínez: Ja.

(...)

Aanklager: En wat deed je daar [in Medellín], Martínez?

Martínez: Ik, ik ging, ik zeg nogmaals... Ochoa had me naar Tony gestuurd. Want Tony was uitgenodigd op een bijeenkomst om het landgoed van Pablo Escobar te bezoeken in... in Colombia. Hij kon er niet heen gaan met het oog op zijn rang. Toen vroeg Ochoa of ik er in zijn plaats heen wilde gaan.

[Tijdens de televisie-uitzending betrapt de camera de gelaatsuitdrukking van Ochoa op dat moment; hij wendt zijn hoofd naar de medebeschuldigde die naast hem zit en glimlacht even; tegelijkertijd heeft mijn vader, met zijn tanden op elkaar geklemd, nog steeds een gesloten gezicht; hij kijkt recht voor zich uit, ongevoelig voor de beweging van Amado Padrón die zich naar hem had omgedraaid als om zijn reactie, zijn commentaar te zien...]

Aanklager: En jij bent in contact gekomen met de handelaren in verdovende middelen.

Martínez: Dat klopt.

Aanklager: Welbewust.

Martínez: Dat klopt.

Aanklager: In opdracht van je chef?

Martínez: Klopt.

Aanklager: De beschuldigde... Arnaldo Ochoa?

Martínez: Klopt.

(...)

Aanklager: Met wie ging je daarover praten [over de illegale handel]? Je hebt het tegen Escobar gezegd.

Martínez (is van zijn stuk gebracht): Dat is niet precies gezegd...

De aanklager is hem te vlug af.

Aanklager: Feitelijk heb je gezegd: 'Ik zal erover praten met...'

Martínez: Met niemand... Dat we erover zouden praten...

Aanklager: Alleen dat.

Martínez: Alleen dat.

Aanklager: .... om erover te praten met de Heilige Geest, met de Maagd Maria?

Er barst gelach los in de zaal. Aanklager Escalona, die altijd bereid is een beklaagde belachelijk te maken en soms gauw de sfeer wat minder gespannen wil maken, zal nog vele andere gelegenheden aangrijpen om de aandacht af te leiden.

Martínez: Nee, niet met de Heilige Geest.

(...)

Aanklager: Wat denkt Escobar dat jij bent?

Martínez: Escobar denkt dat ik een vertegenwoordiger ben van een groep Cubaanse ambtenaren die vastbesloten is te...

De aanklager belet hem door te gaan.

Aanklager: Wat voor groep Cubaanse ambtenaren? Wat meende jij dat Escobar dacht?

Martínez: Dat er een groep Cubanen was...

De aanklager onderbreekt hem.

Aanklager: Nee, beste kerel! Wie was jíj?

Martínez: Een ambtenaar die de macht had om zo te handelen.

Aanklager: Wat voor een ambtenaar?

Martínez: Een ambtenaar van de Cubaanse regering.

Aanklager: En denk je dat Escobar daarvan overtuigd is?

Martínez: Ja.

(...)

Aanklager: Martínez, wat is je rang?

Martínez: Kapitein.

Aanklager: Tijdens al dat heen en weer reizen naar Panama, naar Colombia en in de betrekkingen met Escobar en de handelaars in verdovende middelen had jij het gevoel dat je een officier van de Strijdkrachten was?

Martínez: Eerlijk gezegd niet.

Aanklager: Wat voor gevoel dan?

Martínez: Het was alsof ik iemand was die de richting kwijt was, ten gevolge van de onvolwassenheid... ik was persoonlijk mijn morele capaciteiten kwijt, en mijn...

Martínez wordt onzeker. Wanneer Escalona ziet dat hij zich vastpraat, neemt hij het krachtdadig weer over.

Aanklager: Wanneer heb je het ontdekt?

Martínez: Ik heb het ontdekt vlak nadat alles is gebeurd.

Aanklager: En wat betekent het vaderland nu voor jou?

Martínez: Het land waar ik woon.

Escalona (onderbreekt hem weer): Het land dat je bezoedelt! Martínez, besef je dat je het land en de Revolutie het risico hebt laten lopen het meest waardevolle te verliezen, dat wat ons dertig jaar van bloed en opoffering heeft gekost: het prestige, de waardigheid en de ethiek van ons volk? Kun je je voorstellen dat jij de campagne die het imperialisme jarenlang tegen onze Revolutie heeft gevoerd wapens in handen kon geven?

Ik zal de aanklager de beschuldigden een voor een horen terechtwijzen. Hij steekt de draak met een zekere Prendes, die thuis kisten met rum en whisky zou hebben verborgen. 'Je kunt in een kelder zitten en toch van het leven genieten,' is het commentaar van Escalona, die dolblij is met het gelach dat hij in de zaal heeft ontketend. De kerel protesteert. Hij had alleen rum aangeschaft om de vijftiende verjaardag van zijn dochter te kunnen vieren.

Het kost me moeite de antwoorden van de beschuldigden te volgen die vlak na elkaar komen. Juan Escalona onderbreekt hen regelmatig.

De eerste zittingsdag is tot laat in de avond doorgegaan.

We hebben even buiten rondgelopen, wanneer onze aandacht wordt getrokken door een minibus. Het is de transportwagen die mijn vader en mijn oom naar hun cellen terugbrengt. Door de ruiten konden we hun geblokte overhemden zien.

In Miramar zitten mijn grootouders en Jorge met spanning op ons te wachten. Maar eerlijk gezegd heb ik geen zin om hun een beschrijving te geven van de vreselijke dingen die ik heb meegemaakt.

Daar zullen ze zich de volgende dag een beeld van vormen. Want avond na avond zullen de twee kanalen van de Staatstelevisie (een andere is er niet op Cuba) de 'debatten' uitzenden, vierentwintig uur na de opname. Het zal geen ononderbroken uitzending zijn, maar een min of meer handige montage, waarbij hier en daar voor genoeg spontaniteit zal worden gezorgd om de indruk te wekken dat het verloop van het proces exact wordt weergegeven.

Tweede zitting, zondag 2 juli.
Aanklager: Waar hebt u Ruiz ontmoet?
Amado Padrón: Wie?
Aanklager: Ruiz Poo.
Padrón: Ruiz Poo? Daar, in Panama.
Aanklager: In die tijd?
Padrón: Ja...
Aanklager: U was bedrijfsleider geworden. U begon te praten over illegale handel met Panama?
Padrón: Ik was alweer terug op Cuba. [Padrón was drie jaar op zijn post in Panama gebleven.] Hij bleef in Panama als vertegenwoordiger van, van Interconsult...
Deze vermelding valt niet in de smaak bij Escalona, die tegensputtert. Padrón begrijpt de terechtwijzing en corrigeert zichzelf.
Padrón: Nee, MC, MC...
Aanklager: Niet van Interconsult, maar van MC. In Panama hebt u over drugshandel gesproken.
Padrón: Nee, nooit.
Aanklager: Padrón, deed u alleen maar aan handel in cocaïne? Hebt u nooit in marihuana gehandeld? Waarom niet? Was dat niet rendabel?
Padrón: Het is me nooit voorgesteld.
Aanklager: Jullie verdeelden onderling het werk? Hij de marihuana en u de cocaïne?
Padrón: Het is me nooit voorgesteld.
Aanklager: Laten we het hierbij houden.

De zitting van 2 juli wordt gekenmerkt door de zenuwinzinking van Miguel Ruiz Poo.

Deze jonge officier zat op zijn post in Panama tot de affaire-Ochoa losbarstte. Hij ging daar om met de mensen van Interconsult, een onderneming met een niet al te duidelijk omschreven doel die geld stort in de kas van het ministerie van Binnenlandse Zaken naar aanleiding van commerciële of 'bestuurlijke' transacties. Uitgeweken Cubanen die een familielid willen helpen het land uit te komen, zien het als een bureau waar geld wordt afgetroggeld – Interconsult belooft het krijgen van visa gemakkelijker te maken in ruil voor enige tienduizenden dollars per persoon.

Maar kapitein Ruiz Poo was niet alleen een hulpkracht van Interconsult. Hij stond eveneens aan het hoofd van het plaatselijke kantoor van MC. En in die hoedanigheid stond hij onder bevel van mijn vader. Voor 'el grupo de los Negros' en 'la casa de Montero', twee eenheden die behoren bij MC, is Panama de spil van de import-export naar Angola, Congo en andere Afrikaanse landen.

Van Ruiz Poo zal ik later horen dat hij in contact heeft gestaan met een illegale handelaar die een neef van hem was. Reynaldo Rubén Ruiz wordt in Florida vervolgd door Justitie wegens het invoeren van drugs via Cuba. Hij heeft illegale handel bedreven met als medeplichtige zijn zoon, die een van zijn vliegtuigen naar Cuba had geloodst. En dat Ruiz Poo zich op de zitting verdedigt als een in het nauw gedreven man, komt doordat hij tussen twee vuren is geraakt. Tussen twee bronnen van manipulatie en chantage, de agenten van de DEA* in Florida, die zijn neef Reinaldo Ruiz op heterdaad hebben betrapt, en aan de andere kant de agenten die in dienst zijn van Fidel Castro.

Aanklager: Kende u uw familielid Reinaldo?
Ruiz Poo: Nee.
Aanklager: En hoe hebt u hem ontmoet?
Ruiz Poo: Reinaldo had verzocht om de diensten van...
Aanklager: ... van Interconsult.
Ruiz Poo: Interconsult. En hij moest ze betalen...
Aanklager: Hij moest...

* Noot v.d. vert.: Drug Enforcement Administration.

Ruiz Poo: ... ze betalen. De kantoren die we in Panama hadden...

Aanklager (onderbreekt hem): Hoe zijn jullie met elkaar in contact gekomen?

Ruiz Poo: Hij kwam betalen. Hij hoorde dat de beheerder Miguel Ruiz Poo heette en hij kende mijn vader want dat is zijn neef.

Aanklager: De ambtenaren van dat departement mogen banden hebben met hun familie in het buitenland. Is dat niet verboden?

Ruiz Poo: Absoluut.

Aanklager: Ja.

Ruiz Poo: Maar het was mijn werk om te onderhandelen met die *gusanos* [de traditionele scheldnaam voor de Cubanen die Fidel en de Revolutie zijn ontvlucht].

Aanklager: Er is een verschil tussen onderhandelen met *gusanos* en betrekkingen aangaan met een onbekende. Niet?

Ruiz Poo: Nee, ik... dat is juist.

Aanklager: Hoe bent u van die heel gewone commerciële betrekkingen overgegaan op de handel in drugs?

Ruiz Poo: Daar kom ik zo op. Op een dag stelde hij [Reinaldo Ruiz, de Amerikaanse neef van Cubaanse afkomst] me voor... Hij heeft het me voorgesteld.

Aanklager: Niet u?

Ruiz Poo: Nee.

Aanklager: Hij.

Ruiz Poo: Ja, dat zeg ik. Nou, toen ontmoette ik in Panama op een dag Amado Padrón en ik vertelde hem dat Reinaldo Ruiz me een voorstel had gedaan, dat het hem mogelijk leek dat het geaccepteerd zou worden en dat hij wilde dat ik er met de groep over sprak. Dat heb ik tegen Padrón gezegd. Padrón zei dat erover gepraat moest worden, dat erover gepraat moest worden... in Havana. Desondanks besloot hij Reinaldo te ontmoeten. We hebben hem ontmoet en hij legde ons in detail uit wat we al weten. Dat hij eigenaar was van twee vliegtuigen, dat hij een direct netwerk had... dat het niet nodig was te... Hij stond in directe verbinding met booteigenaren. Hij vertelde ons over het functioneren van de drugshandel. Een paar dagen later vraagt Amado Padrón me of ik naar Cuba wil gaan met...

Aanklager: Met uw neef.

Ruiz Poo: Met Reinaldo Ruiz. We nemen een lijnvlucht en we gaan naar die bijeenkomst.

Aanklager: Hebt u tijdens dat heen en weer reizen Martínez ontmoet?

Ruiz Poo: Ja, en [nu slaat hij een toon aan die suggereert dat de vraag van Escalona hem zojuist heeft opgelucht] hij heeft me iets verteld. Persoonlijk heb ik op een dag op straat tegen Martínez gezegd dat hij werd gezocht: 'Amado Padrón en De la Guardia willen je zien.' Martínez zei: 'Dat is geen enkel probleem voor mij. Ik ben absoluut overtuigd van het belang van de dingen die ik doe.' Ik zal nooit vergeten wat hij tegen me zei. 'Want mijn chef praat erover op het hoogste niveau.' Letterlijk.

Op het beeld dat de camera laat zien lijkt Escalona verslagen en verstard.

Hij probeert zijn ongerustheid de baas te blijven.

Ruiz Poo blijkt spraakzamer en emotioneler te zijn. Hij is bang dat hij wordt onderbroken. Hij heeft dingen te vertellen, heel veel dingen. Bovenal begrijpt hij niet waarom hij voor dit tribunaal is geroepen en dat is verdomd goed te merken.

Ruiz Poo: En ik zou graag willen dat Martínez het lef heeft hier voor dit tribunaal te komen beweren dat hij dat niet heeft gezegd, dat ik heb gelogen. Want dat heeft hij me allemaal verteld!

Er hangt een vreselijke sfeer van onbehagen onder de militairen. Ruiz Poo is nu kortademig.

Ruiz Poo: En die geruchten hebben de ronde gedaan. Ik heb niet gepraat, maar Martínez ging daar vaak heen en hij heeft gepraat. Op een dag zei ook Eduardo [Diaz Izquierdo, een van de officieren van MC, medewerker van Amado Padrón die tot taak had de *lancheros** op te vangen] in een gang tegen me: 'Beste kerel, ik heb de indruk dat het allemaal op het hoogste niveau wordt geregeld...'

Aanklager: Hebt u er niets aan toe te voegen?

Ruiz Poo: Jawel.

* Noot v.d. vert.: personen met zeer slechte antecedenten.

Aanklager: Hebt u er iets aan toe te voegen? Ga uw gang.

Ruiz Poo: Het enige waarvoor ik me schaam is dat ik de waarheid moest spreken over alles wat ik heb gedaan. [Je voelt dat hij instort.] Het enige waarop ik als revolutionair nog trots ben is dat ik de moed heb gehad de waarheid te vertellen, waaraan het me de eerste dag ontbrak.

Aanklager: Rustig maar, beschuldigde.

Ruiz Poo: Wilt u nog meer weten?

Aanklager: Als er nog iets is.

Ruiz Poo: Ja. Het is moeilijk om het te zeggen. Neemt u me niet kwalijk.

Aanklager: Het geeft niet.

Ruiz Poo: Op zeker moment voelde ik dat de Amerikanen zich voor ons bevonden. En hij [verwijzing naar Tony de la Guardia] zei tegen me: 'Fidel weet het al. En Fidel heeft het probleem al opgelost. Hij heeft me zelfs laten zien hoe, met een basketbalnetje. Bijna in de laatste minuut heeft onze Commandant met zijn heldere verstand ons uit die moeilijke positie weten te halen.' [Met een brok in de keel gaat hij verder:] Ik heb het van alle kanten bekeken. Het was alsof ze [de Amerikanen] me hadden ingehuurd. Ik heb het tegen de rechter van instructie gezegd. Alsof ik een vijand was.

Ruiz Poo huilt.

Aanklager: U bent geen vijand... Wat weet u van de activiteiten van Martínez?

Ruiz Poo probeert weer op adem te komen. Hij is op van de zenuwen.

Escalona houdt het niet meer bij. Hij wordt onzeker. Hij weet niet wat hij ertegen in kan brengen behalve de verdachte steeds weer tot kalmte oproepen. Het aandringen van de jonge kapitein heeft hem van zijn stuk gebracht. Er kan van alles gebeuren. Zijn improvisatie heeft de mise-en-scène verstoord.

Ruiz Poo houdt vol dat de adjudant van generaal Ochoa hem uitdrukkelijk te kennen heeft gegeven dat Fidel Castro het groene licht had gegeven voor de handel met de Colombianen en daarmee heeft hij zich gerehabiliteerd van de beschuldiging die is ingebracht tegen hem en alle medebeklaagden. Door de woorden van mijn vader, 'Fidel weet het al, Fidel heeft het probleem opgelost' te vermelden, geeft de jonge officier aan dat Fidel sinds enige tijd wist dat de Verenigde Staten bewijzen hadden tegen Cuba en dat hij Tony de la Guardia op de hoogte had gebracht van zijn tegenaanval. Het beeld van het 'basketbalnetje' kan mijn vader noch Ruiz Poo hebben bedacht... Dat is Fidel Castro ten voeten uit!

Met zijn onhandigheden heeft Ruiz Poo zojuist het Openbaar Ministerie in verlegenheid gebracht.

Het proces staat op losse schroeven.

Of anders begint er een proces tegen Fidel Castro.

Ruiz Poo zit hevig te snikken. Zijn woorden komen er met horten en stoten uit. Het incident biedt de gelegenheid een eind te maken aan de aaneenschakeling van compromitterende toespelingen. De president van het tribunaal laat een dokter halen. Ruiz Poo wordt door twee mannen meegenomen achter het gordijn achter in de zaal.

Het medisch onderzoek is in een mum van tijd volbracht. Het verhoor begint weer.

Niet voor lang. Ruiz Poo heeft alweer te veel gezegd! Door te vermelden dat Tony de la Guardia vrijuit en zonder dat hem verwijten werden gemaakt betreffende zijn activiteiten voor MC, had gesproken met 'generaal Furry', heeft de beschuldigde zojuist Abelardo Colomé Ibarra, de vertrouwensman van Fidel Castro, in opspraak gebracht.

Alsof dat nog niet genoeg was, brengt hij ook nog een andere eenheid van MC ter sprake: het killershuis. 'Killers' is de bijnaam voor de leden van deze afdeling van MC. Een onrechtmatig verkregen bijnaam, waar iets belachelijks aan kleeft. Deze opscheppers hadden niets van gepatenteerde moordenaars. Ze doodden de tijd met kleine klusjes – waarmee ze zichzelf een rad voor ogen draaiden.

'... het killershuis,' vervolgt Ruiz Poo. 'Weet u wat dat betekent?'

Escalona doet alsof hij hem niet heeft gehoord. Hij vraagt Ruiz Poo niet om uitleg. En terecht: het killershuis werft klanten onder de zoons van hoogwaardigheidsbekleders van het regime. De zoon van de minister van Binnenlandse Zaken, José Abrantes, is trouwens een van hen.

Het is te veel. Escalona werpt de handdoek in de ring. De president van het tribunaal begrijpt de boodschap. Hij schort de zitting op.

14

De debatten beginnen weer in de middag van 3 juli. De aanklager herinnert Ruiz Poo aan zijn uitspraak van de vorige dag. 'U beweerde dat
er nog anderen verantwoordelijk waren...' Ruiz Poo neemt zich voor
zijn verklaring aan te vullen met nieuwe details, maar Escalona gunt
hem daar de tijd niet voor. Hij roept liever om de beurt de drie mede-
schuldigen op.

Martínez ontkent zonder aarzelen. Hij biedt aan zijn versie van het
door Ruiz Poo genoemde gesprek te geven, maar Escalona is niet geïn-
teresseerd.

Eduardo Díaz Izquierdo ontkent, maar er ontvalt hem wel een bekentenis...

'Beste kerel, ik heb de indruk dat dat op het hoogste niveau wordt
geregeld.' Deze woorden, die Ruiz Poo hem heeft toegeschreven, beweert Eduardo Díaz Izquierdo tegenover het tribunaal niet gezegd te
hebben. Maar, ook al heeft hij ze niet gezegd, hij erkent, daartoe aange-
spoord door de aanklager, dat hij ze wel heeft gedacht, en wel 'herhaalde malen'.

Díaz Izquierdo: Ik kan u uitleggen waarom.

Aanklager: Ga uw gang.

Díaz Izquierdo: Omdat ik, de ruime middelen waarover we beschikten
    in aanmerking genomen... en alles wat die activiteit gemakkelijker
    maakte, op bepaalde momenten dacht dat het was toegestaan.

Aanklager: Toegestaan door wie?

Díaz Izquierdo: Nee...

Aanklager: Op welk niveau? Op het hoogste niveau van de Partij?

Díaz Izquierdo: Nee...

Aanklager: Op regeringsniveau?

Díaz Izquierdo: Nee... Op z'n minst op het niveau...

Aanklager: Van het ministerie van Binnenlandse Zaken?

Díaz Izquierdo: Van het ministerie of van mijn superieuren... Neem me niet kwalijk dat ik zo praat, ik ben een beetje nerveus. Ik heb een verkrampte kaak.

Aanklager: Rustig maar.

Díaz Izquierdo: Ik doe mijn best.

Dan is mijn vader aan de beurt om naast Martínez en Díaz Izquierdo de getuigenis van Ruiz Poo te komen weerleggen.

Aanklager: Beschuldigde De la Guardia, herinnert u zich een van uw ondergeschikten te hebben laten weten of te kennen te hebben gegeven dat deze handel werd toegestaan door de hoogste instantie of door uw superieuren?

Tony de la Guardia: Dat heb ik nooit te kennen gegeven. Ik heb duidelijk gezegd dat het mijn verantwoordelijkheid was en dat niemand van mijn superieuren van het ministerie van Binnenlandse Zaken op de hoogte was. Daar zijn ze zich van bewust, dat is duidelijk. Ze kunnen zeggen wat ze willen. Maar ze liegen wanneer ze voor het tribunaal zeggen dat ze hadden gedacht of dat ik hun zou hebben gezegd of te kennen gegeven dat het op een ander niveau was toegestaan. Dat kunnen ze niet in alle eerlijkheid beweren.

Aanklager: Maar de beschuldigde Eduardo beweert...

Tony: Dat kan hij niet hebben gedacht, dat kan niet...

Aanklager: Ondanks alle middelen...

Tony: Dat kan niet...

Aanklager: ... ondanks de vliegtuigen, de boten, de zeelui...

Tony: Nee. Dat is onmogelijk. Gezien de manier waarop ze de operaties uitvoerden, weten ze dat het niet zo is.

Mijn vader neemt alle verantwoordelijkheid op zich.

Ik ben getuige van de zelfkritiek en het berouw dat de beschuldigden tonen. Ik zou mijn verontwaardiging wel willen uitschreeuwen. Hoe kunnen ze zichzelf beschuldigen van bepaalde illegale handel in tegenwoordigheid van honderden militairen die het meeste profijt hebben getrokken van deze handel?

Tijdens ons verblijf in Luanda vorig voorjaar zijn Jorge en ik getuige geweest van de berichten die Havana dagelijks stuurde naar mijn oom, generaal Patricio de la Guardia. Ze gaven hem opdracht ivoor te verzenden via de diplomatieke post, voor Raúl Castro, minister van de Strijdkrachten, voor generaal Abelardo Colomé Ibarra, die was bestemd om generaal José Abrantes (die in feite was ontslagen op 29 juni, de dag voor de opening van het proces) op te volgen als hoofd van Binnenlandse Zaken, en voor andere vooraanstaande personen...

Naast mij fluistert Maricha dat ze het er niet mee eens is. Ze vindt het jammer dat Patricio ervan heeft afgezien zich te verdedigen. Ze zou hun wel willen toeschreeuwen: 'Donder op, jullie die je voordoen als rechters! Júllie hebben al die verboden handel tijdens de oorlog in Angola geëist en gecontroleerd!'

Ik weet niet waar die verbetenheid tegen mijn vader, tegen mijn oom en tegen generaal Arnaldo Ochoa vandaan komt. Is het vanwege hun voorkeur voor de perestrojka? Of fungeren ze als schild tegen de beschuldigingen van de Amerikaanse justitie, die ervan overtuigd is dat de drugshandelaren uit Colombia en Florida nooit zo gemakkelijk tot het luchtruim en de wateren van Cuba hadden kunnen doordringen zonder instemming van de hoogste autoriteiten in Havana?

Om welke reden had Fidel Castro de drugshandelaar en internationale oplichter Robert Vesco willen ontvangen? Dat was op 16 oktober 1982. Ramiro Valdés Menéndez, een heel goede vriend van Fidel Castro en indertijd minister van Binnenlandse Zaken (tot hij in februari 1986 werd vervangen door José Abrantes) had zelf mijn vader opdracht gegeven hem te ontvangen en met pracht en praal logies te verschaffen.

Sinds wanneer kan een persoon als Robert Vesco, zoals El Líder Máximo een keer tegenover de oneerbiedige buitenlandse pers heeft verklaard, aanspraak maken op 'asiel op humanitaire gronden'? Ondanks verzoeken van de Amerikaanse justitie heeft Fidel Castro er nooit mee ingestemd de Amerikaanse staatsburger Robert Vesco uit te leveren. Omdat Castro indertijd winstgevende zaken deed met Vesco, waarbij ieder zijn deel van de business ontving.

Maricha en ik zouden de waarheid wel willen uitschreeuwen, uitschreeuwen tegenover iedereen. We zouden het bedrog aan het licht willen brengen dat voor onze ogen plaatsvindt. Maar zodra een familielid van de beschuldigden reageert om zijn verontwaardiging of zijn verslagenheid te laten blijken, komen er officieren tussenbeide. Ze bevelen hem de zaal onmiddellijk te verlaten, dat is de reactie van militairen; of, en dat is de reactie van psychiaters, ze dienen hem een kalmerend middel toe.

We zijn verdeeld. Tegen elke prijs het hele proces bijwonen tot het einde, of publiekelijk in opstand komen tegen deze farce die een belediging is voor de rechtspraak, ik weet niet welk van beide de juiste gedragslijn is, de gedragslijn waar mijn vader en mijn oom het meest baat bij hebben. Heb ik de keus? Geen moment is de chantage van Osmel en zijn collega's er immers minder op geworden: 'Neem stilzwijgen in acht, wees op uw hoede, want anders wordt het er voor hen niet beter op.'

In de loop van die derde dag zie ik voor mijn ogen hoe mijn vader instort.

De aanklager laat hem naast zijn tweelingbroer Patricio zijn getuigenis afleggen. Hij heeft hem vermanend toegesproken omdat hij het vaderland heeft verraden. Hij zal hem ook de les lezen. Heeft hij, die kinderen heeft, niet te licht gedacht over de omvang van de verwoestingen die drugs onder jongeren aanrichten?

Aanklager: De la Guardia, u hebt kinderen, nietwaar?
Tony de la Guardia: Vier kinderen.
Aanklager: Vier. Hebt u weleens gedacht aan de reikwijdte van deze transacties, terwijl u dollars ontving van de handel in verdovende middelen en terwijl u uw transacties met de handelaren intensifeerde, hebt u ooit gedacht aan de gevolgen van de drugshandel voor de jongeren in de wereld?
Tony: In feite heb ik daar niet aan gedacht... Nee, ik dacht er niet aan.
Aanklager: Maar u hebt veel over de wereld rondgereisd.
Tony: Ja meneer.

Aanklager: U hebt de ellende gezien.

Tony: Ja meneer.

Aanklager: U hebt de gevolgen van de drugshandel gezien.

Tony: Ja meneer.

Aanklager: U hebt gezien wat dat betekent voor de jeugd.

Tony: Inderdaad.

Aanklager: U weet dat het op dit moment de plaag van de mensheid is.

Tony: Ja meneer.

Aanklager: U bent medeplichtig aan de verspreiding van dit onheil voor de mensheid.

Tony: Ja meneer.

Aanklager: En hoe zit het met uw geweten, De la Guardia?

Tony: Dat is slecht.

Vervolgens is mijn oom, generaal Patricio de la Guardia aan de beurt om verhoord te worden.

Aanklager: En u, staat u toe dat Cuba wordt blootgesteld aan een dodelijk gevaar, aan een provocatie die de Revolutie had kunnen doen mislukken vanwege Ochoa en die smerige handel waar uw broer mee bezig was? U vergeet dat u generaal bent. U vergeet dat u een revolutionair bent. U vergeet zelfs uw waardigheid als man en het gevaar dat uw land loopt. U sluit laf uw ogen om het niet te zien.

Patricio: Dat klopt.

Aanklager: Daar is maar één woord voor: u bent een verrader.

Mijn vader, die zich vanaf het begin van het verhoor tegenover de drie rechters bevindt, knikt triest bij ieder zeer kort antwoord dat hij geeft. Hij buigt het hoofd. Hij is eerbiedig. Hij laat zien dat hij berouw heeft. Hij vraagt erom gestraft te worden.

Tony: We hebben het imago van onze martelaren, van onze broeders verraden. Ik heb ze laaghartig verraden. Ik heb niet aan ze gedacht. Ik lig met mijn geweten overhoop. Mijn geweten kwelt me. Wanneer ik aan mijn broeders denk die zijn gestorven in Angola, in Venezuela... We verdienen de zwaarste straf. We moeten streng gestraft worden. Opdat het een voorbeeld is voor andere revolutionaire strijders. Opdat ze nooit het misdrijf plegen dat ik heb gepleegd. Nooit... Dit kun je niet uit je geweten wissen.

Langzamerhand zijn er tranen in zijn ooghoeken opgekomen. Hij is nog maar een schim van de 'sterke man' die hij naar gelang zijn missies was: de elitesoldaat, de parachutist getraind in luchtraids, de gevechtsduiker, de aanvoerder van de stoottroepen, de discrete bemiddelaar bij migratieverdragen tussen Washington en Havana, de officieuze tussenpersoon bij de illegale handel die in het geheim gewenst was door zijn chefs.

Van de man van de daad zonder gemoedstoestanden is niets meer over. Misschien heeft hij al die tijd nooit zo'n oprechte gelaatsuitdrukking gehad. Zijn hart ligt bloot als het hart van een man die de verloochening, de ongenade, het verraad niet heeft zien aankomen en die geen andere keus heeft dan te veinzen, te zwijgen...

Maar wat aanklager Juan Escalona niet kan vermoeden en wat ik, de dochter van Tony de la Guardia, wel doorzie, is de diepere betekenis van zijn tranen.

Mijn vader huilt niet omdat hij er spijt van heeft dat hij de Revolutie of de jongeren in de wereld heeft verraden. Hij is er helemaal niet op uit de officiële stelling te illustreren die luidt dat officiers zo brutaal zijn geweest de opdracht die ze hebben gekregen te verbruien door die te gebruiken als een dekmantel voor illegale handel, waartoe zij als eersten en enigen het initiatief zouden hebben genomen; want de opdracht die hun was toevertrouwd door hun superieuren bestond nu juist daarin dat ze zoveel mogelijk deviezen moesten inbrengen van alle mogelijke soorten smokkelhandel, ook met drugshandelaren.

Mijn vader huilt om de verloren tijd. Hij huilt omdat hij zijn familie en zijn leven heeft opgeofferd aan de Revolutie, aan die Revolutie die hem wil laten fusilleren, die voortaan niets anders meer is dan de godsdienst die een *caudillo* in het leven heeft geroepen om zichzelf tot in het oneindige aan de macht te houden. Maar hij huilt ook zoals ieder die zichzelf aan een oprecht en pijnlijk gewetensonderzoek heeft blootgesteld.

Hij heeft zijn fouten niet opgebiecht aan de Revolutie, maar aan de jongeman van twintig jaar die hij was, de man die het racisme van de burgerman trotseerde door zich in het openbaar te tonen in gezelschap van jonge zwarte mensen, de man die een dorst naar rechtvaardigheid en een hang naar avontuur in zich verenigde. Zonder te vermoeden tot welke compromissen de jongeman toen hij officier was geworden ge-

119

leidelijk aan zou worden verleid in naam van het vaderland, in naam van de Revolutie.

Ik had die vernederende scène willen vergeten. Maar ik hoef me alleen maar voor te stellen in wat voor nood en vernedering mijn vader zich op dat moment bevond, om de herinnering eraan in mijn geheugen weer levendig en smartelijk te maken. Dat beeld, het beeld van mijn vader die berispt wordt als een kind en weerloos aan zijn rechters is overgeleverd, zet me soms aan tot wraaklust.

Er zijn dingen die je weet. En er zijn dingen die je voelt. Wraaklust is een gevoel dat ons, mensen, onwaardig is, dat weet ik best. Maar het is ook een heel menselijk gevoel voor een vrouw die heeft gezien hoe haar vader werd vernederd, voor een vrouw die zijn beulen bij dezelfde gelegenheid heeft zien inboeten aan menselijkheid, dat voel ik.

Ik roep niet op tot wraak. Ik hoop alleen dat het mijn vader gegeven zal zijn in een ander leven geleid te worden, waar we elkaar op een dag kunnen terugzien, alsof die belachelijke farce nooit heeft bestaan.

Belachelijk, de minister van Justitie alias aanklager die mijn vader en mijn oom een lesje leert. Belachelijk, hun advocaten die hen op hun beurt terechtwijzen... terwijl elk van beide broers De la Guardia moeite doet om de veroordeling af te wentelen van zijn tweelingbroer: 'Ja, ik ben de enige verantwoordelijke.'

Gewoonten en automatismen doen hun intrede. Het herhalen van dezelfde rituelen versterkt langzamerhand het gevoel van onwerkelijkheid. Het is merkwaardig hoe ik soms het gevoel heb dat ik een figurant ben in een film, in een roman in verschillende afleveringen. Zo komen we, telkens als we arriveren en als we weggaan, in de omgeving van de *Sala universal* de transportwagen tegen die op en neer rijdt naar de gevangenis waar mijn vader en mijn oom zijn opgesloten.

Op de avond van de vierde en laatste dag van het proces voel ik de vermoeidheid van al die dagen. Ik heb een hevige maagontsteking gekregen. Dat verbaast me niets. Hoe minder de pijn wordt geuit, hoe lichamelijker die wordt.

Het enige vooruitzicht dat me een beetje troost, is dat ik zal terugkeren naar het witte huis in Miramar. Ik ken geen betere manier om het slagveld te verlaten, afgezonderd te zijn van de buitenwereld. In het huis van mijn grootouders voel ik me veilig. Daar heb ik, zoals zovele anderen op Cuba, geleerd om te gaan met mijn gevoel van gespleten-heid.

Buiten moet ik me conformeren aan de patriottische en revolutio-naire consignes.

Binnen ben ik eerlijk tegenover mezelf en anderen.

Buiten simuleer ik en schaam ik me voor mezelf.

Binnen laat ik mijn masker vallen en respecteer ik mezelf. Des te ge-makkelijker omdat ik in het huis van Mimi en Popin diep in mijn hart voel dat er tussen ons allen nog iets blijft voortbestaan van het echte le-ven.

15

Woensdag 5 juli. Zevenmaal de doodstraf. Dat is de straf die aanklager Escalona heeft geëist tegen Arnaldo Ochoa, tegen Tony de la Guardia en tegen vijf andere officieren: Jorge Martínez, Amado Padrón, Antonio Sánchez Lima, Alexis Lago en Eduardo Díaz. Zevenmaal gevangenisstraf, van twintig tot dertig jaar, voor de zeven andere beschuldigden, onder wie mijn oom Patricio, tegen wie dertig jaar is geëist.

De echtgenote van Amado Padrón, de adjunct van mijn vader, is bewusteloos in elkaar gezakt. Wij, vrouwen en kinderen van de broers De la Guardia, zijn en bloc opgestaan. Maria Elena is de eerste die haar stem laat horen. Met haar wijsvinger op hem gericht daagt de vrouw van mijn vader de aanklager uit.

'Klootzak! Flikker! Vertel eens, waar heb je die Rolex vandaan die daar aan je pols blinkt?'

Maricha, de vrouw van Patricio, voegt eraan toe: 'Schaam je je niet, Escalona! Schaam je je niet!'

Op hetzelfde moment dringen vrouwelijke officieren erop aan dat we de zaal verlaten. Nu is logischerwijze de verdediging aan de beurt om het woord te nemen 'ten gunste' van de beschuldigden, maar we hebben geen toestemming de pleidooien aan te horen. Te midden van het gedrang probeer ik me verstaanbaar te maken voor mijn vader, die voor mij onzichtbaar daar in de verte op de eerste rij zit. Ik roep tegen hem: 'Dat gaat zomaar niet, papa! Ik zal op het hoogste niveau de nodige stappen ondernemen om de executie tegen te houden!'

Vrouwen en kinderen zien elkaar weer bij de deuren van de rechtszaal. Een kordon van militairen staat pal tegenover ons. We zijn allemaal in tranen.

Wanneer we thuiskomen, brengen we mijn grootouders op de hoogte van het requisitoir. We doen ons best om de ernst van de situatie af te zwakken. De krijgsraad heeft zich nog niet uitgesproken. Of de drie rechters zulke strenge straffen geven, valt nog te bezien. Om de indruk te wekken dat ze rechtspreken volgens de regels zullen ze zich moeten distantiëren van het requisitoir van Escalona.

Die avond komt Graciela in actie. Mijn grootmoeder begint meteen een brief te schrijven aan Fidel Castro, omdat ze weet dat hij de Staatsraad voorzit, die de straffen die binnenkort door de krijgsraad worden geëist zal moeten ratificeren of verzachten. Hoe zou hij doof kunnen blijven voor de smeekbede van de moeder van een terdoodveroordeelde die er zo oprecht van overtuigd is dat hij blijk zal geven van zijn zachtmoedigheid?

Graciela wil niets aan het toeval overlaten. Ze verlangt dat we haar brief persoonlijk overhandigen. De volgende dag, donderdag 6 juli, posteren Jorge, mijn halfbroer Antonio, mijn halfzus Claudia en ik ons voor de deuren van het Paleis van de Revolutie. We weten wat we willen. Het gaat erom een onderhoud te krijgen met Fidel Castro ter gelegenheid van het overhandigen van een vertrouwelijk en zeer dringend verzoekschrift, geschreven door Graciela de la Guardia, de moeder van de tweeling.

Van 's ochtends tot 's avonds staan we langs de kant van de weg.
Niemand wil naar ons luisteren, niemand wil ons ontvangen.

Vrijdag 7 juli. Antonio, Claudia en ik zijn weer begonnen met onze sit-in op de Plaza de la Revolución. We hebben niet meer succes dan de vorige dag. Niemand wil naar ons luisteren, niemand wil ons ontvangen. De brief van Graciela verkreukelt onder in mijn zak, zoals ook van de hoop mijn vader vrij te krijgen steeds minder overblijft.

Diezelfde dag doet de krijgsraad zijn uitspraak.
Er wordt viermaal de doodstraf geëist.
Voor Ochoa en Martínez, mijn vader en Padrón is het executiepeloton weggelegd.

Drie van de zeven beschuldigden tegen wie de aanklager de hoogste straf had geëist brengen het er levend af. Alexis Lago, Antonio Sánchez Lima en Eduardo Díaz worden veroordeeld tot dertig jaar gevangenisstraf.

Mijn oom wordt ook veroordeeld tot dertig jaar; dat is de prijs die hij betaalt voor zijn loyaliteit. Hij wordt gestraft omdat hij heeft geweigerd zijn broer aan te geven.

In één geval overtreffen de rechters de straf die Escalona had geëist: Miguel Ruiz Poo draait op voor dertig jaar gevangenisstraf in plaats van vijfentwintig. Voor de familie van de beschuldigden, die het incident op de zitting in de nacht van zaterdag 1 op zondag 2 juli heeft meegemaakt, is het duidelijk dat het tribunaal hem heeft laten boeten voor zijn schandelijke, inzichtelijke improvisatie.

Volgens Miguel Ruiz Poo was immers generaal Abelardo Colomé Ibarra – 'Furry', de kwade genius van Raúl Castro – uitgebreid door mijn vader ingelicht, en wel vóór half mei 1989, over de aard van de activiteiten van zijn departement Monedas Convertibles (MC). Erger nog, Miguel Ruiz Poo heeft zich verscholen achter zijn overtuiging dat de activiteiten van MC 'op het hoogste niveau' werden goedgekeurd.

Miguel Ruiz Poo heeft zijn woorden ingetrokken tijdens de derde zitting op maandag 3 juli, maar ondertussen is hij zo onhandig geweest om spontaan een andere opmerking van twee dagen eerder te herhalen. Waarmee hij nogmaals bevestigde dat Tony de la Guardia niets voor 'Furry' had verborgen van de illegale handel die MC zou steunen en exploiteren.

Wat Miguel Ruiz Poo suggereert, is volledig in tegenspraak met het beeld dat de gebroeders Castro in het openbaar van Tony willen geven. Wanneer de aanklager het over mijn vader heeft als over de instigator en de man die als eerste profiteert van de betreffende handel, spreekt zijn medewerker daarentegen over hem als een gedisciplineerd officier.

Wat de van het rechte pad geraakte officier betreft, Miguel Ruiz Poo legt in duidelijke taal uit dat mijn vader, die in zijn hart wel wist waar de opdrachten vandaan kwamen, van mening was dat hij en zijn ondergeschikten zichzelf niets te verwijten hadden. Daarom ook had hij 'Furry' kunnen tippen over de geheimen van zijn missie, een opdracht tot smokkelarij en hulp, zelfs hulp aan drugshandelaren, zonder te hoeven vrezen voor zichzelf of voor zijn team.

Deze opdrachten had Tony de la Guardia ten uitvoer gebracht conform de instructies die hij had ontvangen. Hij had de gehoorzaamheidsregels die voor iedere officier gelden gerespecteerd, ook al was hij vergelijkbaar met een officier van de geheime dienst. Als hij niet het groene licht had gekregen van zijn superieuren, hoe kon hij dan bijvoorbeeld het waanzinnige risico hebben genomen om niet minder dan drie operaties uit te voeren in de eerste tien dagen van april 1989, voor de neus van de kustwachten en de controleurs van het luchtruim? En nog twee andere operaties op 22 en 23 april? Hij had over geen van beide groepen toezichthouders enige zeggenschap.

De aanklager had mijn vader een hele lijst van operaties onder de neus gewreven en hem daarbij telkens over die en die datum ondervraagd. 'Nee, nee, ik herinner het me niet,' had mijn vader in bepaalde gevallen geantwoord. In plaats van dat de aanklager hem bij zichzelf te rade liet gaan, zich nader liet verklaren en liet uitpraten, onderbrak hij hem: 'Ja of nee?' Escalona wilde niet dat mijn vader in bepaalde gevallen de zaken nader uiteenzette, of dat hij in andere gevallen zijn onwetendheid kon laten blijken. Overrompeld antwoordde mijn vader soms 'ja' en soms 'nee'. Iemand had die operatie waarschijnlijk uitgevoerd, maar hij was er niet over geïnformeerd. Vanzelfsprekend hield de aanklager zich aan zijn instructies: Tony de la Guardia alle operaties in de schoenen schuiven.

Natuurlijk wordt noch Abrantes, de minister van Binnenlandse Zaken, noch generaal Vicente Gómez López, directeur van de burgerluchtvaart, noch de chef-staf van de grenswachten geciteerd of opgeroepen om tijdens het proces te getuigen. Een proces dat, zoals ik later heb gehoord, door Fidel Castro, als onverbeterlijk voyeur, van begin tot einde is gevolgd vanachter spiegelglas, in gezelschap van Gabriel García Márquez. Vanaf een balkon van het theater van de Strijdkrachten, tegenover het tribunaal. Als aanklager Escalona was uitgegleden bij het leiden van de verhoren, zou Fidel hem zonder mankeren van een koptelefoon hebben voorzien om hem woord voor woord te dicteren.

De krijgsraad is niet met lastige getuigen aangekomen, maar heeft daarentegen een onverwacht precedent geschapen. Op de zitting van 3 juli had de raad een van die mannen naar voren geroepen die per definitie veroordeeld zijn stilletjes op de achtergrond te blijven: generaal

Manuel Fernández Crespo, de baas van de contraspionage bij het ministerie van Binnenlandse Zaken – Fernández stond aan het hoofd van de onderzoekscommissie die het Minint van Abrantes en het Minfar van Raúl Castro gemeen hadden. Hij had in de loop van zijn getuigenis bevestigd dat Patricio niet bij de drugshandel was betrokken.

Bovendien is als bij toeval tijdens de verhoren nooit aan de orde gekomen waaraan het geld werd besteed dat afkomstig was van de illegale handel die mijn vader werd aangerekend. Waar is die 3,5 miljoen dollar gebleven? Een onvoorstelbare lichtvaardigheid... Wat weerhield Escalona ervan de beschuldigden daarover te ondervragen? Een vreemde nalatigheid.

Wie profiteerde er toch van het geld van de misdaad?

Ik ben er getuige van: tot in zijn laatste jaren was de levensstijl van Tony de la Guardia niet veranderd.

Ik herinner me, elke keer als mijn vader me vroeg om in zijn Lada te stappen om me in het centrum van de stad af te zetten, het gedoe met de twee koffers vol dollars die hij achtereenvolgens bij het ministerie van Binnenlandse Zaken en bij het Paleis van de Revolutie moest afgeven. Andresito, de chauffeur, kende de vaste route.

Mijn vader moest de ene koffer overhandigen aan Abrantes, de andere aan Pepín Naranjo, de rechterhand van Fidel Castro, de man die zijn rekeningen in Panama, Mexico en Zwitserland beheerde. Naranjo is inmiddels dood en heeft zijn geheimen in zijn graf meegenomen.

Alcibiade Hidalgo leeft nog. Hij deelt de geheimen van Raúl Castro.

En bij God, wat zijn er een geheimen! Want de gebroeders Castro maken geen duidelijk onderscheid tussen hun spaarpot en de staatskas. Maar ze houden streng vast aan wat hun respectievelijk toekomt. Ze hebben ieder hun privé-boerderijen over het hele eiland, en zorgen ervoor dat ze het dividend daarvan innen. De geringste fout bij de incassering komen ze op het spoor. Mijn vader had me verteld over de hevige scheldpartij die zijn vriend Pepe Padrón te verduren had gekregen: op een dag had Pepín Naranjo hem verweten dat hij geld had gestort op een van de bankrekeningen van Raúl terwijl hij het op het tegoed van Fidel had moeten overboeken...

Als mijn grootouders erbij zijn, houd ik me goed ondanks de vrees voor het ergste die me voortaan kwelt. We laten hun zien dat we nog hoop hebben. De Staatsraad moet nog binnen een week een uitspraak doen over het vonnis. Het zou absurd zijn om, zolang het vonnis niet is bekrachtigd, af te zien van stappen die we nog kunnen nemen. Ik weet echter dat op Cuba de Staatsraad Fidel Castro heet en dat het leven van mijn vader volledig van hem afhangt.

Donderdag 6 juli. Het Minint geeft ons toestemming aan het einde van de ochtend Tony en Patricio te bezoeken. De vrouw van mijn vader, Maria Elena, gaat met Antonio, Claudia en mij mee naar Villa Marista. Deze keer hoeven we niet nogmaals in de auto te stappen. De beschuldigden wachten ter plekke op ons. We worden naar een van de bijgebouwen gebracht die tussen het hoofdgebouw en de tuin in staan.

Mijn vader is tamelijk ontspannen. Zijn cipiers hebben hem de laatste nacht laten slapen, vertelt hij me. De zittingen en comparities zijn afgelopen, het proces nadert zijn einde. Hun beulen gunnen hun eindelijk een adempauze.

Antonio en Claudia gaan aan beide kanten naast hem zitten. Hij speelt met hen, hij plaagt hen voor de grap een beetje. Onze vader blijkt zichzelf weer onder controle te hebben. Hij straalt zelfs een zekere sereniteit uit. Het is meer dan ongewoon in mijn ogen. Heeft hij mijn verbijstering opgemerkt? Terwijl hij op onschuldige toon door blijft praten, doet hij de volgende onthulling: de dag voor het proces begon heeft hij een gesprek onder vier ogen gehad met Fidel Castro.

Mijn vader is in de nacht van donderdag 29 op vrijdag 30 juni uit zijn cel gehaald en naar het Paleis van de Revolutie gebracht. De Opperbevelhebber vraagt hem om 'loyaal' te zijn tegenover hemzelf en tegenover José Abrantes. Deze laatste, minister van Binnenlandse Zaken en dus de superieur van mijn vader, was de vorige dag in het geheim ontslagen nadat hij tegen Fidel Castro had gezegd: 'Al die operaties, daar weet u van! U hebt ze zelf aan ons opgedragen!'

De Opperbevelhebber heeft altijd dit type machtsverhoudingen op prijs gesteld: van baas tot slaaf, van cipier tot gevangene, van beul tot terechtgestelde. Hij heeft de kalme koelbloedigheid van een dikke kat die een vogelkooi is binnengestapt. Wat zegt hij nog meer tegen mijn vader? Heeft hij hem verteld dat Abrantes is ontslagen? Heeft hij hem uitgelegd dat de Revolutie gevaar liep, dat de Verenigde Staten in de strijd tegen de drugs misschien Cuba zouden binnenvallen zoals ze dreigden Panama binnen te vallen, dat het proces dat de volgende dag zou beginnen de enige uitweg betekende? Ik weet het niet.

Wat zeker is, volgens wat mijn vader me vertelt, is dat Fidel Castro hem vraagt een rol te spelen die speciaal voor hem is geschreven: de juistheid van de beschuldigingen die hem tijdens het proces zouden worden aangewreven erkennen, ze voor zijn rekening nemen, zijn superieuren schoonwassen en de drugshandel veroordelen.

Mijn vader verkeert in een zodanige staat van uitputting dat hij maar naar één ding verlangt: met rust gelaten worden. Hoe reageert hij op de voorstellen van Castro? Ik kan het me goed indenken. Hij heeft niet de kracht om tegenwerpingen te maken of te onderhandelen op welk gebied dan ook; die nacht wil hij alleen maar kunnen geloven wat hij hoort. En dat doet hij dan ook.

Dat generaal Ochoa en kolonel De la Guardia zich niet op dezelfde manier hebben opgesteld tijdens het proces voor de krijgsraad, komt niet alleen door hun verschillende karakter, maar ook en vooral doordat Arnaldo en mijn vader twee tegengestelde voorstellingen hadden van de betekenis van hun proces.

Had de generaal meteen de eerste dag van de zitting, 30 juni, al geraden hoe het zou aflopen? Ochoa, die werkelijk prestige geniet in het leger en die op Cuba nog de enige is die hardop durft te zeggen wat zijn wapenbroeders stilletjes denken, betekent een gevaar voor de gebroeders Castro. Hij is getuige geweest van de corruptie die de Angolese regering ondermijnt. Hij weet dat de oorlog in Angola als dekmantel heeft gediend voor een merkwaardig dubbelspel, ten koste van tienduizenden doden. Bovendien is hij er voortaan van overtuigd dat Fidel is betrokken bij het Colombiaanse drugskartel en dat dat voldoende zou zijn om hem te laten afzetten – met goedkeuring van de internationale gemeenschap. Zou hij zijn adjudant Jorge Martínez naar Medellín hebben laten vertrekken alleen om daar een bewijs voor te vinden? Dat is in ieder geval de hypothese waar een journalist van de *Nuevo Herald* in Miami mee komt. Naast deze pure speculatie is er de werkelijkheid.

Ochoa is vooral een gevaar sinds de wind van de geschiedenis de andere kant op waait. Hij zou best eens over niet al te lange tijd de stijgende ontevredenheid gestalte kunnen geven. Al te zeer vooruitlopend op deze mogelijke politieke ontwikkeling, waaraan hij zelf niet

Graciela en Mario de la Guardia, de ouders van de tweeling Tony en Patricio, grootouders van Ileana, in hun huis in Miramar.

Lucila en Tony de la Guardia met hun dochter Ileana, geboren in Havana op 1 november 1964.

Tony de la Guardia met zijn dochter bij het eerste huwelijk van Ileana in 1986.

1963-1982. Het begin van een elite-korps: de Speciale Troepen. Tony de la Guardia geeft trainingen in para-chutespringen, schietoefeningen, zwemmen, enz.

© La Guardia.

Patricio en Tony in Antigua, Guatemala. Ze hebben op Cuba een groep guerrillastrijders geformeerd en getraind onder leiding van Rolando Moran en Cesar Montes.

© La Guardia.

Fidel Castro omarmt de broers De la Guardia bij hun terugkeer van een dienstopdracht (wellicht in Chili ten tijde van Allende, 1971-1973).

© Jean-Michel Turpin/Gamma.

1975. Tony in Genève. Hij heeft zojuist 60 miljoen dollar op een bank gezet: het losgeld dat de Montonero's de familie van de twee gekidnapte handelaren hebben afgeperst.

© La Guardia.

© La Guardia.

Tony de la Guardia in Beiroet in 1975-1976. Hij heeft de opdracht de buit van de overvallen van de FDPLP (goud, edelstenen, kunstvoorwerpen) via Cuba naar Praag af te voeren.

Tony de la Guardia aan de Libanees-Syrische grens. Een pantserdivisie van de Cubaanse FAR is tot juni 1975 in Syrië gelegerd.

Tony in gevechtstenue. Hij zal deel uitmaken van het detachement van de Cubaanse strijd-krachten dat voorbereidingen zal treffen voor de landing van het expeditieleger in Angola in de eerste dagen van november 1975.

1979. Tony bij de grenspost Peñas Blancas. Vanuit Costa Rica organiseert hij de eerste aanval van de sandinisten aan het zuidfront.

Arnaldo Ochoa op 25 juni 1989 voor de erejury die zal besluiten dat hij uit de rang van generaal zal worden ontheven... Hij is versuft door vermoeidheid en kalmerende middelen. Hij geeft toe dat hij schuldig is en toont berouw.

Ochoa gedraagt zich nu veel oneerbiediger. Hij glimlacht omdat Ruiz Poo zojuist heeft gesugge-reerd dat men 'op het hoogste niveau' verantwoordelijk was voor de drugssmokkel via Cuba (zitting van 2 juli 1989).

De vertegenwoordiger van het departement MC in Panama, Miguel Ruiz Poo, zorgt voor een incident tijdens het proces door zich te beroepen op 'het hoogste niveau'. Zijn zenuwinzinking is aanleiding tot het verdagen van de zitting.

Tony en Patricio de la Guardia voor het militaire tribunaal. De aanklager herinnert Tony aan zijn verplichtingen ten opzichte van zijn gezin en overlaadt hem met schande. Ileana's vader barst algauw in tranen uit: 'Mijn geweten kwelt me.'

José Abrantes, die de superieur van Tony was tot hij vlak voor het proces werd ontslagen als minister van Binnenlandse Zaken, voor de rechters die hem op 30 augustus 1989 zullen veroordelen tot twintig jaar. Abrantes overlijdt op 21 januari 1991 in de gevangenis. Officieel ten gevolge van een hartinfarct.

© AFP.

Commandant Manuel Piñeiro, bijgenaamd 'Barbarossa', hoofd van het departement Amerika en ingewijd in de geheimen van de gebroeders Castro Piñeiro, die de regisseur was van de illegale handel waardoor de guerrilla's en Havana in opspraak worden gebracht, komt op 11 maart 1989 om bij een verkeersongeluk in Havana. Het weg- of luchtverkeer is op Cuba niet erg veilig. De nummer 2 van de Revolutie, Camilo Cienfuegos, was lang voor Piñeiro omgekomen bij een vliegtuigongeluk in oktober 1959...

© Pablo Ibarra/Gamma.

© La Guardia.

Op de achterkant van deze foto van Tony de la Guardia staat de opdracht: 'Voor jou mijn innerlijke en uiterlijke wereld; van die wereld, zoals Éluard en de schilders van de picareske kunst zouden zeggen, maak je deel uit, en tegelijkertijd ben je de heerseres over die wereld die alleen ons toebehoort: de wereld van onze liefde.'

© Joël Saget/AFP.

De vroegere Cubaanse geheim agent Juan Antonio Rodríguez Menier, getuige van de handel van drugs naar Europa waarbij Cuba is betrokken, naast Ileana de la Guardia in Parijs op 25 februari 1999, kort na de aanklacht tegen Fidel Castro wegens moord en internationale handel in verdovende middelen.

eens heeft gedacht, besluiten Fidel en Raúl dat Ochoa moet verdwijnen...

De context laat hun geen keus. Of de aanzet nu van bovenaf komt,
zoals bij Gorbatsjov, of van onderaf, zoals bij de Chinese studenten van
Tian'anmen, de communistische regimes maken woelige tijden door.
De perestrojka is in goede aarde gevallen bij de Cubaanse jeugd en
ook, maar dan in het geheim, bij de veteranen van de Revolutie.

Als ze moeten kiezen tussen Gorbatsjov, die probeert ze in toom te
houden zonder af te zien van hervormingen, en Li Peng, die in de eerste dagen van juni 1989 de betogers van Tian'anmen bloedig heeft on-
derdrukt, hebben de broers Castro een duidelijke voorkeur voor de ge-
nadeloze slachting van Li Peng. Het proces van Ochoa is achteraf niet
meer dan een verplichte omweg geweest vóór de executiepaal.

Voor Arnaldo Ochoa is het killersapparaat een realiteit. Zijn dood is
geprogrammeerd. Hij maakt zich geen illusies. Dat hij soms op de zitting komedie speelt, is niet om het er levend af te brengen, maar omdat
hij eergevoel heeft: hij speelt komedie om de verantwoordelijkheid van
sommigen van zijn medebeschuldigden te ontkennen of te beperken.
Hij is brutaal tegen de aanklager en ridderlijk jegens zijn medeslacht-
offers.

Tony de la Guardia daarentegen heeft nog twijfels, en dus nog hoop.
Net als Ochoa zal hij op de zitting nooit zijn medebeschuldigden be-
lasteren, maar hij zal zich ontegenzeggelijk meegaander en berouwvol-
ler betonen.

Waarschijnlijk is hij naïever dan Ochoa. Mijn vader wil geloven dat
het een nare droom is, een traumatiserend verzinsel, waar hij echter levend uit zal komen. Waarschijnlijk wil hij, in een bijna kinderlijke re-
flex, zijn dierbaarste wens voor de werkelijkheid aanzien.

Dat komt mede door Fidel Castro. In de loop van hun gesprek in
het Paleis van de Revolutie belooft de Opperbevelhebber niet uitdrukkelijk, maar suggereert hij wel van man tot man, dat het hierbij zal blijven. Zijn toon is vertrouwelijk, vrij van dreigementen. Hij ontwapent
de beschuldigde, hij stelt hem gerust. Mijn vader hoeft zich geen zorgen te maken om zijn familie, garandeert de Opperbevelhebber hem,
en nauwelijks om zichzelf. Het hangt alleen van zijn goede wil af.

Een proces? Ja, want om de internationale publieke opinie te overtuigen moet dat op spectaculaire wijze worden gehouden, zo angstaan-

jagend mogelijk. Een straf? Ja, want de publieke opinie zou gaan twijfelen als het proces niet werd gevolgd door voorbeeldige sancties, maar het zal uitlopen op een 'principestraf', een straf voor het uiterlijk vertoon. Die gemakkelijk te verzachten, te verminderen, uit te wissen is. 'Hier op Cuba hebben we de middelen om niet te controleren of de straf ten uitvoer wordt gebracht, nietwaar?'

Mijn vader stemt ermee in.

Fidel Castro klopt hem vertrouwelijk op zijn schouder.

'Maak je niet ongerust, Tony. Het blijft allemaal onder ons.'

Geen moment heeft mijn vader aan iets anders dan gevangenisstraf gedacht. Geen seconde heeft hij geloofd dat de Revolutie hem werkelijk het leven zou benemen, nadat ze hem van zijn eer had beroofd.

Die achterbakse manier van Fidel Castro om zijn meegaandheid te kopen vergelijk ik met de plotselinge, ongewone genegenheid die Raúl Castro drie weken eerder tegenover Ochoa aan de dag had gelegd.

Op vrijdag 2 juni, tien dagen voor de grote vangst, hebben ze weer een bijeenkomst om de zaak op te helderen, deze keer op verzoek van de generaal. Om zijn argwaan weg te nemen, om hem uit het hoofd te praten het eiland te ontvluchten, bedankt Raúl Castro Ochoa dat hij is gekomen. Hij stelt hem gerust. Het misverstand is opgeheven! De dagen daarvoor hadden ze elkaar uitvoerig uitgescholden. 'Voortaan is er niets meer wat ons scheidt.' Op het moment van afscheid is het een en al hartelijkheid; Raúl sluit Arnaldo zelfs in zijn armen.

'Er kan nu niets meer gebeuren. Vandaag, morgen en voor altijd blijven we als het ware twee broers.'

Je moet oppassen voor definitieve woorden, definitief tot op zekere hoogte. Want de formule van Raúl Castro is bijna net zo hartelijk, zo overtuigend en zo definitief als de woorden die Robespierre tegen Danton had geuit kort voordat hij hem naar het schavot stuurde: 'Van nu af aan ben ik jou!' Het is een van tweeën: of Raúl heeft Ochoa opzettelijk bedrogen, of, en dat is gezien zijn karakter een evenzeer aanvaardbare hypothese, hij meende het echt. In het laatste geval kan zijn ommekeer van de dagen daarna alleen verklaard worden doordat iemand anders er zich intussen mee bemoeid heeft, iemand anders die vastbesloten was Ochoa uit te schakelen.

Zaterdag 8 juli. Terwijl er nauwelijks vierentwintig uur zijn verstreken sinds het arrest is gewezen, wordt het appèl bekeken door de kamer van militaire zaken van het opperste Volksgerechtshof. Het wordt verworpen.

Hipólito en zijn vrouw hebben hun belofte gehouden. Met twee *babalaos* uit hun kennissenkring heb ik een afspraak op die zaterdagavond 8 juli in Vibora Park. Ze zijn van plan het *santería*-ritueel op te voeren in een boerderij ten zuiden van Havana, niet ver van het Leninpark. De twee kippen die voor het offer zijn bedoeld, maken de reis achter in de Lada...

We staan in een klein tuintje, bij het zwakke lamplicht van de patio.

Ze praten en lopen in het rond. Ik begrijp de *abacuá*-taal niet, maar ik ken de betekenis van dit ritueel. Het gaat erom de geest aan te roepen die mijn vader aan de dood zou kunnen ontrukken, de geest die hem uit deze impasse zou kunnen halen.

De kleurling draagt de mis op. Hij zal de taak op zich nemen in contact te treden met de juiste godheid: Elegua, degene die een opening kan bieden, degene die redding kan brengen voor mijn vader.

Zijn vriend haalt een kip uit de zak. Hij overhandigt hem aan de celebrant die de kop eraf hakt. Terwijl hij de kip bij zijn poten vasthoudt, houdt hij hem schuin voorover om het bloed in het gras te gieten.

'Elegua! Elegua! Het is een tweeling, het zijn zonen van Changó! Elegua! Elegua! Laat niet een van de tweeling doden! Elegua! Elegua! Ze mogen niet gescheiden worden! Pas anders maar op voor de woede van Changó!'

Hij herhaalt dezelfde formules na het offeren van de tweede kip.

Daarna verlaten we het tuintje. We gaan koffie drinken in het huis van de boeren. En dan terug naar Havana.

Ik heb de ceremonie met een mengeling van vertwijfeling en vrees bijgewoond. Wat zou ik niet doen om het leven van mijn vader te redden? Ik heb me midden in de nacht alleen in die tuin gewaagd, met twee mannen die ik niet ken. Tegenover de absurditeit en de onredelijkheid die tegen ons zijn losgebarsten respecteer ik alle wegen die tot mogelijke hulp leiden.

De Cubaanse cultuur wordt bezield door de *santería*. Ik zou niet op het idee komen om haar te minachten. Integendeel! Ik weet dat met uitzondering van Fidel Castro, die mij niet wil ontvangen, geen enkel mens werkelijk de macht heeft om mijn vader bij het executiepeloton weg te houden. De twee *babalaos* hadden me voorgesteld een goed woordje te doen bij Elegua. Ieder initiatief, of het nu wel of niet tot het gehoopte resultaat leidt, is hartverwarmend.

Je hoort zelden Cubanen spotten met de *santería*. Ik heb een instructeur van de Speciale Troepen gekend die er een beetje te laat spijt van heeft gekregen. Hij trainde duikers. Op een dag, toen hij op zee was, waren hij en zijn teamgenoten op hun schip een klein bootje tegengekomen waarin een zak stond vol voorwerpen van de *santería*. Het was een offer, bestemd voor Yamaná, de zeegodin. Hij had de zak gegrepen. Terwijl hij in hard gelach uitbarstte, had hij die in het water gegooid. De bemanning had hem stomverbaasd aangekeken: 'Dat doe je niet, je bent gek!' Even later had hij tijdens het duiken het bewustzijn verloren. Ze hadden hem in een decompressietank moeten leggen. Hij was zo lang in coma gebleven dat men het ergste had gevreesd. Gelukkig was hij weer bij kennis gekomen, maar hij kon zijn benen niet meer gebruiken. 'Je hebt Yamaná beledigd, de zeegodin; en de zee heeft wraak genomen...' Zijn teamgenoten en zijn familieleden hadden hem er uiteindelijk van overtuigd: hij had het noodlot over zichzelf afgeroepen.

Waarom geen *santería*? Papa's leven redden, papa's leven redden. Daar alleen denk ik aan. Daar alleen leef ik voor.

Tegelijkertijd weerhoudt dat me er niet van stiekem tot God te bidden. Zoals Mimi dat ook nog steeds blijft doen. Mijn grootmoeder is trouw aan haar katholieke geloof maar respecteert zonder probleem de vermenging van religies die op Cuba populair is. En soms gaat ze zelfs nog verder. Als een kind dat ervan droomt dat een toverkunst, het boze oog, zal lukken, vertelt ze me dat ze in de vrieskist een zekere foto heeft gestopt. Een portret van Fidel Castro dat ze kortgeleden uit een krant heeft geknipt...

16

Zondag 9 juli. Fidel Castro zit de Staatsraad voor. Twee dagen daarvoor had hij die niet voltallig bijeen kunnen brengen. Van de dertig leden waren er twee in het buitenland en een ander stond op het punt te vertrekken.

El Líder Máximo, zal ik later horen, heeft met spoed de chef van het Centraal Comité van de Communistische Partij opgeroepen, en de eerste secretaris van de Communistische Jeugdbeweging, die dan op officieel bezoek is in Pyongyang, in Noord-Korea. Hij heeft erop aangedrongen dat de minister van Onderwijs zijn reis naar Argentinië afzegde; deze zou daar Cuba vertegenwoordigen ter gelegenheid van de ambtsaanvaarding van president Carlos Menem.

De vergadering wordt gefilmd en op de televisie uitgezonden. Ieder lid van de Staatsraad neemt om de beurt het woord. Soms hun voorganger nog overtreffend, stemmen ze allemaal in met het vonnis van het speciale tribunaal.

Wanneer Fidel Castro aan de beurt is om tot een eis te komen, gaat hij een eindeloos verhaal afsteken. Hij begint heel hoog op te geven over zijn moederlijke welwillendheid tegenover zijn soldaten, over zijn talenten als de Hoogste Strateeg.

Hij haalt Clausewitz en Napoleon erbij... Ik vraag me af waar hij naartoe wil, hij gaat in twee uur tijd de oorlog in Angola nog eens overdoen!

Het verhaal, dat kracht wordt bijgezet met behulp van minutieuze details en herinneringen, draagt het stempel van zijn buitengewoon maniakale en dwangmatige karakter. Bovenal onthult het de aard van de wrok, van de verbetenheid die de Opperbevelhebber koestert ten opzichte van de Cubaanse divisiegeneraal die het meest heeft uitgeblonken op de slagvelden in het buitenland.

Geduldig doet Fidel zijn best om Ochoa te diskwalificeren en te onteren. Dat is des te gemakkelijker omdat bij dit proces, dat nog minder 'contradictoir' is dan het proces van het speciale tribunaal, de beschuldigde afwezig is. Al dood, in zekere zin. Hij kan geen bezwaar maken of uitleg geven.

Volgens Fidel heeft de generaal die vandaag ter dood wordt veroordeeld, in Angola laten zien dat er geen echt grote militaire leider in hem stak.

Havana had hem opnieuw naar Luanda gestuurd, legt hij uit, omdat de situatie sinds de eerste dagen van november 1987 kritiek was geworden en de staf daardoor versterking nodig had. De missie van Ochoa was van bestuurlijke aard. Hoogstens bestond die erin dat de militaire strategie zou worden toegepast die de Opperbevelhebber (de Partij) vanuit zijn Paleis van de Revolutie had vastgesteld, en dat de verdienstelijke 'Polo', generaal Cintras Frías, zou worden geholpen bij de meest ondankbare aspecten van het bevelhebberschap (materiële voorzieningen en bestuur).

In plaats daarvan zou Ochoa het in zijn hoofd hebben gehaald oorlog te gaan voeren op zijn manier, in weerwil van de instructies die Fidel dag in dag uit, en soms zelfs op basis van drie of vier berichten op één dag, naar hem stuurde!

Ochoa trok zich van zijn kabeltelegrammen niets aan. Hij verzuimde ze over te brengen aan generaal 'Polo'. Hij weigerde hardnekkig het verdedigingsapparaat van Cuito Canavale te versterken, zoals Fidel beval. Bijgevolg had een offensief van de Unita, waartegen men hem had gewaarschuwd, bijna voor een debacle gezorgd.

Toen de Opperbevelhebber meer artillerie en manschappen van hem had verlangd voor de vooruitgeschoven stellingen in het zuiden van het Angolese grondgebied, had Ochoa zich steeds Oost-Indisch doof gehouden. Zo duurde het ook lang voordat hij de twee 'operationele' vliegvelden liet aanleggen die Fidel op korte termijn wilde. Deze zal dus achttien maanden hebben gewacht voordat hij Ochoa openlijk beschuldigt van gebrek aan discipline en onverantwoordelijk gedrag, ook al zou het Cubaanse expeditieleger zijn betere gevechtspositie ter plekke behouden. Om de meeste garanties te verkrijgen aan de onderhandelingstafel, iets wat op hetzelfde moment Angolezen, Cubanen en Zuid-Afrikanen nastreefden.

In Angola had Ochoa precies gedaan waar hij zin in had. Fidel Castro legt daar voortdurend de nadruk op, tot het tijd is voor de insinuatie die hem uiteindelijk weer tot het onderwerp van het proces zal terugvoeren. Dat Ochoa slordig oorlog voert, dat wil zeggen dat hij zich niet bekommert om de instructies van Fidel, komt omdat hij zijn aandacht al aan een heel andere strijd besteedt: de business. Was hij in die tijd, die toch in militair opzicht kritiek was, niet druk bezig met zijn plannen voor illegale handel op grote schaal, en met het witwassen van zwart geld in hotelcomplexen die hij van plan was te laten bouwen op Cuba?

In feite heeft Ochoa hem voor de gek gehouden.

De Opperbevelhebber is in zijn eigenliefde gekwetst. De erkenning van de militaire betekenis van Ochoa is overdreven. Op het eiland en daarbuiten. Hij durfde zich daarop te laten voorstaan. Hij had zelfs waanzinnige pretenties. Had hij niet, naast het bevel over de westelijke landmacht dat hem zou worden overgedragen op 24 juni 1989, het bevel geëist over de luchtmacht en de marine? Raúl noch Fidel kon dat laten passeren. Op dat moment in de geschiedenis van de wereld, die getuige was van de mislukking van het communistische model – en ondanks het feit dat Cuba al veel minder kans op besmetting had dan de meeste andere 'broederlanden' – was dat te veel risico.

Plotseling schiet me een bepaalde dialoog te binnen tussen de aanklager en de generaal tijdens de eerste zitting voor de krijgsraad. Escalona heeft Ochoa gevraagd of hij op de hoogte was van wat er in het buitenland werd verteld over het proces dat aan de gang was.

Op ontspannen en ironische toon noemt Ochoa eerst de televisiezenders Telemundo en CNN (alsof hij in zijn cel televisie had mogen kijken!), en gaat dan verder: 'Wat wordt daar in feite gezegd? Dat er een politieke scheuring, dat er militaire muiterij is op Cuba, dat het een oproer is, dat het ministerie van Strijdkrachten en het ministerie van Binnenlandse Zaken met een opstand te kampen hebben, dat er verdeeldheid bestaat binnen de Partij.'

Ochoa had dit allemaal met een vrolijk gezicht gezegd. Een al te vrolijk gezicht! De aanklager kan hem niet zijn gang laten gaan en onderbreekt hem om hem af te leiden.

'En dat u meer militaire verdiensten heeft dan Fidel, dat u daarom wordt uitgeschakeld.'

Ochoa is enigszins uit het veld geslagen.

'Ja, goed, maar dat moet een beetje als een grap worden opgevat.'

'Het is erg grappig,' benadrukt Escalona, die niet op de dubbelzinnigheid ingaat.

'Ja, ja,' geeft Ochoa zonder overtuiging toe, 'dat is het...'

Maar de generaal voelt zich tekortgedaan door de onderbreking van de aanklager; en hij komt terug op zijn vorige opmerking.

'Er wordt gezegd dat er een strijd gaande is tussen de jongeren en de ouderen, en dat Castro bezig is met een zuiveringsactie. Er wordt heel veel gezegd, (...) dat hier op Cuba alles draait om drugshandel en dat het in feite een politiek probleem is. (...) Stelt u zich eens voor wat het betekent om tegen het Cubaanse volk te zeggen dat ik gedrogeerd voor het eretribunaal ben geleid!'

Toen de aanklager, om de aandacht af te leiden, plotseling had gezinspeeld op de militaire merites van Ochoa vergeleken met die van Fidel, leek hij grappen te maken. Ochoa had hem op dezelfde toon geantwoord, maar daarbij algauw twee standpunten met elkaar verward.

Het eerste is dat wat hij de buitenlandse pers toeschrijft: in het buitenland wordt gezegd dat zijn proces een ernstige politieke crisis in de top van het Cubaanse staatsapparaat verbergt. Het tweede is het gezichtspunt waarvoor hij de verantwoordelijkheid neemt als revolutionair die zich bewust is van het goede pad te zijn geraakt en voortaan boetvaardig voor zijn rechters staat: er is geen crisis, 'integendeel, ik zou zeggen dat onze Revolutie dag na dag steeds sterker wordt, dat ze zich consolideert, dat ze krachtiger wordt'; de 'informatie' die in het buitenland circuleert, is afkomstig van 'lasteraars'.

Wat is er oprecht aan Ochoa's woorden? Ik ben geneigd te denken dat het roemen van de Revolutie die 'van dag tot dag sterker wordt', ook al gebeurt dat op de meest serieuze toon, zo overdreven is dat er een bewuste ironie uit spreekt en een bewuste oneerbiedigheid, die serieuze twijfels wekken over zijn werkelijke gedachten. Vooral als je weet hoe de situatie op Cuba was in die tijd. De bevolking leefde nog steeds onder het gezag van correcties en strengere rantsoenering, onder de heerschappij van het eenpartijstelsel en één enkele drukpers, terwijl de andere landen onder communistisch bewind langzamerhand kozen voor een overgang naar democratie.

De schijnbaar luchtige toon die Ochoa aanslaat om de interpretatie van zijn proces in het buitenland weer te geven is al te vrolijk om niet een heimelijke instemming te tonen. Moet deze instemming niet minder 'als een grap worden gezien' dan de jaloezie van Fidel, wanneer overigens al is gebleken dat de Opperbevelhebber zich ergert aan al die militaire verdiensten van de generaal?

Zoals we weten, houdt Raúl Castro er niet van om Ochoa grappen te horen maken. Dat is begrijpelijk.

Wanneer Ochoa serieus is, betekent het dat hij grappen maakt.

Wanneer Ochoa grappen maakt, betekent het dat hij serieus is.

De beslissing is gevallen. Het prestige dat Ochoa zich heeft aangematigd is een belediging voor het militaire talent van de 'Vader van de Revolutie'; zijn ambitie is een bedreiging. En die narcistische krenking waar Fidel onder lijdt, vraagt om bloed.

De rest, het proces vanwege corruptie, de zogenaamde plannen voor drugshandel waarover hij en mijn vader zouden hebben overlegd, de doodstraf vanwege verraad, is slechts warrige hypocrisie.

De eigenlijke reden van de verbetenheid tegen Ochoa is al te vernederend, al te meelijwekkend en al te kinderachtig. Om zijn uitschakeling te rechtvaardigen, moet deze gemaskeerd worden, moet de aandacht worden afgeleid. Hoe? Door alle mogelijke middelen te bedenken om hem zwart te maken.

Hij moet zelfs tegen zichzelf worden opgezet. De aanklager, de advocaten van de verdediging(!) en natuurlijk Fidel Castro krijgen er niet genoeg van dat aan te tonen. De goede Ochoa, de gedweeë Ochoa, de Ochoa met zijn roemrijke verleden, de man die zo goed heeft gevochten tijdens de oorlog tegen Somalië, is degene die het uitbundigst de Ochoa van nu beschuldigt, de moreel verdorven Ochoa, de Ochoa die op de zitting heeft verklaard dat hij 'moe' is.

Tijdens het proces heeft men hem om uitleg gevraagd, maar alleen voor de vorm. Dat hij zich nader verklaart, is niet omdat de aanklager hem een vraag heeft gesteld; de inhoud van zijn antwoord is onbelangrijk; men vraagt hem alleen om uitleg om de positie die hem is toegewezen te bevestigen, de positie van schuldige.

Zo is Ochoa wel twee, drie, vier, vijf, zes keer teruggekomen op de herkomst en de bestemming van de 200 000 dollar die op zijn bankrekening in Panama stond. Maar in de aanklacht is de verklaring nooit opgenomen, zodat het publiek tijdens de zittingen merkte dat er bij Ochoa sprake was van een toenemende vermoeidheid en ongeduldigheid tegenover zoveel kwade trouw.

Fidel heeft ook niet naar hem geluisterd, Fidel die zich die zondag nog over iets anders opwindt: 'We waren er niet van op de hoogte dat Ochoa een opdracht had om wapens te leveren vanuit Angola naar Nicaragua.' En dan weet de voorzitter van de Staatsraad haarfijn te vermelden waar het om gaat, tot aan de 2016 dozen patronen voor het geweer M-79 aan toe die hij op 200 000 dollar schat. Wat een hypocrisie om te doen alsof je dat niet wist: Cuba had niet officieel erkend wapens te leveren aan de sandinisten, en toch is het gebeurd, maar nooit op grond van een schriftelijke opdracht van Fidel Castro!

Dat Ochoa illegale handel heeft gedreven, zegt de voorzitter van de Staatsraad, het zij zo. Dat hij moreel is afgegleden, het zij zo. Maar dat hij, zoals de reis naar Medellín van zijn adjunct Jorge Martínez zou bewijzen, erover heeft gedacht zich aan te sluiten bij Tony de la Guardia met het oog op drugshandel en het witwassen van zwart geld, nee! Volgens Fidel is Ochoa zwaar schuldig. Wat mijn vader betreft zegt hij niet dat zijn geval even ernstig is, maar dat het 'anders' is.

Tony had niet de verantwoordelijkheden van Ochoa. Hij was een held noch lid van het Centraal Comité. Maar, anders dan Ochoa, aan wie geen enkel succes in de drugshandel wordt toegeschreven, gaat Fidel verder, hebben Tony en zijn mannen veel transacties tot stand gebracht.

Dat deze 'weerzinwekkende bende' zelfs binnen het ministerie van Binnenlandse Zaken heeft kunnen optreden. Fidel erkent dat dat 'ongelofelijk, onbegrijpelijk' is en dat 'moeilijk valt te verklaren hoe dat mogelijk is geweest'. Altijd weer die goedgelovigheid, altijd weer die argeloosheid!

Een hypocrisie die algauw en op onverwachte wijze blijkt uit de goocheltruc die Fidel heeft bedacht om de naam van mijn vader plotseling naar voren te brengen. Door te doen alsof hij achter de aard van

zijn activiteiten komt door een onvoorziene wending tijdens het onderzoek betreffende Ochoa en zijn adjunct Jorge Martínez (onderzoek
nummer 1), zodat de generaal van de Strijdkrachten en de kolonel van
de Binnenlandse Strijdkrachten nauw met elkaar verbonden figuren
lijken te zijn aan het hoofd van een kliek die is geïnfiltreerd in de top
van de Staat...

De Opperbevelhebber herinnert er nog eens aan. Hij is altijd van
mening geweest dat de verdenkingen die bepaalde kwade tongen rond-
strooiden over betrokkenheid van hoge Cubaanse persoonlijkheden
bij drugshandel slechts misleidende informatie was van imperialisti-
sche yankees en lasterpraat van contrarevolutionairen.

Hij benadrukt zijn verontwaardiging wanneer hij, nadat er op 26
februari 1988 een aanklacht is ingediend tegen de smokkelaar van Cubaanse afkomst Reynaldo y Ruben Ruiz, erachter komt dat de naam
van Raúl, zijn broer, zou kunnen voorkomen in de opnamen van gesprekken tussen smokkelaars die waren gemaakt door de DEA, de
Amerikaanse instelling die strijdt tegen drugs.

Natuurlijk, Reynaldo Ruiz heeft verklaard 'contacten' te hebben op
Cuba. Maar hij heeft overdreven. De smokkelaar zou domweg hebben
opgeschept dat hij sigaren rookte 'waarvan sommige uit de la van Fidel
afkomstig zijn'. Zijn beschuldiging houdt geen steek. Het bewijs? Fidel
is in 1987 gestopt met roken.

Hij blijft er dus van overtuigd dat Cuba niets te maken heeft met
drugssmokkel. Tot 24 april 1989. Die dag besloot de Opperbevelhebber
informatie die afkomstig was van de kustwachten van Florida serieus
te nemen, zozeer dat er snel een onderzoek moest komen.

De yankees hebben opheldering gevraagd over de twee droppings
die binnen vierentwintig uur zijn gesignaleerd in de buurt van vuurtoren Cruz del Padre, ter hoogte van Varadero. Ze hebben radioberichten
onderschept die zouden zijn uitgewisseld tussen de bemanning van de
boot en handlangers die uitzenden vanaf Cubaans grondgebied.

Fidel interpreteert hun verzoek niet als de zoveelste lasterpraatjes.
Deze keer maakt hij er merkwaardig genoeg geen drama van. Hij is
rustig, vol vertrouwen en onbezorgd.

Om de miljoenen Cubanen die zijn toespraak op de televisie zien
daarvan te overtuigen, benadrukt hij dat het onderzoek rustig in z'n
eigen tempo z'n gangetje ging. Eerlijk waar! Hij, wiens aanvallen van

ongeduld algemeen bekend zijn, had er noch over gedacht de gang van zaken te bespoedigen, noch geprobeerd sneller tot een conclusie te komen. Fidel was van plan de komende maanden mei en juni 'heel rustig' af te wachten zolang het onderzoek 'geen enkel concreet resulaat' had opgeleverd.

Fidel Castro levert die dag een buitengewoon handig staaltje bedrog. Om het te ontrafelen en te doorzien moet ik aandacht besteden aan alle details, maar opgepast! We moeten ons niet laten overdonderen door de punten van overeenkomst die deze details lijken te hebben door het schijnbaar oprechte verhaal van de Opperbevelhebber, maar we kunnen beter stil blijven staan bij wat sommige van deze details suggereren wanneer je ze tegen het licht houdt. Ik zie er een vernuftige verdraaiing van de waarheid in. Want Fidel verdraait niet de chronologische volgorde van de feiten, maar de chronologische volgorde van hun openbaarmaking, om ons ervan te overtuigen dat hij er slechts op onvolledige wijze of kort van tevoren kennis van heeft genomen.

Ten eerste. Fidel doet alsof hij naïef is, of hij een onschuldig iemand is die lijdt onder dit onrecht, zozeer is hij overtuigd van de nietszeggendheid van bepaalde geruchten. 'Nooit maar dan ook nooit,' zegt hij in hoofdzaak, 'heb ik de beschuldigingen dat er Cubaanse overheidspersonen betrokken zouden zijn bij drugshandel serieus genomen.'

Ten tweede. De zogenaamde naïeveling verklaart dat hij bereid is zich zo nodig te beteren. Hij is van goede wil. Men heeft het gehoord: Fidel zelf heeft zich nooit rekenschap gegeven van enige onregelmatigheid, maar als anderen dan hij beweren wel onregelmatigheden opgemerkt te hebben, zoals het geval is bij de kustwachten van Florida, dan is hij bereid naar hen te luisteren. Onmiddellijk. Op voorwaarde dat er op grond van bewijsstukken een oordeel wordt geveld. Hij roept dus een onderzoekscommissie in het leven (onderzoek nummer 2). Tegen half maart 1989. *Quod erat demonstrandum.* Dit is een manier om te suggereren dat hij werkelijk nooit is geïnformeerd over de logistieke steun die door Cubaanse officieren aan de drugshandelaren werd verleend. Als hij wel was geïnformeerd, zou hij, Fidel, er geen belang bij hebben dit te doen! Of hij zou verplicht zijn geweest de waarheid zo haastig te vervalsen dat zijn handelwijze zich tegen hem zou hebben gekeerd, nietwaar? Wat een handige dekmantel: doen alsof je je voorbereidt iets te ontdekken wat je al weet...

Ten derde. De zogenaamde naïeveling wist van niets. Daarna heeft hij laten zien dat hij openstond voor informatie. Ten slotte zal hij uiteenzetten dat hij door de omstandigheden waaronder hij die informatie kreeg datgene kon ontdekken wat aanvaardbaar is om te weten, en aanvaardbaar bedroevend bovendien. Pseudo-naïviteit gaat samen met kwaadaardigheid.

Sinds het begin van de affaire-Ochoa, die Raúl en Fidel Castro uitsluitend hebben laten losbarsten om hun ommekeer jegens hem te rechtvaardigen, en dat *in extremis* – een paar dagen voordat hij het bevel over het westelijk leger zou krijgen – hebben ze ten minste twee 'achilleshielen' ontdekt in de opbouw van hun beschuldiging, in het raderwerk van hun 'killersapparaat'. Dat verklaart moeiteloos hun 150 uur intensief werken.

De gebroeders Castro willen het hoofd van Ochoa, maar ze weten dat volgens de publieke opinie de feiten waarvan hij in eerste instantie beschuldigd wordt niet het executiepeloton verdienen.

Wat te doen?

Als ze iedere landgenoot die betrokken is bij smokkel of zwarthandel zouden moeten laten fusilleren, zou de helft van het staatsapparaat, onder wie bijna alle hoogwaardigheidsbekleders, eraan gaan. Dat generaal Ochoa van plan was deel te nemen aan drugshandel, zoals hij heeft bekend, is niet voldoende om hem te laten executeren. Om het gebrek aan belastende feiten te compenseren, moeten ze er verzwarende omstandigheden bij verzinnen.

De gebroeders Castro willen hun krediet behouden, en het er ook levend van afbrengen, want ze weten dat bij de Amerikaanse autoriteiten bekend is dat ze clandestien betrokken zijn bij drugshandel via Cuba.

Wat te doen?

Om de mensen om de tuin te leiden moeten ze een tijdje blijven doen alsof ze niets hebben geweten van wat de justitie in Florida weet. Daarom moet onderzoek nummer 2 enige tijd in beslag nemen.

Er is een onregelmatigheid in de bewijsvoering geslopen. Fidel spreekt zichzelf tegen wanneer het erom gaat de datum te noemen waarop onderzoek nummer 2 van start gaat. Is dat na de openbaarmaking van de beschuldigingen aan het adres van smokkelaar Reynaldo y Rubén Ruiz? Dan zou het onderzoek dateren van half maart 1989.

Of is het van start gegaan nadat er smokkelarij is waargenomen door de Amerikaanse kustwachten ter hoogte van vuurtoren Cruz del Padre? Dan zou het dateren van de laatste dagen van april 1989.

Fidel beweert nu eens het een en dan weer het ander.

Het onderzoek moet enige tijd duren. Hoe langer het zich voortsleept, hoe meer het getuigt van de oprechtheid van de opdrachtgevers. Als Fidel had gezegd dat hij ervan overtuigd was alles binnen zes dagen te kunnen ophelderen in plaats van binnen zes of acht weken, zouden die snelheid en zelfverzekerdheid twijfel hebben gezaaid. In Washington, Miami en Havana zou men daaruit hebben afgeleid dat deze 'waarheid', die zo snel en zo gemakkelijk aangetoond kon worden, niet helemaal een geheim voor hem kan zijn geweest.

De gebroeders Castro vinden een manier om, zonder angst hun handen vuil te maken, twee vliegen in één klap te slaan: Ochoa en de perestrojka-besmetting op Cuba uit de weg ruimen, en het schandaal in de doofpot stoppen dat zou ontstaan doordat de bazen van Cuba algauw van drugshandel beschuldigd zouden worden.

Ze komen aan met Tony de la Guardia, waarbij ze hem afschilderen als de man die voor eigen rekening en zonder goedkeuring van enige superieur is begonnen met de handel in drugs. Havana belooft dus de vuile was niet buiten te hangen. Het voordeel: het gras voor de voeten van de Amerikaanse justitie wegmaaien, die op het punt stond om Reynaldo Rubén Ruiz te veroordelen, en daarmee zijn medeplichtigen op het hoogste niveau erbij te betrekken.

Ze maken er een allegaartje van en gebruiken het leugenachtige, getrukeerde portret van Tony om zijn veronderstelde handlanger Arnaldo zwart te maken. Mijn vader en Ochoa worden gezien als de twee breinen van een georganiseerde bende smokkelaars die gebruikmaken van hun hoedanigheid als hogere officier binnen de Strijdkrachten en de Binnenlandse Strijdkrachten.

Tony en Arnaldo kunnen niet meer aan het executiepeloton ontsnappen.

De gebroeders Castro zullen geen enkele zijdelingse schade, geen enkele beschuldiging achteraf jegens hen persoonlijk meer te vrezen hebben. Want, zo geeft Fidel aan, onderzoek nummer 2 over de smokkelarij die is waargenomen ter hoogte van Varadero en waarover langzamerhand duidelijkheid ontstaat door middel van radiopeilingen had nog enige weken kunnen duren als onderzoek nummer 1 over het morele verval van Ochoa er niet tussen was gekomen.

Door een goocheltruc wil Fidel Castro ons overtuigen: 'We hebben zojuist het probleem van de activiteiten van Tony de la Guardia ontdekt, om precies te zijn toen we onderzoek deden naar de activiteiten van Ochoa, en we hadden er absoluut geen idee van dat deze twee activiteiten met elkaar in verband gebracht konden worden.'

Een toespeling op de ontdekking bij Jorge Martínez thuis van de kaart van het hotel waar hij naartoe was gegaan in Medellín. De adjudant van Ochoa zou de reis naar Colombia hebben gemaakt om de staf van Pablo Escobar uit te horen over de mogelijkheid tot smokkelarij op grote schaal.

Martínez heeft erkend dat hij die reis heeft gemaakt. Ochoa heeft gezegd dat hij ervan op de hoogte was. Maar er is geen enkele directe getuige verschenen of eenvoudigweg genoemd om dit te bewijzen. Met uitzondering van de bekentenissen is er geen tastbaar bewijs.

Wanneer Jorge Martínez wordt ondervraagd over de omstandigheden van de reis, zal hij de leden van de onderzoekscommissie vertellen dat hij een vals paspoort had gebruikt dat was uitgereikt door MC, het departement waarvan mijn vader aan het hoofd stond, om eerst in Panama te landen voordat hij naar Colombia ging.

Hoe kan men dit verhaal ook maar één seconde geloven, deze vermeende 'maffioze' relatie tussen Ochoa en de gebroeders De la Guardia?

Hoe kan men voor waar aannemen dat de gebroeders Castro Patricio en Tony konden laten arresteren 'vanwege hun operaties in Angola en vanwege de samenwerking tussen hen en Ochoa wat betreft ivoor- en diamantsmokkelarij, vanwege het overtreden van regels voor in- en uitvoer en andere onregelmatigheden'?

Hoe kan men voor waar aannemen dat ze niets hebben geweten van wat ze al zo lang wisten, al die tijd dat mijn vader handelde in opdracht van zijn superieuren?

Hoe kan men voor waar aannemen dat ze in een paar dagen geen verband konden leggen? De radiopeilmetingen van de militaire contraspionage stemden perfect overeen met de lokalisatie van de bureaus van M C, met de lokalisatie van de verschillende plekken waar mijn vader en zijn medewerkers gewoonlijk hun onderhandelingspartners ontmoetten!

Fidel bluft. Dat hij het in zijn artikelen in *Granma* niet eerder heeft gehad over drugshandel, verdorie, dat is natuurlijk omdat we stilzwijgend moeten aannemen dat hij er helemaal niets van wist. Zou men hem geloven? Hij was alleen bezig met een onderzoek naar het morele verval van Ochoa. En Diocles Torralba en de tweeling De la Guardia had hij alleen gearresteerd omdat zij qua familie en vrienden de naaste omgeving vormden van de generaal.

Maar toch! Tussen de grote vangst waarbij op 12 juni 's avonds een vijftiental officieren van het Minfar en het Minint worden opgesloten, en de eerste vermelding van drugshandel, in de *Granma* van 22 juni, waren er bijna tien dagen verstreken...

De zeer lange toespraak van Fidel is tegelijkertijd slinks, minutieus en soms vaag, maar verleidelijk samenhangend. Hij begint ermee zich te verheugen over de ordelijkheid van het proces. 'Van een uitzonderlijke helderheid,' volgens hem. Hij beweert dat de leden van de Staatsraad vrijheid van beslissing hebben. Weliswaar hebben ze zojuist de een na de ander en als één man het vonnis goedgekeurd...

Na zijn broer Raúl benadrukt hij de grote hoeveelheid tijd die ze beiden kort na de arrestaties aan de zaak hebben besteed: 150 uur achtereen. Om de elementen van beide onderzoeken te bestuderen, van onderzoek nummer 1 over de gebreken van morele aard van Ochoa en van onderzoek nummer 2 over de connecties die sommige drugshandelaren op Cuba erop na zouden houden? Of om de twee zaken uit alle macht te laten overeenstemmen om het uitschakelen van Ochoa te rechtvaardigen? Het 'bravourestukje' waarin zijn wrok als ondergewaardeerde strateeg naar buiten komt pleit voor de tweede hypothese.

Niet Ochoa had de oorlog in Angola gewonnen, maar de Partij, verzameld rond zijn persoon, aangestuurd uit Havana. Vervolgens beschrijft Fidel de wapenleveranties aan Nicaragua waarmee Ochoa zich had belast. Hij is verontwaardigd over de zucht naar macht van de generaal, die ernaar verlangde het bevel te voeren over de luchtmacht en de marine, naast het bevel over de westelijke landmacht.

Ten slotte vestigt hij, vooruitlopend op de aanleiding tot onderzoek nummer 2, de aandacht op het feit dat Ochoa, die volhardde in zijn smokkelplannen, 'veel zou hebben gesproken' met Tony de la Guardia. Hun samenspanning beschouwt hij als een feit. Is die niet logisch? De eerste had het plan te gaan smokkelen, de tweede had ervaring met smokkelen: vijf transacties in 1987, vijf in 1988 waarvan er drie mislukten, negen in 1989. Maar daar wist Fidel allemaal niets van.

In 1988 hadden de Cubaanse autoriteiten weliswaar lucht gekregen van 'een grote campagne, een reeks beweringen en aantijgingen', waarbij met name Raúl Castro werd beschuldigd, maar dat kon niet anders zijn dan een lastercampagne, de zoveelste. Daarom had Fidel zijn minister van Buitenlandse Zaken verzocht om de vertegenwoordiger van de Sectie Amerikaanse Belangen in Havana die het gerucht had doorverteld ten antwoord te geven dat degenen die zulke praatjes ten nadele van Cuba verspreidden 'klootzakken' waren.

Wat Fidel natuurlijk vergeet te vertellen, is dat de getuigenis van een smokkelaar die werd verhoord door de Amerikaanse justitie gewag had gemaakt van de aanwezigheid van Raúl Castro op het militaire vliegveld van Varadero tijdens het nachtelijk en clandestien overladen van drugs. Fidel speculeert liever, waarbij hij het gerucht op zijn manier interpreteert. De beschuldigingen tegen Raúl zouden volgens hem zijn uitgelokt door de aanwezigheid van een van de officieren van de Strijdkrachten, Jorge Martínez in dit geval, die was betrapt terwijl hij stond te praten met Pablo Escobar.

Deze aantijgingen, erkent Fidel, kunnen ook voortvloeien uit de controle die de Amerikanen uitoefenen. Met hun satellietuitrustingen en de radar van hun basis in Guantánamo zijn ze in staat toezicht te houden op het Cubaanse luchtruim. Dat de vliegtuigen van de Colombiaanse smokkelaars op militaire terreinen zijn ontvangen door 'de mensen van Tony de la Guardia', daar hebben de yankees logischerwijs uit kunnen afleiden dat deze operaties waren toegestaan en gedekt door de Strijdkrachten en dus door hun chef Raúl Castro.

'We weten vandaag dat de Amerikanen op z'n minst over twee namen beschikten. Ten eerste: Tony de la Guardia; ten tweede: Miguel Ruiz Poo. Deze Amerikanen hebben gezegd dat ze over de opname beschikten van gesprekken tussen een van hun agenten – *in handen van de justitie van Florida kan Reynaldo y Rubén Ruiz slechts een hulpkracht van de Amerikaanse overheid zijn* – en die meneer Ruiz Poo.'

Dat klopt niet.

Fidel heeft die informatie niet van 'vandaag'.

Wat een gotspe! Fidel wil de mensen wijsmaken dat hij op het laatste nippertje, pas 'vandaag' en uitsluitend via het onderzoek naar Ochoa, iets heeft ontdekt waarvan hij zeer beslist al minstens achttien maanden op de hoogte was. Van februari 1988 dateert de aanklacht tegen Reynaldo y Rubén Ruiz. Het gerucht gaat dat er nieuwe beschuldigingen zijn van betrokkenheid bij drugshandel aan het adres van bepaalde Cubaanse hoge ambtenaren.

Op 6 maart 1989 was Fidel er volgens zijn zeggen van overtuigd. Reynaldo y Rubén Ruiz, die moest voorkomen omdat hij zevenentwintig transporten van verdovende middelen zou hebben georganiseerd, noemde namen van de contacten op hoog niveau die hij op Cuba beweert te hebben gebruikt.

En dan hebben we het nog niet eens over voorafgaande zaken van hetzelfde genre die dateren van zeven jaar terug... Want van november 1982, ofwel een paar dagen nadat men mijn vader had gevraagd de grote smokkelaar Robert Vesco te ontvangen, dateren de aanklachten tegen de Colombiaan Jaime Guillot-Lara, en tegen een groepje Cubaanse overheidspersonen zoals Fernando Ravelo Renedo, ambassadeur te Bogotá, de vice-admiraal Aldo Santamaría, en de directeur van het Instituut van Vriendschap tussen de Volkeren René Rodríguez Cruz (overleden in 1991), allen vervolgd en berecht omdat ze geld zouden hebben gestoken in of faciliteiten zouden hebben geboden voor het verzenden van drugs via Cuba.

Fidel is een goede komediant. Hij doet alsof hij verbaasd en verbouwereerd is. Dat moet hij wel, als zogenaamde naïeveling. Hij komt er ruiterlijk voor uit. Het ministerie van Binnenlandse Zaken dat ondermijnd wordt door een bende smokkelaars die straffeloos optreden in weerwil van de wet? Dat is allemaal 'ongelofelijk, onbegrijpelijk'. Zo ongelofelijk en zo onbegrijpelijk! Dat geeft hij graag toe. Onechte naïviteit en voorspelbare verbazing. Dat het 'moeilijk valt uit te leggen hoe dat heeft kunnen gebeuren', daar schijnt hij door gegriefd te zijn.

Maar als de gebroeders Castro het zich al moeilijk kunnen voorstellen, hoe zit dat dan met de belanghebbenden?

Ochoa heeft verklaard dat hij zijn verantwoordelijkheden aanvaardde, maar tegelijkertijd heeft hij steeds ontkend daadwerkelijk in overleg met Tony de la Guardia illegale handel te hebben bedreven! Om de samenwerking van de twee vermeende 'misdadigers' te bewijzen heeft het Openbaar Ministerie dus de nadruk gelegd op een onregelmatigheid die heel gewoon was: het vervaardigen door MC van valse papieren om de adjudant van Ochoa, Jorge Martínez, in staat te stellen van Cuba naar Panama te reizen, vanwaar hij vervolgens naar Colombia zou gaan.

Een goedkope beschuldiging! Een van de taken die MC vanaf het begin heimelijk had, was het vergemakkelijken van clandestiene reizen naar het buitenland. Valse papieren liet Havana aan de lopende band produceren, maar, dat spreekt voor zich, nooit op grond van een gesigneerde opdracht van Fidel Castro!

Ik denk weleens bij mezelf... Als het recht op verdediging was gerespecteerd, als de verdediging getuigen had kunnen laten verschijnen die vrij waren hun verklaring af te leggen zonder angst voor represailles, zou het gemakkelijk zijn geweest om gelijkgerichte getuigenissen te produceren die konden aantonen dat het vervaardigen van valse papieren een gewone, gangbare formaliteit was bij de Cubaanse geheime dienst.

Mijn man, Jorge Masetti, heeft zelf tussen Cuba en het buitenland gereisd met valse paspoorten die hij kreeg van het departement Amerika van Piñeiro, valse paspoorten die waren vervaardigd door experts van het ministerie van Binnenlandse Zaken, de mensen van het departement 'Illegalen'.

Fidel is een grootmoedig mens. Je ziet dat het hem erg spijt. Ochoa heeft zichzelf ter dood veroordeeld, legt hij uit. De generaal zou op maandag 29 mei 1989 een eerste gelegenheid hebben gehad om zijn leven te redden. Hij hoefde alleen maar zijn fouten op te biechten tegenover Raúl. Het was voldoende geweest als hij alles over zijn smokkelarij had verteld, over zijn connecties met de groep van Tony de la

Guardia, en als hij daar werkelijk berouw van had getoond.

Daarna is er een tweede gelegenheid, op dinsdag 30 mei.

De derde gelegenheid doet zich voor op vrijdag 9 juni (Fidel Castro noemt niet het gesprek dat intussen had plaatsgevonden op 2 juni).

In werkelijkheid weigert Ochoa die dag voor de zoveelste keer de beschuldigingen van Raúl serieus te nemen. Hij werkt niet alleen niet mee, maar hij vernedert hem.

Raúl laat de generaal aan het eind van de dag arresteren.

Ochoa wordt de volgende ochtend weer in voorwaardelijke vrijheid gesteld. Daarna wordt hij definitief gevangengenomen en opgesloten in de avond van maandag 12 juni.

Telkens weer, zegt Fidel, had de generaal, mits hij zijn bijdrage had geleverd om orde op zaken te stellen, de toorn van de revolutionaire justitie kunnen sussen. Helaas! Hij maakte het alleen maar erger. De eerste keer had Ochoa gevangenisstraf kunnen voorkomen. Maar hij heeft de hand die Raúl hem toestak niet gegrepen; hij deed vaag gedurende de drie uur van het gesprek. De derde keer, voegt Fidel eraan toe, was het nog mogelijk, hoewel ternauwernood, om aan de doodstraf te ontsnappen. In plaats daarvan weigerde Ochoa in alles zijn medewerking.

Fidel is ontstemd. Want na zijn arrestatie is er nog een gelegenheid geweest waarop Ochoa een goede indruk op hem maakte. Dat was voor het eretribunaal. Daar leek hij 'eerlijk en moedig'. Hij was voorbeeldig in zijn berouw. Hij toonde zelfs aan dat hij, in het geval dat de Revolutie hem de doodstraf zou opleggen, die hij zonder meer openlijk toegaf te verdienen, als een geheel en al heropgevoed man het leven zou laten.

'Ons volk heeft kunnen zien dat er een contrast was tussen de houding van Ochoa op dat moment en de houding van degenen die de maffia hebben georganiseerd binnen het ministerie van Binnenlandse Zaken.' En dan begint Fidel zich op te winden bij de gedachte dat een man met een academische opleiding die op grond van zijn diensten tot de hoogste rang is bevorderd op zekere dag kan samenspannen met ontaarde figuren...

Ochoa heeft die dag echter wel zijn berouw betoond, 'een heel treurige dag'. Hij heeft gesproken 'met oprechte welbespraaktheid, met grote kracht, met grote smart; maar ook met grote vastberadenheid'.

Hij zou om clementie hebben kunnen vragen als hij maar...

'Ochoa was oprecht geweest voor het eretribunaal, maar dat was hij niet voor de rechtbank tijdens de zittingen, toen was hij het al niet meer! Hij was anders, hij was een andere man, hij was leeg. Hij wil niet alle verantwoordelijkheid aanvaarden, hij vertelt leugens. Hij zegt zelfs dat hij niets weet van de activiteiten van Tony de la Guardia en hij ontkent dat hij vaak gesprekken met hem over dat onderwerp heeft gevoerd daar in Angola. Tony de la Guardia maakt gedurende het jaar 1988 minstens zes reizen naar Angola, en telkens als hij daar is, spreekt hij met Ochoa over wat voor hem een obsessie is geworden. Martínez heeft frequente contacten met deze groep, en Ochoa ontkent dat hij iets wist van de activiteiten van Tony de la Guardia.'

Nadat Fidel de oorlog in Angola nog eens over heeft gedaan, doet hij het proces nog eens over, en herhaalt hij in het kort zijn grieven: de 200 000 dollar op de rekening van Ochoa in Panama, zijn plan om tien ton drugs per schip te vervoeren, zijn voornemen om een raffinagewerkplaats op te zetten in Afrika... 'Al die feiten vormen de elementen van een ernstige vorm van verraad.'

Vier officieren hebben het vertrouwen van hun Opperbevelhebber beschaamd. Ze hebben hem persoonlijk beledigd nu blijkt dat de beschuldigingen van de Amerikaanse vijand gegrond zijn. Ja, op Cuba drijven sommige bevoorrechte figuren handel met drugssmokkelaars.

'Verraad' wordt blijkens de jurisprudentie wisselend zwaar bestraft. In het geval van de twee hogere officieren en hun adjuncten is Fidel die zondag 9 juli van mening dat het verraad gestraft moet worden zoals de eerste keer, toen in de heroïsche tijd van de Sierra Maestra de jonge Eutimio Guerra misbruik had gemaakt van de goedgelovigheid van Fidel.

Deze bergbewoner had gedaan alsof hij zich bij de guerrilla aansloot. In werkelijkheid had Guerra, die deed alsof hij een bevoorradings- of verkenningsopdracht uitvoerde, het leger van Batista geïnformeerd over de posities en de bewegingen van de *barbudos*, die op 30 januari 1957 vanuit de lucht gebombardeerd werden en nauwelijks ontkwamen aan een omsingeling in de bergen bij Caracas. Guerra was ontmaskerd en werd gefusilleerd op 17 februari van dat jaar – kort na het beroemde interview dat Fidel had gegeven aan de *New York Times*.

De toespraak nadert zijn einde. Heel handig doet Fidel zich nu bescheiden voor. Dat men niet zal denken dat hij, de Opperbevelhebber, zich op een bijzonder voorrecht kan beroepen, zoals een oproep tot speciale clementie ten gunste van de veroordeelden. Hij verbiedt zichzelf om op de voorgrond te treden.

Daarmee bevestigt Fidel nog eens dat de bekrachtiging van het vonnis 'een collectieve beslissing' is. Heel handig, want er is geen zekerder middel om zijn raadsleden gerust te stellen dan door het bloedpact tussen hen en hem te vernieuwen.

Ze behoren meer dan ooit tot één groep. Er zijn geen gemoedstoestanden meer, er is geen twijfel meer of lafheid. De Revolutie wil het zo. Hoe meer de beslissing gemeenschappelijk is genomen, hoe anoniemer ze is; en hoe minder het individuele geweten het nodig vindt bij zichzelf te rade te gaan, terwijl het misschien op het punt had gestaan te aarzelen of bezwaren aan te voeren.

Het is een collectief besluit, dat is genomen in het licht van het collectieve belang. Hoort u de woede van het volk? Líder Castro neemt iedereen tot getuige. Zie eens wat de veroordeelden hebben gedaan met het vertrouwen dat de Revolutie in hen heeft gesteld. Ze hebben zichzelf privileges toegekend, ze hebben de wetten overtreden, ze dachten dat ze boven het lot stonden, ze meenden dat ze heer en meester waren, ze hebben het er goed van genomen, terwijl onze arbeiders en boeren op een eerlijke manier onder moeilijke omstandigheden veel werk verzetten.

'Wie zijn die mensen dan?' Het Cubaanse volk hebben ze benadeeld, hebben ze beledigd, hamert Fidel Castro erin. Het Cubaanse volk wil dat er recht geschiedt.

Het is een collectief besluit dat de afsluiting vormt van een proces volgens de regels. 'Ik vind dat de krijgsraad mild is geweest. Ik geloof dat alle beschuldigden tot de doodstraf veroordeeld konden worden. Maar ik ben van mening dat de krijgsraad rechtvaardig is geweest in zijn besluit.'

De waarheid over de zaak-Ochoa wordt niet verborgen. Die is openlijk af te lezen aan de lippen van de regisseur.

Omgeven door de negenentwintig leden van de Staatsraad, gaat Fidel Castro over tot stemmen.

'Laten zij die het ermee eens zijn het vonnis van de krijgsraad te bekrachtigen hun hand opsteken.'

Dertig handen gaan omhoog.

'Laten zij die ertegen zijn...'

Dertig mannen blijven onbeweeglijk zitten.

'Eenstemmig bekrachtigt de Staatsraad het vonnis van de krijgsraad. De zitting is opgeheven.'

Het verslag van de vergadering van de Staatsraad toont het aan.

Ze hebben inkt laten vloeien.

Nu moet er nog bloed vloeien.

En dat binnen de dwingende termijn die Fidel Castro zich in het geheim had gesteld op de dag voor de affaire losbarstte: op zijn laatst dertig dagen na de arrestaties.

Wie heeft hem toch die termijn voorgeschreven, of is dat zijn dwangmatige pathologie en wellicht zijn intuïtie als dictator-samenzweerder die hem heeft ingegeven de beschuldigden, de familie van de beschuldigden en de publieke opinie op Cuba zelf en in het buitenland te vlug af te zijn?

Arnaldo, Tony, Jorge en Amado hebben niet lang meer te leven. Ze weten de dag en het tijdstip niet. Alleen de Opperbevelhebber weet dat. Vanaf het begin. Het zal in de ochtend van 13 juli zijn, op de dertigste dag.

17

De avond is al ver gevorderd wanneer Jorge en ik die zondag 9 juli allebei wanhopig besluiten Gabriel García Márquez op te gaan zoeken. We zijn er in ons hart van overtuigd dat de Colombiaanse schrijver ons kan helpen mijn vader te redden. Hij is de aangewezen persoon om een goed woordje voor hem te doen.

Het is onze laatste troef. Die hadden we expres als reserve bewaard. En iets zegt ons dat we die vannacht of nooit moeten uitspelen.

Terwijl we naar Siboney rijden, herhaal ik voor mezelf nog eens in het kort de argumenten die ons verzoek rechtvaardigen.

'Gabo' heeft meer invloed dan zomaar een aanhanger van Fidel Castro, hij is zijn vertrouweling. Hij is ook een van zijn meest waardevolle ambassadeurs bij politieke, intellectuele en morele autoriteiten in het buitenland. Buiten het eiland wordt er naar García Márquez geluisterd. Hij weet de media voor zich te winnen. Hij schittert in het mondaine leven. Hij geeft voor de verandering in de publieke opinie eens een positief beeld van Fidel.

Wanneer Cubaanse bannelingen nog maar net in het gastland zijn aangekomen, stuiten ze met verbazing op het beeld dat daar op een of andere manier de overhand heeft: dat van de goede dictator. Fidel Castro is een dictator, maar een linkse: dat zijn verzachtende omstandigheden. Hij strijdt tegen het imperialisme en tegen het mercantilisme van Uncle Sam. Hij is het bolwerk van het goede, van de gerechtigheid en de edelmoedige utopie.

Het is een hardnekkige paradox. Hoewel Fidel in hart en nieren een antidemocraat is, houdt hij het goede geweten van de westerse democratieën in stand. Veel intellectuelen vinden het een interessant experiment waar geen 'democratische hypocrisie' aan te pas komt, een experiment dat tegelijkertijd nationalistisch, internationalistisch en socialistisch is, daar ver weg onder de zo begeerde zon van de Cariben. Gevangenisstraffen voor een afwijkende mening, het niet respecteren van het recht op vereniging, belemmeringen in de vrijheid van beweging en de vrijheid van meningsuiting, het ontbreken van vrije verkiezingen en van een tegenmacht, de door willekeur bepaalde rechtspraak, het afschaffen van het stakingsrecht, hindernissen bij het vrije ondernemerschap, al die dingen die onder een rechtse dictatuur als ongehoord worden beschouwd, vinden bij wijze van uitzondering een rechtvaardiging zodra het gaat om Fidel Castro.

García Márquez werkt eraan mee de tegenstanders in diskrediet te brengen. Hoe zouden die durven volhouden dat intellectuelen op Cuba worden geïntimideerd, omgekocht en vervolgd, terwijl de beroemde 'Gabo' de intellectueel is die aan beide kanten wordt gerespecteerd: zowel binnen als buiten het eiland?

Wanneer hij niet in Mexico is – hij is daar voorzitter van de school en de stichting voor de filmkunst die door Fidel wordt gewenst en gefinancierd – of op reis in een ander land, verblijft de schrijver van *Honderd jaar eenzaamheid* in Havana in de luxueuze villa nummer 36 die het regime hem heeft aangeboden. Een gunst die blijk geeft van zijn intieme band met Fidel.

Hij kent me niet, maar ik ben vol vertrouwen. Hij is misschien onze door de voorzienigheid gestuurde bemiddelaar. Naar wat ik heb horen zeggen, behoort mijn vader tot de 'kring' van vrienden van García Márquez. Ze hebben elkaar heel wat keren ontmoet. Tot heel kort geleden. Nauwelijks tien dagen voor de golf van arrestaties heeft de schrijver zijn laatst verschenen roman, *De generaal in zijn labyrint**, van een

---

* Noot: García Márquez voert Simon Bolivar ten tonele, de held uit de onafhankelijkheidsoorlogen van Venezuela en Ecuador. Hij beschrijft de Libertador in zijn nadagen, nadat hij op 8 mei 1830 is afgetreden.

opdracht voorzien. 'Voor Tony, de man die het goede zaait...' Maria Elena heeft ons het boek laten zien.

Intussen heeft zijn opdracht een ongewone weerklank gekregen. Maar 'Gabo' kan zich niet voor de gek laten houden door het beeld dat van mijn vader is geschetst, dat van een man die lijnrecht tegenover 'het goede' staat en die op eigen gezag in de drugshandel zou zijn gegaan. Dat Tony de la Guardia weleens bepaalde clandestiene opdrachten heeft vervuld, ik stel me voor dat dat voor García Márquez bepaald geen geheim is. Hijzelf heeft ook weleens bepaalde geheime opdrachten gekregen... Bovendien is de schrijver een verstandig man. Je hoeft echt niet alles te weten van wat zich achter de schermen van het staatsapparaat afspeelt om spontaan te kunnen toegeven: op Cuba zou geen enkele officier zo regelmatig en sinds zo lange tijd steeds weer de leiding over dit soort operaties krijgen zonder het vertrouwen van zijn superieuren.

Jorge, mijn man, is er ook van overtuigd dat García Márquez met ons zal willen praten. De schrijver heeft nog een vriendschappelijke herinnering aan Jorges vader. Hij was erbij geweest toen de Argentijnse journalist Jorge Masetti sr. in Havana het persagentschap Prensa Latina had opgericht en hij had hem weergezien toen hij op het punt stond Cuba te verlaten om zich aan te sluiten bij de guerrilla in zijn eigen land, Argentinië, de guerrillaoorlog waarin hij de dood zou vinden.

We rijden de Quinta Avenida in, de 'koninklijke weg' van Havana die achtereenvolgens door de woonwijk Miramar en vervolgens door de nog chiquere wijk Siboney loopt, zonder dat we ook maar iets merken van het opzichtige schaduwen dat we de laatste dagen hadden waargenomen – maar waarschijnlijk worden we deze keer scherp in de gaten gehouden...

Het is één uur 's ochtends. We stappen uit. Op onze tenen lopen we naar het huis van het protocol op nummer 36. Wantrouwig heeft Jorge de Lada op een flinke afstand geparkeerd.

Dat was een goed idee. Een groep soldaten houdt de wacht naast een militaire vrachtwagen op de hoek van de volgende kruising. We onderscheiden nog vele andere figuren in uniform van de *tropas* voor de villa, waar nog meer voertuigen bij elkaar staan. Instinctief begrijpen we dat het het escorte van Fidel Castro is. Niemand anders dan hij is zo'n machtsvertoon gewend. Zijn uitgesproken voorliefde voor onverwachte bezoekjes op ieder uur van de nacht is legendarisch.

We trekken ons terug en verdwijnen in het halfduister tot de versperring die enige straten verderop is opgericht wordt opgeheven.

Het is dan bijna twee uur 's ochtends. Fidel en zijn escorte zijn weer verdwenen in de nacht. We kloppen aan bij de villa. Gabriel García Márquez lijkt niet verbaasd ons op zijn drempel aan te treffen. Hij vraagt ons binnen te komen.

Er hangt een schilderij dat mijn vader heeft geschilderd aan een muur van de voorhal.

De schrijver laat ons plaatsnemen. We knikken wanneer hij voorstelt ons koffie te laten brengen. Hij roept een meisje van het huishoudelijk personeel. Hoe is het mogelijk dat zij zo laat in de nacht nog tot zijn beschikking staat? Omdat de Cubaanse regering het zo wil, veronderstel ik. Zodra ze zich aandient, knipt hij met drie vingers in de lucht.

Hij is hoffelijk en hartelijk en zijn ontvangst gaat ons aan het hart. Het is een eerste troost.

De schrijver zegt ons ronduit dat hij verbijsterd is door het verloop van de gebeurtenissen op Cuba. Hij praat echter op geruststellende toon. Hij zegt tegen me dat hij een goede vriend is van mijn vader, dat hij veel respect voor hem heeft, dat hij bereid is de mensen van zijn familie te steunen.

Hij voegt eraan toe dat hij onze komst niet heeft afgewacht voordat hij bij Fidel voor hem heeft gepleit en dat hij al het mogelijke zal blijven doen om hem ervan te overtuigen de executie op te schorten. Des te dringender, zegt hij nadrukkelijk, omdat hij altijd tegen de doodstraf is geweest.

'Gabo' vertelt ons niets over wat er zojuist is besproken tussen hem en Fidel. Ik stel me voor dat hij de discretie die bij zo'n gelegenheid is voorgeschreven respecteert, maar ik ben ook erg geneigd het in gunstige zin te interpreteren. Als hij was gewaarschuwd dat onze pogingen om mijn vader te redden tot niets zouden leiden, waarom zou hij ons dan zijn hulp aanbieden? Zou hij het over zijn hart kunnen verkrijgen ons blij te maken met een dode mus? Ik kan het niet geloven.

Aan het eind van het gesprek heb ik het gevoel dat hij vertrouwen heeft in de goede afloop van zijn poging. Het Staatshoofd zal absoluut gebruikmaken van zijn gratierecht. Ik voel me bijna gerustgesteld.

'Dit kan niet gebeuren,' zegt hij.

Executies zijn iets absurds in zijn ogen. En niet alleen in zijn ogen. Dat is het belangrijkste, daarop berust volgens hem de beste hoop om mijn vader voor het ergste te kunnen behoeden. Hij zegt dat hij daarvan overtuigd is.

'Vrienden noch vijanden keuren de doodvonnissen goed die door de aanklager worden geëist. Fidel zou gek zijn als hij executies toestond...'

Het is bijna drie uur 's ochtends wanneer we afscheid nemen.

'Ik vertrek morgen naar Madrid,' zegt de schrijver ten slotte tegen ons, 'maar maken jullie je niet ongerust: voor het zover is, zal ik ervoor zorgen dat ik met Fidel spreek ten gunste van Tony.'

'Gabo' gaat achtereenvolgens naar Spanje en Frankrijk. Hij zal worden verwelkomd door president François Mitterrand aan de vooravond van de festiviteiten vanwege het tweehonderdjarig jubileum van de Franse Revolutie en vanwege de topontmoeting van de G7 in Versailles.

Gerustgesteld kom ik thuis in Miramar. Mijn grootouders zijn tot diep in de nacht opgebleven. Ze wachtten met ongeduld op onze terugkeer. Ik doe mijn best hun angst te sussen door hun te vertellen over de goede ontvangst die we bij García Márquez kregen. Ze twijfelen niet aan de overredingskracht van de Colombiaanse schrijver tegenover Fidel Castro.

18

Maandag 10 juli. Ik vraag of ik persoonlijk met Alcibiade Hidalgo, de secretaris en assistent van Raúl Castro, kan spreken, maar hij houdt zich doof.

Jorge wordt in de loop van de dag opgeroepen om naar het hoofdkantoor van het ministerie van Binnenlandse Zaken te komen. Zonder opgaaf van reden.

Daar aangekomen wordt hij geconfronteerd met generaal Abelardo Colomé Ibarra. Tot nu toe wisten wij het niet: 'Furry' is de facto generaal Abrantes opgevolgd, die officieus is ontslagen en opgesloten sinds de avond van donderdag 29 juni, de dag voor het begin van het proces voor de krijgsraad.

En dan te bedenken dat we eerst aan deze man hadden gedacht toen we de dag na de arrestatie van mijn vader een vertrouwenspersoon zochten wie we om uitleg konden vragen!

Wanneer ik me tien jaar later deze momenten weer te binnen breng, denk ik aan de woorden van de zanger Carlos Varela, die heel populair is onder de Cubaanse jeugd: 'De wolf en het lam blijven samen aan mijn zijde, maar omdat ze zich vermommen, weet ik nooit met wie ik heb gesproken.' Die woorden geven precies de sfeer van misleiding weer waaraan mijn landgenoten onder de heerschappij van Fidel Castro zijn overgeleverd.

Elke keer als hij in gezelschap van mijn vader was, gedroeg Furry zich attent, hartelijk en kameraadschappelijk. Dat hij zo duidelijk de onbeduidendheid en zachtheid van een lam tentoonspreidde, was om hem zand in de ogen te strooien, zijn wantrouwen weg te nemen. En mijn vader zelfs aan te zetten tot het doen van vertrouwelijke mededelingen met betrekking tot zijn beroep van geheim agent, mededelingen die alleen onder het mom van de vriendschap worden verteld. Waarschijnlijk deed hij alsof hij ze zonder al te veel aandacht aanhoorde, als om er nog meer uit te lokken. Wie zou argwaan hebben gekoesterd? Abelardo Colomé Ibarra ging door voor een onopvallende brildragende generaal zonder charisma en zonder ambitie.

Toen de wolf had gedacht dat het onechte lam niets meer zou opbrengen, had hij zijn masker laten vallen. Hij was niet tevergeefs achterbaks geweest.

Vanaf het begin van de zuiveringsactie aan de top had Furry de plaats ingenomen van Abrantes, waar hij stiekem op had geaasd. Zijn tijd was gekomen. Hij had eindelijk genoegdoening gekregen! Het zou ze duur komen te staan, de mensen die hadden gedacht dat hij een stomme ezel was, hij, die hen had misleid door zichzelf in hun ogen opzettelijk en overdreven te verlagen. Het zou ze duur komen te staan, de mensen die hadden gedacht dat hij ongevaarlijk was en geen ambities had...

De aanleiding tot de oproep is voor mijn man geen raadsel meer. Want de nieuwe minister van Binnenlandse Zaken, dezelfde man die zich enige weken eerder door Jorge, toen hij terugkwam uit Angola, zebrahuiden had laten bezorgen, brengt hem een nauwkeurig verslag uit van de woorden die we de afgelopen nacht hebben gewisseld met Gabriel García Márquez...

Met microfoons en piepkleine camera's dringt de *técnica* tot alle woningen op Cuba door. De mooie villa nummer 36 maakt daarop geen uitzondering, ook al huisvest Fidel daar zijn beste vriend en vertrouweling, de winnaar van de Nobelprijs voor de literatuur. Het is waar, de Opperbevelhebber verdenkt iedereen uit zijn omgeving ervan net zo jaloers, samenzweerderig en achterbaks te zijn als hij, de meest jaloerse en achterbakse man die er is.

Jorge smeekt Furry de executies te laten opschorten, maar deze antwoordt met een pruilmondje van ironische voldoening dat hij daar de macht niet toe heeft. De opiniepeilingen die vanaf het begin van de affaire-Ochoa af en toe onder de bevolking worden gehouden wijzen erop; de publieke opinie wil dat er recht geschiedt; de publieke opinie eist dat het vonnis wordt voltrokken. Er is geen mogelijkheid zich daartegen te verzetten, tenzij je het gezag van de Staat wilt ondermijnen...

Abelardo Colomé Ibarra stelt Jorge echter snel gerust over zijn lot op Cuba, over zijn verdere carrière bij de inlichtingendienst, maar op voorwaarde dat hij zijn best doet de familie De la Guardia ervan te overtuigen het verloop van de gebeurtenissen te accepteren. Het vonnis is juist, de executie is onvermijdelijk. De Revolutie rekent erop dat hij ons daarvan zal overtuigen.

'Hoe zou ik kunnen rechtvaardigen wat ik onverdedigbaar acht?' roept Jorge tegen Furry. 'Ik kan niet uitleggen wat ik zelf niet begrijp!'

'Je doet er verkeerd aan het zo op te vatten,' vervolgt de minister van Binnenlandse Zaken. 'Je blokkeert alle oplossingen.'

Op dinsdag 11 juli horen we via het ministerie van Binnenlandse Zaken dat de familie Tony eindelijk zal weerzien. We worden gevraagd aan het begin van de middag naar Villa Marista te komen.

Net als de eerste keer worden we door een auto van de Staatsveiligheidsdienst naar de plek gebracht waar de gevangenen hun familie zullen ontvangen. We hebben Havana verlaten en rijden nu richting Rancho Boyeros, in de omgeving van het vliegveld.

We rijden verder tot aan een afgelegen kazerne te midden van een dor veld. Dat is het centrum van de militaire contraspionage, die Raúl Castro heeft gebruikt om de officieren die nu ter dood veroordeeld zijn in de gaten te houden en zogenaamd te ontmaskeren.

Het is plakkerig warm. Er staan weinig bomen. Het is er heel stoffig. Het stof dwarrelt tussen de lage huizen en de prefab gebouwen.

Men beduidt mij een huis binnen te gaan. Ik zie daar tot mijn verbazing mijn vader, staand deze keer. Hij heeft een kalme gelaatsuitdrukking. Hij lijkt sterk vermagerd. Hij draagt nog steeds hetzelfde geruite overhemd.

Hij omhelst me. We gaan naast elkaar zitten. Hij wil eerst een wens uitspreken: 'Zorg ervoor, Ili, dat je broers geen soldaat worden zoals ik, want ik ben verraden.'

Ik zie even een floers van triestheid in zijn ogen. Plotseling zegt hij met vermoeide stem dat de zaken van kwaad tot erger zullen gaan, dat

Cuba net zo zal worden als China. Verder gaat hij niet. Hij houdt zijn diepste gedachten voor zich.

Hij vermoedt dat er overal om ons heen verborgen microfoons en camera's zitten. Hij kan niet eens een vertrouwelijke opmerking in mijn oor fluisteren. Een somber perspectief... Een strafkamp voor het hele volk... Zonder hoop ooit weer de burgerlijke vrijheden, de rechten van het individu terug te krijgen...

Ik begrijp niet wat hij op dat moment heeft. Misschien is het een uiting van zijn wanhoop bij de gedachte dat er in ons land beslist niets zal veranderen.

Ik voel de emotie opkomen, maar huilen komt nu niet te pas. We moeten verder praten. Ik wil mijn gedachten helder houden en hem laten delen in het vertrouwen en de hoop die ons verzoek aan Gabriel García Márquez me heeft gegeven. Maar Osmel, de psycholoog van Villa Marista, onderbreekt ons. Hij geeft aan dat het bezoek is afgelopen.

Mijn vader en ik omhelzen elkaar. We komen geen seconde op het idee dat het de laatste keer is.

's Avonds ga ik weer naar het Paleis van de Revolutie in de hoop eindelijk een gesprek met Fidel Castro te krijgen. Mijn broer Antonio en mijn zus Claudia gaan zoals gewoonlijk met me mee. Het is buiten al donker. Het ziet er verlaten uit. Er is verder niemand meer op de Plaza de la Revolución. Plotseling duikt er een militair op die ons gelast naar huis te gaan, nadat hij ons heeft verzekerd dat we de volgende dag ontvangen zullen worden.

In de Lada stop ik, wanneer we bijna in Miramar zijn gearriveerd, de cassette van Charly García, die als mascotte dient, weer in de recorder.

Uit de boxen klinkt 'Inconsciente colectivo'. Dat is een van de liedjes die me het meest ontroeren: 'Een bloem gaat open, alle dagen komt de zon op, luister af en toe naar die stem, die zo smakelijk is als lekker brood, je bent blij dat je met de sprinkhanen zingt aan de grenzen van je bewustzijn. Maar tegelijkertijd is er iets wat alles verandert, dat het beste dat je hebt verbrandt, het trekt je naar achteren, het vraagt je steeds meer, en je komt op een punt dat je niet meer verder wilt.'

Jorge is gestopt voor het witte huis. 'De vrijheid drinken...' ('*Mama la libertad...'*) Hij heeft het portier al dichtgegooid. Bijna tegen mijn zin zet ik het geluid uit.

De volgende ochtend, woensdag 12 juli, melden we ons zoals afgesproken bij het Paleis van de Revolutie. Mijn broer en zus mogen niet naar binnen. Ze blijven buiten onder de hoede van Jorge.

Ik word naar een wachtkamer gebracht. Een vrouw van een zekere leeftijd, een ambtenares van het Minint, komt daar even later naar me toe. Ik overhandig haar de brief van mijn grootmoeder. Ze vraagt me of ik haar iets speciaals te vertellen heb. Maar er komt geen enkel geluid uit mijn keel. Ik sta te schudden van de spierkrampen en de tranen. Ik zie niet goed meer. Ik kan niet meer ademen. Ik snak naar lucht. Ik heb het gevoel dat ik zal stikken.

Zonder antwoord te hebben gegeven draai ik me om. Ik wil maar één ding: snel naar de uitgang, de frisse lucht in, terug naar Antonio, Claudia en Jorge, die buiten op me wachten. Dat ik zo'n zenuwinzinking heb gekregen komt doordat ik tegenover die ongewoon kalme, onverschillige vrouw plotseling begreep dat alles verloren was, dat alles voorbij was, dat we verslagen uit de strijd zouden komen die we al bijna een maand lang hadden geleverd.

Ik loop naar mijn broer en zus toe. Antonio is een jongen van veertien, Claudia een kind van negen jaar. Ze zijn kwetsbaarder dan ik tegenover het onverklaarbare, tegenover de onverklaarbare onrechtvaardigheid. Het drama gaat ze te boven, verplettert hen. Ik zou hen met zorg willen omringen, willen beschermen.

In de Lada weten we niet wat we moeten zeggen. Maar Charly García spreekt in onze plaats. Met zijn hese stem zingt hij de woorden.

'... de vrijheid zul je altijd meenemen in je hart. Ze kunnen je slecht maken, je kunt vergeten, maar zij zal er altijd zijn. Gisteren droomde ik met de hongerigen, met de dwazen, met hen die zijn vertrokken, met de gevangenen. Vandaag opgestaan met dit lied dat is geschreven in andere tijden en dat opnieuw gezongen moet worden, voor de zoveelste keer.'

Ik druk op de terugspoeltoets. Kort. Om weer uit te komen bij die woorden, bij die gedachten waarover, dat weet ik zeker, mijn vader al lange tijd zit te tobben: 'er is iets wat alles verandert, dat het beste dat je hebt verbrandt, het trekt je naar achteren, het vraagt steeds meer, en je komt op een punt dat je niet meer verder wilt.'

De muziek trekt voorbij, beelden trekken voorbij. Mijn vader die met zijn handen geboeid op zijn rug het kantoor van Pascual Martínez Gil uitkomt. Mijn vader die met zijn ogen knippert onder het schelle licht in zijn cel. Mijn vader die ervan overtuigd is dat hij uit de val zal weten te ontsnappen... Ik zie hem weer, ik hoor hem weer. Zijn zwakke glimlach toen hij tegen me zei: 'De gevangenis is er voor mannen', het kloppen van zijn pols tijdens het eerste bezoek, zijn stem toen hij als een kind bestraffend werd toegesproken door de aanklager, zijn liefdevolle gebaren naar Antonio en Claudia in Villa Marista, enzovoort.

Ik hoor weer de woorden van Charly García, ik laat ze langer duren en pas ze op mijn manier aan.

'... En je komt op een kritiek punt, Tony, op een punt waarop je niet meer wilt... niet meer dan je al gedaan hebt, en niet meer dan bepaalde dingen waarvan je vreselijk spijt hebt nu je eraan denkt... En je komt op een punt waarop je je leeg voelt, op een punt waarop je geen vertrouwen of gehoorzaamheid meer kent, maar alleen nog walging; en dat, Tony, dat je toegeeft dat je leeg bent, dat het niet meer met hart en ziel gaat, dat zullen ze je juist niet vergeven... En dan ben je het beste kwijt; ze hebben het je afgenomen. Ze kastijden je tweelingbroer. Ze houden je familie gegijzeld. Klaag dan, Tony, je was medeschuldig. Is het niet? En nu heb je alleen nog maar je leven; ze zullen je van het leven beroven. Klaag dan, Tony, je was naïef. Is het niet?'

Ze kunnen je slecht maken, je zoveel en nog meer vragen, je naar achteren trekken. Je kunt haar vergeten, maar ze zal er altijd zijn, de vrijheid, verborgen in je hart.

's Middags zijn Mimi en Popin aan de beurt om hun zoon Tony te bezoeken.

Jorge en ik zitten op dat moment met Antonio en Claudia in het huis van hun moeder in Miramar, wanneer Osmel komt aanzetten. De psycholoog van Villa Marista dringt erop aan ons, de kinderen van Tony, te spreken. Maar de kleine Claudia deelt hem met haar negen jaar zonder meer mee dat het geen zin heeft. Vrijwel meteen daarna vlucht ze weg zodat hij haar niet meer ziet.

Ik laat Osmel niet binnen. Antonio staat naast me.

Marta en Jorge lopen naar het terras. Ze zetten hun gesprek op enige afstand voort, maar zo dat ze ondanks alles horen wat Osmel zegt.

'Het is misschien moeilijk te aanvaarden,' zegt Osmel op zoetsappige toon tegen ons, 'maar u moet de straf accepteren die uw vader wordt opgelegd...'

Ik onderbreek hem.

'Dat meent u niet! Hoe zouden we deze schande kunnen aanvaarden?'

'U moet de situatie begrijpen,' begint hij weer. 'De straf is rechtvaardig. Beseft u dat toch eens! De Revolutie heeft geen keus. Anders zullen de Verenigde Staten Cuba binnenvallen. Dan wordt het oorlog. En u weet wat oorlog betekent. Dan worden er vele kinderen gedood, duizenden onschuldige kinderen. Dat kunt u toch niet laten gebeuren? U ziet best dat de straf rechtvaardig is. Uw vader ter dood brengen, hem en een paar anderen, is veel beter dan kinderen bij duizenden te laten sterven. Is het niet? Zeg eens, ik weet zeker dat u dat kunt begrijpen.'

Nu wordt het te dol. Zijn chantage en de manier waarop hij ons schuld aanpraat, ons probeert af te leiden, dat is volkomen onredelijk en schunnig. De psycholoog van het killersapparaat heeft me misselijk gemaakt. Die opdringerige manier waarop hij ons tot verraad wil aanzetten... Dan speelt het liedje van Charly García opnieuw door mijn hoofd: 'Ik wil niet gek worden... ik geloof dat alles een leugen is.'

Ik heb me plotseling van Osmel afgewend en kijk omhoog naar het terras. Jorges gezicht staat verbeten. Hij schijnt ook op het punt te staan te ontploffen.

We voelen allebei dezelfde walging. Ik roep: 'Nou, zo is het wel genoeg! We zijn het niet eens met de executie, ondanks alles wat u ons vertelt!'

Osmel gaat terug naar zijn auto. Mijn man roept vanaf het terras naar hem: 'Luister eens, beste kerel! Als je van plan bent om nog meer van zulke smerige praatjes te verkopen, hoef je hier geen voet meer te zetten. Begrepen?'

Wanneer mijn grootouders 's avonds in Miramar terugkomen, zijn ze heel gedeprimeerd en doodmoe. Al heeft het weinig effect, we moeten tegenover elkaar dezelfde gebaren maken van genegenheid, van trouw en troost. Nog één nacht en dan is het volbracht.

Jorge hoort het als eerste.

Op 13 juli 1989 om vijf uur 's ochtends wordt op de radio gemeld dat het vonnis ten uitvoer is gebracht.

In de loop van de ochtend wordt mijn stiefmoeder Maria Elena een telegram overhandigd. Een vreemde overlijdensakte... 'Identiteit: Antonio de la Guardia. Beroep: zonder beroep. Gezinsomstandigheden: onbekend. Doodsoorzaak: onbekend.'

De familie van de drie andere gefusilleerden zal eenzelfde soort telegram ontvangen.

Het lichaam van mijn vader was nog warm toen hij werd begraven op het Cementerio de Colón. In een anoniem graf waarop alleen het nummer 46427 staat aangegeven, naast drie andere anonieme graven. Daar rusten de stoffelijke resten van Amado Padrón, van Jorge Martínez en van Arnaldo Ochoa. Het graf van de generaal heeft nummer 46672.

Het is Maria Elena niet toegestaan een steen te plaatsen met de naam van mijn vader.

Wanneer mijn grootouders ons op de ochtend van donderdag 13 juli begroeten, zwijgen we over de dood van Tony. Voorlopig. Omdat ik er de kracht niet toe heb, maar vooral omdat het onverantwoordelijk zou zijn hen aan de klap bloot te stellen zonder van tevoren medische zorg voor hen te regelen.

Met hun grote vermoeidheid als voorwendsel stelt Mercedes, de eerste vrouw van mijn oom Patricio, voor hen door een dokter te laten onderzoeken. Ze brengt hen naar het Cimex-ziekenhuis, het etablissement dat is bestemd voor de hoogwaardigheidsbekleders van het regime.

Het ziekenhuispersoneel heeft hun het nieuws verteld.

Ik zit met mijn zus en een zoon van Patricio klaar om hen bij hun terugkomst in Miramar tegen één uur 's middags op te vangen.

Mijn grootvader is zo ontroostbaar dat hij aan één stuk door huilt. Ten slotte ga ik maar met hem mee naar zijn kamer. Zijn wanhoop maakt me erg droevig. Ik blijf de hele nacht bij zijn bed zitten.

Mijn grootmoeder laat zich door het verdriet overweldigen. Ik stel me voor wat zij voelt bij de gedachte aan haar verdere leven. Mimi vond het al zo naar dat ze haar oudste zoon nooit meer zag die naar de

Verenigde Staten was uitgeweken. En nu is ze voorgoed de zoon kwijt die is gesneuveld voor het executiepeloton. En ziet ze een andere zoon niet meer die voor dertig jaar gevangen zit, zij die nog in de goede tijd had geleefd van vóór de Revolutie, die Revolutie waarvoor de tweelingbroers Tony en Patricio liever op Cuba waren gebleven...

Mijn grootmoeder heeft totaal geen eetlust meer. Ze kan zichzelf niet eens meer dwingen te eten. Haar toestand wordt zo zorgelijk dat ze zichzelf ten slotte een sterk antidepressivum toedient.

19

Ik heb nog maar één gedachte: vluchten. Vanaf de arrestatie en de dood van mijn vader tot mijn ballingschap, van 13 juni 1989 tot oktober 1990, zal ik denk ik niet één keer gaan slapen zonder op een of ander moment van de dag of de nacht een huilbui te hebben gekregen.

Toch heb ik ook wel perioden van rust; in mijn door starheid getroffen land moet je de kracht vinden om op twee fronten te strijden: tegen de verleiding om maar te berusten, die je wordt ingegeven door het typisch Cubaanse fatalisme en compromis, en tegen de apathie van de mensen, beide meesters en slaven.

Mijn grootmoeder heeft het me verteld: mijn vader heeft de dag voor zijn dood een priester op bezoek gehad. De dag waarop Graciela en Mario de la Guardia voor de laatste keer met hun zoon hebben gesproken, woensdag 12 juli 1989, heeft pater Carlos Manuel de Céspedes ook een gesprek met Tony gehad, een min of meer vertrouwelijk gesprek, de aanwezigheid van microfoons in aanmerking genomen.

Hij is secretaris van het Cubaans bisschoppelijk college en een van de geestelijken die – tot op zekere hoogte – het vertrouwen hebben van de autoriteiten in Havana. Anders had hij zeker geen toestemming gekregen om de terdoodveroordeelde te ontmoeten. Vanwaar deze gunst? Céspedes is niet alleen de naamgenoot van de held van de onafhankelijkheid, Carlos Manuel de Céspedes, de man die in 1868 de eerste opstand tegen de Spanjaarden had geleid, hij is ook een afstammeling van hem. Wat hem een zeker prestige verleent, dat nog wordt verhoogd door zijn intellectuele vaardigheid en zijn grote algemene ontwikkeling. Door zijn positie binnen het bisschoppelijk college maar ook op grond van zijn politieke neutraliteit, die regelmatig opnieuw wordt bevestigd en die sommige uitgeweken oppositieleiders tot wanhoop brengt, is hij de bevoorrechte gesprekspartner van de mensen van het regime geworden.

Het is in één opzicht verwonderlijk. Mijn vader sprak met mij niet over religie. Na mijn geboorte had hij echter graag gehad dat ik werd gedoopt – mijn moeder, die niet gelovig en zelfs ronduit antiklerikaal was, had hem zijn gang laten gaan. In mijn kinderjaren heb ik nooit kwaad horen spreken over de Kerk. Mijn grootmoeder Graciela bleef trouw aan haar christelijke geloof. Ze had de apostolische nuntius gevraagd een goed woordje voor haar zoon te doen bij Fidel Castro. Ze wist dat paus Johannes Paulus II, wiens bezoek aan Cuba regelmatig werd aangekondigd en dan weer uitgesteld, om gratie had gevraagd.

Dat privé-gesprek met pater Carlos Manuel de Céspedes had mijn vader gewenst. Om samen te bidden, de man van de daad en de man van de meditatie; om te biechten waarschijnlijk, om te praten over bepaalde dingen, die de priester als enige kon aanhoren op die plek, een gevangenis waar hij streng werd bewaakt, en op dat moment, tijdens de laatste uren die hem nog restten. Maar was mijn vader daar wel duidelijk over geïnformeerd? Ik twijfel er nog steeds aan.

Sindsdien draagt Carlos Manuel de Céspedes op verzoek van mijn grootmoeder ieder jaar op 13 juli een speciale mis op ter nagedachtenis aan Tony de la Guardia. Bovendien wil Mimi dat er een herinneringsmis wordt gelezen op de dertiende van iedere maand.

Op 15 juli 1989, twee dagen na de executie, ben ik naar het Cementerio de Colón gegaan om me met mijn grootmoeder en Maricha, de vrouw van Patricio, over het graf van mijn vader te buigen. Zoals staat aangegeven op de overlijdensakte die Maria Elena heeft gekregen, heeft het graf het nummer 46427. De enige versiering is een kruis in reliëf op een kleine witte steen.

Ik heb de laatste gedachten die er bij hem zijn opgekomen op het moment dat hij afscheid van me nam, de nacht van de executie, bij me op een simpel blaadje papier:

Lieve, kostbare Ileana,

Mijn tijd loopt ten einde. Ik wil je alleen zeggen hoeveel ik van je heb gehouden en wat je voor me hebt betekend, wat je me aan het einde van mijn leven hebt geleerd en wat je me hebt laten zien dat je bent, een waarachtig mens, mijn lieverd. Je gedrag heeft indruk op me gemaakt. Ik kende je niet echt goed. Het heeft me een onvoorstelbare kracht gegeven, en Mari ook. Je bent een weergaloos voorbeeld geweest. Ik geloof niet dat er veel revolutionairen zijn zoals jij. Ik hoop alleen dat ik op een of andere manier iets heb betekend in jouw opvoeding. Lieverd, ik houd veel van Jorge. Vergeet niet Mimi en Popin, Mari en je broers te helpen. Ik zeg vandaag nogmaals tegen je dat er weinig vrouwen zijn zoals jij en daar ben ik heel trots op. Ik weet zeker dat je een voorbeeld zult zijn voor allen. Ik heb geen woorden om te zeggen hoeveel ik van je houd. Ik vraag je alleen altijd trots te blijven op je vader, evenals op je broers, help hen, ik houd zielsveel van je, en nog meer houd ik van je.

Je vader, Tony

We hebben niet genoeg tijd gehad om elkaar te leren kennen, dat denk je bij jezelf wanneer een dierbare persoon je voorgoed ontvalt. Mijn vader kende me 'niet echt', maar wie kan pretenderen de ander te kennen? Toch kende hij me goed genoeg. Hij wist dat ik, omdat ik de situatie op Cuba kende, in staat zou zijn bij het lezen van zijn laatste woorden het kaf van het koren te scheiden.

Hoe zou ik bijvoorbeeld een voorbeeldige 'revolutionaire' kunnen zijn? Dat is weer zo'n stijlfiguur. Ik let liever op zijn conclusie. Aan zijn oudste dochter vraagt de terdoodveroordeelde altijd trots te blijven op haar vader. Dat zegt wel iets. Hij vraagt haar niet trots te blijven op de Revolutie, waarvan hij op papier niet kan zeggen dat die hem en zijn familie in diskrediet heeft gebracht. Want de Revolutie is al veel te lang geleden in diskrediet gebracht door de man die er voor het leven de leider van is geworden.

Er zijn sinds de executie een paar dagen verstreken. De officieren van de contraspionage komen ons thuis in Miramar opzoeken. Onder hen bevindt zich Osmel. Maar ook een zekere Ramiro, die zich voorstelt als hun chef. Het Minint, leggen ze uit, heeft hen bij een nieuwe sectie ingedeeld: het team voor toezicht en controle van de familie van de veroordeelden.

In Miramar, ter hoogte van Calle 66, tussen Septima en Nona Avenida, ofwel in de voormalige ruimte van een van de eenheden van M C, die van wijlen Amado Padrón, richten ze hun kantoren in. Een plek die ik goed ken: mijn vader had er weleens bijeenkomsten gehouden. En uit hoon en cynisme heeft Abelardo Colomé Ibarra besloten deze ruimte over te dragen aan de mensen die hem hebben laten fusilleren...

De eerste keer dat Ramiro bij mijn grootouders komt aanzetten, wacht hij niet tot hem gevraagd wordt binnen te komen. Hij staat al binnen wanneer hij op heel vertrouwelijke toon mijn grootvader aanspreekt.

'En, hoe gaat het, beste kerel?'

Popin is diep verontwaardigd over zoveel ongemanierdheid. Het feit dat een of andere gluiperd van het Minint denkt dat hij zo bij hem binnen kan vallen, wekt zijn woede.

'Hoe zou het met me gaan? Na wat jullie me hebben aangedaan! Jullie hebben mijn ene arm geamputeerd. En de andere hebben jullie vastgebonden.'

Omstreeks 20 juli hebben we een ontmoeting met Patricio. Het Minint heeft zijn vrouw Maricha, zijn twee zonen Patricito en Hector, mijn grootouders en mij toestemming gegeven om hem te bezoeken in Villa Marista. Niemand van ons heeft hem weergezien sinds de executie van Tony. Ik ben getroffen door de waardigheid van mijn oom. Hij praat vriendelijk tegen Mimi. Hij wil haar ervan overtuigen haar verdriet te bedwingen. Hij zweert dat we het ergste hebben gehad, dat hij in goede gezondheid verkeert, dat hij in vorm blijft. Hij vraagt zijn vrouw om moed te houden. Hij wil ons graag allemaal geruststellen.

In de laatste dagen van juli 1989 komt Osmel weer eens opdagen. Deze keer parkeert de 'psycholoog' van Villa Marista buiten het hek. Geheel zichzelf. Onverstoorbaar. Zoetsappig. Hij komt het verhaal houden dat we kort voor de executie al hebben gehoord bij Marchita, de tweede vrouw van mijn vader: de Revolutie heeft onze medewerking nodig; de voltrekking van het vonnis was onvermijdelijk; er was geen andere weg mogelijk want de drugssmokkelaars moesten gestraft worden, anders zouden de Verenigde Staten Cuba binnenvallen, enzovoort.

De komedie heeft lang genoeg geduurd. Ik sla een hoge toon aan om het hem te laten voelen.

'Denk je dat we zo naïef of zo achterlijk zijn dat we niet hebben begrepen hoe deze regering functioneert? Wij weten maar al te goed dat er op Cuba een drugssmokkelaar als Robert Vesco is, die door de Amerikaanse justitie is beschuldigd. Toch heeft Fidel Castro hem in bescherming genomen, ondanks het verzoek om uitlevering van de Verenigde Staten. Dus waar heb je het over? Dit is meten met twee maten, nietwaar?'

'Rustig maar,' draalt Osmel.

Niet voordat hij me heeft laten uitspreken: 'Mijn vader hebben jullie in de gevangenis gegooid, jullie hebben hem zwart gemaakt in een proces, jullie hebben hem gefusilleerd. En Vesco? Die sluiten jullie niet op vanwege drugssmokkel. Hij leidt zijn eigen leven. Hij heeft recht op respect. Hij wordt gehuisvest. Hij wordt geëscorteerd door lijfwachten. Intussen kan hij doorgaan met zijn "speciale bezigheden". Met de zegen van de regering. Alles eerlijk delen. Zo komt iedereen aan zijn trekken, nietwaar? Zeg eens! Hoe moeten we je onder zulke omstandigheden nou serieus nemen? Het houdt geen steek wat jij vertelt! Het is bedrog!'

Het is de laatste keer dat Osmel en ik elkaar hebben gesproken.

Mijn moeder wil graag dat we er eens even tussenuit gaan en stelt voor om Jorge, mijn broer Antonio en mij mee te nemen om ver van Havana tot rust te komen. Ze plant een verblijf van een week in de bergen. Fernando, haar man, is generaal. Hij leidt een gezondheids- en herstellingsoord van het leger in het Escambraygebergte. Maar Fernando, die daartoe een verzoek had ingediend bij zijn superieur, een generaal van de FAR die direct ondergeschikt is aan Raúl Castro, krijgt te horen dat hij ons daar niet mag ontvangen.

Was hij misschien weer te naïef? Mijn stiefvader is erg ontstemd over deze weigering. Hij gaat door en besluit ondanks alles in die streek onderdak voor ons te vinden, zonder dat hij zich realiseert hoe duur dat hem zal komen te staan. En zo gaan we, na een autorit van drie uur vanuit Havana, logeren bij een boer die hij kent.

De boer en zijn vrouw zijn op leeftijd. Ze wonen in een klein huis, niet ver van Cienfuegos. Hun kinderen zijn volwassen. Die wonen nu op Trinidad. Het huis is primitief. Muren en tussenwanden van hout, een cementen vloer en balken aan de zoldering. Er zijn weinig dieren op de boerderij, met uitzondering van een paar paarden en een hoenderhof. De boer klaagt over de bende. Veel van zijn producten liggen ter plekke te bederven omdat de autoriteiten ze niet komen afhalen. De oogst is voor iedereen verloren. De Cubaanse landbouw wordt tot in het absurde door de overheid beheerd. Een boer mag niet rechtstreeks aan klanten verkopen – als de inspecteurs hem zouden betrappen zou hij worden bestraft en beboet.

Door het reliëf en het groen, en daarbij een overvloedige regenval, biedt de plek waar de boerderij ligt verscholen een prachtig uitzicht. De Escambrayketen met een gemiddelde hoogte van zevenhonderd meter bezit een microklimaat dat bij kuurgasten erg in trek is. Eucalyptussen, dennen, reuzenvarens (*Helechos*): de tropische vegetatie bedekt hellingen en dalen. Ik adem de zuivere lucht in zonder last te hebben van claustrofobie. De omgeving ligt nauwelijks ingesloten. Dit berglandschap is vol openingen, vergezichten en vluchtlijnen, die voor een schitterende reeks achtergronden zorgen.

Fernando brengt de levensmiddelen. De vrouw van de boer en mijn moeder zijn druk in de weer met koken. We maken elke dag te paard of op de rug van een muilezel tochtjes door de bergen. Mijn moeder heeft voor de Revolutie bij een rijschool leren paardrijden. Ik ben geen ervaren amazone, maar door de lichamelijke inspanning en de aanblik van de bergen voel ik me buitengewoon ontspannen. Op de steile wegen laat ik, rechtop rijdend door een landschap van een aangrijpende schoonheid, mijn fantasie en mijn gedachten de vrije loop.

Soms denk ik op zulke momenten aan de vakanties van vroeger, toen mijn vader me meenam naar Soroa, in het westen van Cuba, in de provincie Pinar del Río. Dat was echt heerlijk. We maakten uitstapjes, lopend of te paard, door het tropische berglandschap.

Mijn grootvader, ingenieur Mario de la Guardia, had er, vóór de Revolutie, een van de eerste woningen laten bouwen. Hij was de man die het hydraulische systeem had bedacht van wat later een toeristenoord zou worden dat druk werd bezocht vanwege zijn waterval, El Salto, vanwege het bad met zwavelwater dat was aangelegd in 1945 en erg in trek was bij reumapatiënten, en vanwege de botanische tuin met een groot aantal soorten orchideeën. Het blijkt dat mijn vader daar altijd een passie voor heeft gehad. Hij heeft me nooit verteld naar welke variëteit zijn voorkeur uitging. Het enige wat ik weet, is dat hij er een kas voor had ingericht in zijn huis in Siboney, Havana.

Het huis van mijn grootvader bestond uit een woonkamer, een eetkamer, twee slaapkamers en twee badkamers. Ernaast lag een zwembad. Een terras liep langs de tegenoverliggende gevel met uitzicht op de heuvel van Soroa, waarbovenop het rococo Castillo de las Nubes stond, het Kasteel in de Wolken...

Mijn grootvader had het na de Revolutie eerst mogen houden. In 1963 had de Cubaanse regering verordend dat een familie niet meer dan één huis mocht bezitten en bewonen. Aangezien zijn zoons Tony en Patricio in dienst van de Staat waren, had Popin uitstel gekregen. Hij had het voorrecht genoten het nog enige tijd te mogen gebruiken. Tot de dag waarop hij er afstand van moest doen, zoals ook mijn vader en mijn oom na tussenkomst van Fidel Castro hun huis La Communa in Havana hadden afgestaan aan Celia Sánchez.

Ik herinner me dat het huis in Soroa heel mooi was. De familie die er woonde heeft Cuba verlaten. Sindsdien hebben ze er een restaurant van gemaakt – dat in de toeristengidsen wordt vermeld.

Ik kreeg een eerste beeld van de armoede van de boeren tijdens zo'n verblijf in Pinar del Río, toen we daar in de loop van de jaren zeventig en tachtig samen met mijn grootouders, mijn vader en mijn oom verbleven. Toch waren de boeren van Soroa veel minder arm dan die in het Escambraygebergte, die verspreid woonden in de dalen van de bergen. Aan weerskanten van de weg die dwars door de bergen loopt verkochten ze hun producten aan het toeristencomplex. Soroa was erg gegroeid sinds de bouw van een school en een kliniek. Er kwamen meer mensen naartoe. Mijn grootvader was daar blij mee: 'Je ziet, Ili... Dankzij de Revolutie gaat het veel beter met de boeren.'

Het is een streek die mijn man ook kent. Jorge Masetti was negentien toen Piñeiro, de chef van het departement Amerika, hem zijn militaire opleiding had laten volgen op een plek niet ver van Soroa, in het trainingskamp Los Petis, een kamp dat overigens werd toevertrouwd aan een eenheid van de Speciale Troepen, en ook wel Zone 36 werd genoemd.

Er is een week voorbij. Mijn moeder is van plan nog een paar dagen met Fernando in het Escambraygebergte te blijven. Jorge en ik maken liever een omweg langs Varadero voordat we terugkeren naar Havana.

Mijn oudtante Maria verwelkomt ons met haar gebruikelijke hartelijkheid en enthousiasme. Zij die nooit *Granma* leest, heeft van het proces en de dood van mijn vader gehoord via Radio Martí of Radio Key West, maar 'mondje dicht'. We hebben het er niet over. Drugshandel? Voor Maria maakt de officiële versie deel uit van de propaganda en de permanente zelfrechtvaardiging van Fidel Castro. Zij en haar man hebben begrepen dat het ging om een conflict aan de top van het Staatsapparaat en dat mijn vader was opgepakt bij wijze van zoenoffer.

Jorge en ik zijn weer thuis in Havana. Op 13 augustus komen we met mijn grootmoeder bijeen in de Santa Teresakerk. In deze mooie kerk in de oude stad, gelegen tussen het Museum voor Schone Kunsten en het Palacio de Los Capitanes Generales, draagt pater Carlos Manuel de Céspedes de eerste mis op ter nagedachtenis aan Tony de la Guardia.

Rosa en Ana zijn er ook, de twee vrouwen die Mimi thuis in Miramar helpen.

Rosa is een donkere vrouw. Ze leeft heel armoedig. Met haar gulle karakter heeft ze ons vanaf het begin van het drama vaak getroost. Ze is een aanhangster van de *santería*. Haar woning is vlak bij onze flat. We kunnen haar altijd gemakkelijk bezoeken en even voor haar altaar blijven staan. Ze bidt om te vragen of de heiligen ons de weg willen wijzen.

Een paar dagen eerder had Rosa, toen ze naar het appartementje van Jorge en mij kwam om schoon te maken en te koken, erop gestaan om zo'n beetje overal *cascarilla* rond te strooien, het witte poeder dat wordt gebruikt bij de *santería*. Verder had ze me ook gevraagd witte bloemen te kopen. Ik had gedaan wat ze vroeg.

Mijn vader is nu al meer dan drie weken dood. Maar Rosa verzekert me dat ze hem zojuist heeft gezien, daar, op enkele passen afstand van mij. Ze zag hem in mijn leunstoel zitten. Daarna verdween hij. Wat moet ik daarvan denken? We moeten hem helpen naar de hemel te gaan, vervolgt ze. Op dit moment kan hij dat niet. Zolang hem geen recht is gedaan. Ze besluit haar commentaar op het visioen met de woorden: 'Jij bent zijn oudste dochter, Ili. Jij moet hem dus in de eerste plaats helpen.'

Door eerst maar eens te bidden, suggereerde Rosa. In feite hebben zij en Ana me overreed met mijn grootmoeder mee te gaan naar de Santa Teresakerk.

20

De zaak-Ochoa is op 13 juli niet ten einde, zelfs niet na afloop van het proces-Abrantes. Terwijl de psychologen van de Staatsveiligheidsdienst de familie van de veroordeelden onder druk zetten om hen ertoe te brengen mee te werken, schrijven de 'rechterlijke autoriteiten' het scenario voor een volgend proces. Bij wijze van represaille. Ze zijn van plan drie dissidenten te laten veroordelen. Buitenlandse journalisten hebben hun verklaringen opgetekend en daarbij de onregelmatigheden van het proces-Ochoa aan de kaak gesteld

Elizardo Sánchez Santa Cruz, Hiram Abi Cobas en Hubert Jerez zijn op 6 augustus 's ochtends in Havana gearresteerd. Ze moeten een dezer dagen verschijnen voor een 'volkstribunaal'. Voor een openbaar proces. Maar er is een valstrik gespannen. Maricha, de vrouw van mijn oom, is daarover ingelicht door een officier van de Sectie Familiecontrole. Het is de bedoeling om in de rechtszaal mijn oom Patricio de la Guardia te laten verschijnen. In de hoedanigheid van getuige à charge. Om hem te laten getuigen tegen Sánchez, Abi en Jerez!

Elizardo Sánchez Santa Cruz is de tweede steunpilaar van de groep dissidenten. Als vroegere filosofiedocent had hij eerst Gustavo Arcos en de ex-communist Ricardo Bofill Pages op de voet gevolgd. Samen hebben ze actie gevoerd binnen het Cubaanse Comité voor de Mensenrechten. Wegens een verschil van mening met Bofill – die het eiland in 1988 zou verlaten nadat hij naar de Franse ambassade in Havana was gevlucht – is Elizardo vanaf oktober 1987 de drijvende kracht van de

Comisión Cubana de Derechos Humanos y de Reconciliación Nacional (CCDHRN)*.

Hoe kan deze intrige verijdeld worden? Er zijn niet zoveel manieren om die te ondermijnen. Maricha, Jorge en ik hebben meteen afgesproken het bedrog aan het licht te brengen in het geval het tribunaal inderdaad Patricio de la Guardia zou oproepen om de dissidenten tegen te spreken door te verklaren dat hijzelf, een van de medebeschuldigden in het proces-Ochoa, geen enkele schending van de mensenrechten had ondervonden.

Als mijn oom die rol zou moeten spelen, vooropgesteld dat het proces inderdaad openbaar zou zijn, waren wij bereid alle drie tegenover het tribunaal te zweren dat hij alleen onder dwang daartoe was gebracht en dat zijn woorden daarmee totaal onontvankelijk werden.

Maricha brengt de ambtenaar die belast is met de enscenering van het 'volksproces' daarvan op de hoogte: 'Brengt u Patricio mee als u daar zin in hebt... Maar weet wel dat wij luid en duidelijk de waarheid zullen vertellen over deze schijnvertoning!'

Op de afgesproken dag staan we buiten bij een gebouw van Centro Habana. De ingang wordt gecontroleerd: vertegenwoordigers van de pers worden niet toegelaten, maar deze keer mag het publiek wel naar binnen. Ze laten Maricha, Jorge en mij een zaal binnengaan. Een stuk of vijftig mensen hebben al plaatsgenomen, familieleden van de beschuldigden en mensenrechtenactivisten. Als er getuigen moeten verschijnen en als Patricio daar één van is, worden die op een andere plaats vastgehouden, niet in de rechtszaal.

De spanning stijgt. Ik houd mijn ogen op de aanklager gericht. Op welk moment hebben ze gepland mijn oom te laten getuigen? Zullen we genoeg tijd hebben om te protesteren voordat we eruit worden gezet? Mijn keel zit dichtgesnoerd van de spanning. Ondertussen wijzen Sánchez en de twee andere beklaagden rustig de beschuldigingen af. Er wordt hun verweten valse berichten te hebben verspreid in het buiten-

---

* Noot v.d. vert.: Cubaanse Commissie voor Mensenrechten en Nationale Verzoening.

land. Op Cuba kan dat als een van de ergste misdrijven worden opgevat: heulen met de vijand. De dissidenten ontkennen. Ze hebben geen verraad gepleegd of aangezet tot ongehoorzaamheid.

De zitting wordt opgeheven. Ik kan weer ademhalen: uiteindelijk hebben ze ervan afgezien Patricio mee te brengen! De beschuldigden worden veroordeeld tot gevangenisstraffen. Als prijs voor zijn vrijmoedigheid zal Elizardo Sánchez drie jaar in gevangenschap moeten doorbrengen.

Eind augustus verlaat Patricio de la Guardia Villa Marista. Hij wordt overgebracht naar Guanajay, een strafgevangenis op een afstand van vijftig kilometer ten westen van Havana. In een paar weken tijd heeft het Minint een speciale gevangenis laten bouwen. Binnen de uitgestrekte omheinde ruimte die wordt bewaakt door uitkijktorens zullen hier de veroordeelden van het proces-Ochoa ('Zaak 1/1989') en die van het proces-Abrantes ('Zaak 2/1989') weer bijeengebracht worden.

De minister van Binnenlandse Zaken die aan de vooravond van het proces-Ochoa-De la Guardia stilletjes is ontslagen en officieel is gearresteerd sinds 31 juli 1989, is zojuist door een krijgsraad veroordeeld tot twintig jaar gevangenisstraf. Wegens 'slordigheid' in het gebruik van geld dat met name afkomstig was van het departement M C. Verder niets. De aanklager meent er namelijk van overtuigd te zijn dat generaal Abrantes de drugssmokkel waarmee zijn ondergeschikte, Tony de la Guardia, zich op eigen gezag had beziggehouden, niet heeft gewild noch verborgen heeft gehouden. Hoe moeten we dat fabeltje geloven?

Generaal Abrantes was de superieur en vriend, naar mijn idee trouwe vriend, van mijn vader. Ze waren beiden sportief en zagen elkaar regelmatig voor een partijtje squash. De ernst van de beschuldigingen tegen een van zijn naaste hogere officieren in aanmerking genomen, zou het logisch zijn geweest dat de naam Abrantes in de loop van het vooronderzoek werd genoemd; het zou logisch zijn geweest dat hijzelf werd opgeroepen om te getuigen, als getuige (à charge of à decharge) of als medebeklaagde... Justitie zou er belang bij hebben gehad om Abrantes te horen. Justitie, maar niet Fidel Castro.

Want ondanks de virtuositeit van de man die het allemaal heeft uitgedacht is de gerechtelijke logica op Cuba in feite even weinig nauwkeurig en even weinig coherent als die van Ubu-Roi*.

Arnaldo Ochoa en Tony de la Guardia zijn samen berecht terwijl ze geen nauwe banden met elkaar hadden wat betreft werk of vriendschap.

Patricio is samen met Tony berecht, niet wegens zijn betrokkenheid bij drugshandel, maar omdat hij zijn tweelingbroer was en hij hem niet had aangegeven.

En Diocles Torralba, de vriend van Arnaldo Ochoa en de schoonvader van Tony, die op de avond van 12 juni gelijk met hen werd gearresteerd, was ondertussen al berecht, maar apart, en door een andere rechtbank. Een rechtbank voor civiele zaken, die achter gesloten deuren zitting hield en die volkstribunaal werd genoemd, had hem tot twintig jaar veroordeeld. Zich beroepend op bepaald 'ongeoorloofd gebruik van financiële middelen', bijvoorbeeld bij de invoer en de illegale doorverkoop van auto's.

Er is nog een onregelmatigheid waarvoor nooit een verklaring is gegeven: anders dan bij het proces-Ochoa heeft het proces-Abrantes zich achter gesloten deuren afgespeeld. Onder de medebeschuldigden was nota bene de man die mijn vader had meegedeeld dat hij op 12 juni 1989 om middernacht was gearresteerd, de vice-minister van Binnenlandse Zaken Pascual Martínez Gil.

De 'speciale' gedetineerden van Guanajay zitten volkomen geïsoleerd in celblokken met microfoons die op enige afstand van de hoofdgebouwen staan. Het nieuws van deze overplaatsing doet ons vrezen voor het leven van Patricio. Er kan hem van alles overkomen wat verborgen of goedgepraat zal worden...

Maricha ziet hem daar in september weer terug. Ze heeft voortaan recht op één maandelijks bezoek (maar dat is een regel die ieder moment kan veranderen). Patricio voelt zich voortdurend bespied. Hij lijdt onder het isolement. Hij is erg vermagerd. Zijn vrouw brengt hem zoveel voedsel als ze kan.

* Noot v.d. vert.: Hoofdpersoon uit de gelijknamige klucht uit 1896 van de Franse schrijver Alfred Jarry.

Het is verschrikkelijk warm in Havana. Daardoor worden de vermoeidheid en de nerveuze spanning nog veel heviger. Toch weet ik dat het nu niet de tijd is om Cuba te verlaten. De schok die mijn grootmoeder te verduren heeft gekregen, ligt nog te vers in het geheugen. Ze heeft me nodig. Ik kan haar de eerste maanden niet in de steek laten.

Hoewel ik word geobsedeerd door de gedachte dat ik wil vertrekken, moet ik wel op het eiland blijven. Wanneer er op een nieuwe school voor slechtziende kinderen een psychologe wordt gevraagd, accepteer ik die functie zonder aarzelen.

Deze instelling voor lager onderwijs zal in september voor het eerst opengaan. De school is gelegen in de wijk La Lisa, aan de zuidoostelijke rand van Havana en haar voorsteden. Er zijn leerlingen van vijf tot elf jaar. Ze worden omringd door onderwijzers en artsen die hun 's ochtends lesgeven en 's middags medische zorg en oefeningen.

Er staat me een verrassing te wachten. Ik krijg het een dag van tevoren te horen: Fidel Castro zal in eigen persoon bij de feestelijke opening van de school aanwezig zijn. Ik heb geen keus. Ik zal die dag op mijn plaats moeten zijn.

Het is het begin van de middag. Ik ben al naar mijn kamer gegaan, het kantoortje dat voor de psycholoog is bestemd, wanneer Fidel Castro, aan het hoofd van de stoet officiële personen en functionarissen van de school, de gebouwen langs begint te gaan.

Daar stapt hij in militair uniform het kamertje binnen. Ik zit aan mijn tafel. Het kost me geestelijk een bovenmenselijke inspanning om op te staan. Zijn escorte blijft samengedromd in de gang bij de deur staan. Met zijn dunne baard en waanzinnige ogen lijkt hij niet verbaasd te zijn dat hij me daar aantreft. De mensen van de beveiliging zijn op de hoogte van de identiteit van ieder personeelslid van de school en hebben hem zeer beslist ingelicht over mijn aanwezigheid.

We geven elkaar geen hand.

Alsof er niets aan de hand is, vraagt hij: 'Wat doe je hier?'

'Ik ben de schoolpsychologe.'

Nadat hij plotseling omhoog heeft gekeken, begint hij grappen te maken.

'Nee maar, zie je dat? Er valt water uit het plafond!'

Eerst was zijn aandacht getrokken door een groene plant. Die had ik neergezet onder een lek dat sinds kort in het plafond was ontstaan.

Het water kwam druppelsgewijs uit een scheur gestroomd, zodat de grond van het kamertje nat werd. Deze nieuwe school was prefab en er werd ook al over andere gebreken geklaagd.

Hij moet glimlachen om mijn list. Dan wendt Fidel Castro zich tot de directrice. Op spottende toon vaart hij tegen haar uit: 'Nou nou, vertelt u eens: wat gebeurt hier?'

'O ja, er is hier inderdaad een probleem. We hebben het net ontdekt. We zullen het snel oplossen.'

Als hij mij zijn hand had toegestoken, de hand die hij had opgeheven om het doodvonnis tegen mijn vader te bekrachtigen, wat zou ik dan gedaan hebben? Vreemd genoeg heb ik mezelf die vraag niet gesteld. Misschien was ik de kamer uitgelopen... Ik weet niet waarom, maar ik wist bijna zeker dat het zo zou gaan.

Fidel Castro had zeker iets uitdagends. Toch heeft hij de provocatie niet verder doorgedreven.

Hij draait me zijn rug toe en verdwijnt om de hoek van de deur.

De stoet volgt hem op de voet om verder langs alle klassen te gaan. De sfeer is tegelijkertijd plechtstatig en goedmoedig. 's Ochtends was het hele personeel gefascineerd en gevleid geweest: 'O, moet je nagaan: Fidel Castro komt vandaag bij ons op bezoek!'

Ik kan het hun niet aanrekenen. De docenten, de directrice, de beheerder en zijn echtgenote op het secretariaat: vanaf ons eerste contact zijn ze allemaal beleefd en attent tegen me. De school heeft voornamelijk vrouwen in dienst, die heel respectabel zijn en de kinderen zeer zijn toegewijd. Allemaal weten ze wie ik ben: de dochter van een van de officieren die op 13 juli zijn gefusilleerd. Nooit stellen ze me vragen over de 'affaire', maar ze maken zich oprecht ongerust over mij en mijn familie. Ze zouden me graag willen helpen. Ik ben daar erg door geroerd. Soms geven ze me sinaasappels voor mijn grootmoeder.

Fernando, de man van mijn moeder, hoort in de loop van september dat hij ontslag heeft gekregen als administratief directeur van het gezondheidscentrum in het Escambraygebergte. Binnen enkele weken is die maatregel genomen. De stappen die hij via de hiërarchische weg had ondernomen om toestemming te krijgen Jorge en mij daar in de zomer te ontvangen, vielen niet in de smaak bij Raúl Castro, de minister van de Strijdkrachten.

Mijn moeder geeft geen commentaar op het besluit. Eigenlijk is ze, na zoveel vermoeidheid en opgehoopte emoties, opgelucht. Mijn stief-vader zal eerst omschakelen naar een functie in de burgermaatschappij door bij de spoorwegen te werken. Na een paar jaar zal hij tot de groep Cubaanse generaals behoren die op een zijspoor zijn gezet en het voor-werp zijn van wat op Cuba 'het pyjamaplan' wordt genoemd.

In bepaald opzicht heb ik nog steeds een zekere achting voor hem. Ik heb begrip voor zijn naïviteit. Alles in aanmerking genomen ver-keert hij in dezelfde situatie als heel veel Cubanen. Hij en mijn moeder hebben hun hele jeugd met de Revolutie doorgebracht. Ze geloofden erin. Ze hebben zich later gerealiseerd dat beloften niet zijn nageko-men, dat hun inspanningen tot verkeerde resultaten of tot niets heb-ben geleid. Ze hebben niet de mogelijkheid gehad de buitenwereld te leren kennen om afstand te kunnen nemen. Fernando heeft weinig ge-reisd.

En dat Fidel Castro vandaag de dag nog steeds aan de macht is, on-danks veertig jaar eerst verborgen en vervolgens openlijke dictatuur, dat het leger nog steeds even machtig en alomtegenwoordig is in het leven in dit land, komt doordat er veel mensen als Fernando zijn, die dachten dat de Revolutie een weldaad was, en jammer dan als de resul-taten op zich lieten wachten! Dat was altijd de schuld van een derde: de contrarevolutionair van binnenuit of de Amerikaanse samenzweerder die op het punt stond op het eiland neer te strijken.

Fernando maakt deel uit van de generatie die lange tijd alles heeft goedgepraat wat er gebeurde in naam van de Revolutie. Voor trots heeft men meer respect dan voor de waarheid. Ondanks zijn duidelijke mislukking kan hij zichzelf niet ter discussie stellen, zo bang is hij dat hij de mensen gelijk moet geven die hij tot dan toe als vijanden heeft beschouwd. Alsof het daarom gaat...

Hij weet dat men langzamerhand taboes naast zich neer begint te leggen. Sommige mensen durven heimelijk te zeggen dat 'het minder erg was onder Batista'. De dictatuur van 1952-1958 heeft de Cubaanse maatschappij geteisterd, geestelijk meer dan structureel. In feite had Batista's macht zich nooit zo ver en zo diepgaand uitgebreid als de macht die Fidel Castro, omgeven door zijn staatsapparaat en zijn poli-tiemacht, zichzelf heeft toegekend.

Batista had natuurlijk de Republiek ten val gebracht. Hij had de zeden bedorven, hij had de gangsters van de staatspolitie de vrije hand gegeven. Maar hij had niet via een juridische en fysieke strijd iedere bron van onenigheid uit de weg geruimd. Hij had niet de privacy van iedere familie geschonden, de privacy van ieder mens. Hij had niet geprobeerd de burgermaatschappij te veranderen zoals het hem uitkwam. Hij had niet de onafzetbaarheid van rechters en het recht op verdediging ter discussie gesteld. Hij had amnestie verleend, waarvan Fidel Castro zelf had geprofiteerd. Hij had geen scholen of kranten van de oppositie gesloten...

Ook al is Fernando in ongenade gevallen, mijn moeder zal niet van mening veranderen. Ze heeft ooit besloten op Cuba te blijven, en ze zal er ook blijven. Ze is er geboren. Ze heeft er haar huis, haar man, haar vrienden en haar werk. Door haar colleges kunstgeschiedenis en industrieel ontwerpen kan ze de jonge Cubanen die nog niet zijn vertrokken iets van de westerse beschaving laten zien. Ze heeft het gevoel dat ze zich nuttig maakt. Ze is bijna zestig en ziet zichzelf nog niet ergens anders een nieuw beroepsleven beginnen. Cuba is haar land. Net als Fernando is ze van de generatie die ervoor had gekozen zich aan te sluiten bij de revolutionaire ontwikkeling toen een ander deel van diezelfde generatie het land liever verliet. Ik respecteer haar beslissing.

21

Ik werk al bijna drie maanden op de school voor slechtziende kinderen wanneer ik voor het eerst zwanger word. Toevallig is Maricha me een paar weken voor. Mijn tante is in verwachting. Zij en Patricio de la Guardia hebben de baby verwekt tijdens een van haar bezoekjes aan de gevangenis in Guanajay.

Het is wat mij betreft niet het beste moment, maar Jorge en ik zijn bereid het kind dat zich aankondigt te laten komen. Later gaat het verkeerd. Er wordt me een hormoonbehandeling voorgeschreven om een miskraam te voorkomen. Maar op een dag in februari 1990 begin ik alarmerende pijnen te krijgen.

Jorge neemt me mee naar het González-Coro-ziekenhuis in Vedado. De behandeling die je er krijgt schijnt goed te zijn, maar de entourage laat te wensen over. Een vervallen gebouw. Afgebladderde verf. Ik hoor de mensen klagen dat het water veelvuldig wordt afgesloten.

Jorge kijkt me bedroefd aan.

Ze hebben mijn man verboden mee naar boven te gaan voor het onderzoek.

Te laat. Er is niets meer aan te doen, vertelt de dienstdoende arts. Het kind is verloren. Het is mijn eerste miskraam. Er moet een curettage worden verricht om infectie te voorkomen.

Na de ingreep onder verdoving word ik wakker in een vuile kamer met schilferige muren, zonder licht. Jorge zit bij me. Hij zucht. Hij ergert zich aan wat hij om zich heen ziet. Hij gaat erover klagen bij het ziekenhuispersoneel: 'Beseft u dat wel? De mensen worden hier behandeld als beesten!'

Voor Jorge is er geen sprake van dat hij mij de nacht laat doorbrengen in die armoedige kamer. Hij vraagt aan de chef de clinique of ik weg mag. Ze is ertegen. Maar dan kent ze mijn man nog niet. Jorge is vastbesloten. Hij dringt met zoveel overtuiging aan dat ze ten slotte toestemt.

20 december 1989. Het Amerikaanse leger landt in Panama. Generaal Noriega had het land vijf dagen eerder in staat van oorlog met de Verenigde Staten verklaard, op dezelfde dag dat hij zich, direct na zijn gewelddaad, door het parlement tot regeringsleider had laten benoemen. De militaire ingreep 'Rechtvaardige Zaak' komt als sanctie voor de provocaties van Noriega, die door Washington na de incidenten die volgden op de laatste verkiezingen wordt beschuldigd van corruptie, drugssmokkel en machtsmisbruik. De dictator van Panama heeft lange tijd gelaveerd tussen de diensten die hij de Colombiaanse drugskartels, de CIA en Fidel Castro bewees. Ik heb gehoord dat het bezoek aan Fidel op 9 juni 1989 door de slappe president van Panama, Manuel Solis Palma, die was gemanipuleerd door Noriega, het besluit tot arrestatie van Ochoa, van de gebroeders De la Guardia, enzovoorts, kan hebben verhaast. Noriega zou via hem hebben laten weten dat de Verenigde Staten na de onthullingen van Reinaldo Ruiz represailles tegen Cuba wilden nemen. Zou hij Fidel hebben geïnformeerd over het gerucht van een complot onder de chefs van de eenheden van de Strijdkrachten en het Minint? Dat is een andere hypothese, die nergens door gestaafd wordt. Het is een feit dat de grote vangst plaatsvindt achtenveertig uur na het bezoek van de afgezant van Noriega, Solis Palma, die kort na de invasie van Panama zal proberen naar Cuba te vluchten...

Mijn eerste pogingen om van Cuba weg te komen dateren van de laatste dagen van september 1989.

Om een visum aan te vragen bij welk consulaat dan ook moet je een uitreisvergunning overleggen. Ik kan mijn verzoek niet indienen bij het departement van Emigratie. Als dochter van een man die is veroordeeld in het proces-Ochoa, zo is me gezegd, moet ik me voortaan uitsluitend tot de Sectie Familiecontroles richten. Ik had al een eerste weigering gekregen.

Ramiro, de man die zich tegenover mijn grootvader zo lomp had gedragen, is sinds kort bij de sectie weg. We hebben een nieuwe gesprekspartner in de persoon van Agustín. Deze luitenant van het Minint, die minder familiair en eerbiediger is dan zijn voorganger, is een opvallende figuur. Hij verplaatst zich op een uit de Sovjet-Unie geïmporteerde motor met zijspan om zijn bezoekjes aan ons af te leggen.

Terwijl ik tegenover hem zojuist mijn verzoek heb herhaald, antwoordt ook Agustín dat ze me onmogelijk van Cuba kunnen laten vertrekken.

Ik vraag hem om uitleg.

'Kom aan, zeg! Het is onmogelijk omdat je een gevaar bent voor de staatsveiligheid...'

Wat voor gevaar kan ik dan zijn? Mijn vader, die wist welk gevaar ik zou hebben gelopen als hij zo onvoorzichtig was geweest me iets te vertellen, had het geheim liever meegenomen in zijn graf. Hij werd allang in de gaten gehouden. Hij wilde zijn familie ver weg houden van het killersapparaat.

Als hij me gevaarlijke informatie had gegeven, zou de Staatsveiligheidsdienst het onmiddellijk hebben geweten. In een mum van tijd zou die het nodige hebben gedaan om ervoor te zorgen dat ik mijn mond hield. Dat is hun dagelijks werk: intimideren, omkopen en opsluiten. In geval van herhaalde mislukking proberen ze de definitieve oplossing te vinden. Zonder dat ze hun handen vuilmaken. Er zijn zoveel geschikte methoden om een lastige persoon het zwijgen op te leggen. Een verkeersongeluk. Voedselvergiftiging. Zelfmoord. Een onfrisse moord.

Zonder de moed te verliezen vraag ik maand in maand uit om een uitreisvergunning. We laten weten dat we graag naar Mexico willen.

Bij een andere gelegenheid zal Agustín, profiterend van het feit dat Jorge en ik zijn gekomen om nogmaals mijn verzoek in te dienen, op zijn beurt laten zien tot welk cynisme een agent van de contraspionage in staat is.

'Wil je van het ene land naar het andere reizen?' vraagt hij plotseling aan Jorge. 'Je wilt ergens anders gaan wonen, ja? Ik begrijp je. Maar je weet best dat het niet mogelijk is zolang je bij deze vrouw blijft...'

Ik zal nooit vergeten met wat voor een ziekelijk plezier Agustín me op dat moment opnam.

'Nou, je kunt wel zeggen dat die vrouw je ellende bezorgt! Denk eens goed na. Met haar ben je nog niet klaar, geloof me. Alleen maar gesodemieter... Wat doe je nog met d'r? Je wilt op reis? Laat d'r gewoon schieten. Als ik jou was, geneerde ik me niet. Vooruit maar, ga je gang, doe waar je zin in hebt. Waar wacht je op? Ga maar, laat haar hier! Trouwens, misschien kan ze later nog naar je toe komen, voor het geval dat...'

Jorge valt hem in de rede.

'Zeg, je kent toch wel die *corrido*' (Mexicaans liedje) 'waarin ze zingen: "Ik ben een echte man; maar jij bent maar een hansworst in luitenantsuniform!"'

Dit antwoord komt voor Agustín als een koude douche. Hij springt op en probeert Jorge bij zijn kraag te grijpen. Mijn man probeert weg te duiken, wanneer kolonel Salgado plotseling verschijnt. De chef van de Afdeling Controle komt tussenbeide. De twee mannen stonden op het punt met elkaar op de vuist te gaan. Daarna zet hij ons vastberaden de deur uit, waarbij hij belooft een 'definitief antwoord' te zullen geven op ons verzoek.

Meteen de dag daarna deelt Salgado ons mee: 'Ileana zal niet van Cuba vertrekken. Het heeft geen zin er nog eens op terug te komen. En voor jou, Jorge, is er niets veranderd. Jij bent vrij om te gaan waar je wilt.'

Ik ben gebroken. We zitten in een impasse. Ik kan er niet langer tegen.

Mijn walging is nog een graadje toegenomen sinds ik heb gehoord dat de eerste vrouw van Patricio die ellendige Osmel in huis heeft genomen. Ik schaam me voor haar, en ik heb verdriet om mijn oom. Wat is er met dit land aan de hand? Weten we nog wel wat fatsoen is, weten we nog wat waardigheid is?

Mijn ex-tante heeft het aanbod tot samenwerking van Osmel meer dan geaccepteerd; ze heeft de vonnissen die Cuba en de Revolutie hebben opgelegd meer dan geaccepteerd; ze is een nieuw leven begonnen met de agent van de Staatsveiligheidsdienst, de 'psycholoog' en propagandist van Villa Marista. Als toppunt van minachting deinst Osmel er niet voor terug zich in bepaalde kleren van Patricio te vertonen.

Kan ik nog verder leven in deze atmosfeer van permanent toezicht, chantage en intimidatie? Met zo weinig uitwegen, met zo weinig hoop heb ik geen kracht meer. Ik heb langzamerhand steeds minder zin om naar mijn werk te gaan.

Iedere ochtend heb ik een huilbui voordat ik naar school ga. Mijn bezorgdheid neemt langzamerhand toe. Al is het alweer een tijd geleden, toch is het alsof de plek waar ik mijn dagen doorbreng voorgoed is besmet door de aanwezigheid van Fidel Castro. Meteen de eerste dag al had hij zijn territorium willen afbakenen. Een sadistische waarschuwing. Om me te verstaan te geven dat hij daar voor altijd zou blijven, dat hij ieder moment kon komen binnenvallen, dat hij me daar voortdurend kon laten bespieden, dat hij me tot in het oneindige in zijn macht had, dat het hem absoluut vrij stond met me te doen wat hij kon doen met een insect dat hij in het holletje van zijn hand had opgesloten, hij, de moordenaar van mijn vader...

Mei 1990. Ik ontdek dat ik weer zwanger ben. Het is voor Jorge en mij een grote vreugde. Anders dan bij de eerste zwangerschap, die te snel na de dood van mijn vader was gekomen, denk ik dat ik er nu lichamelijk goed op ben voorbereid. Ondanks de stress die maand in maand uit wordt geaccentueerd door de weigering ons van Cuba te laten vertrekken.

Het is wel zo dat ik me steeds gespannener voel. De feesten waarvoor we bij deze of gene worden uitgenodigd brengen me geen plezier of troost. Ze zijn soms de aanleiding tot afschuwelijke zuippartijen. Om vrijuit te kunnen praten beginnen de mensen te drinken. Tegen die prijs kunnen ze weer oprecht, openhartig en vrijmoedig zijn. Of het nu eenvoudige mensen zijn of hoogwaardigheidsbekleders, op zulke momenten laten ze geen gelegenheid voorbijgaan om vreselijke dingen over het regime te zeggen... Op Cuba leeft men zich 's nachts uit met alcohol waarbij men dan het 'revolutionaire superego' voor even opzijzet. In de vroege ochtend is alles vergeten; iedereen neemt de plaats weer in die hem is toegewezen door de makers van de klucht.

Op een zomeravond in Miramar zijn de meeste jongemannen op het feest dronken geworden van de rum. Niemand let nog echt op de

muziek. We zijn de hele nacht wakker geweest te midden van ge-
schreeuw en gelach. Waar is de vreugde? In de herrie leven sommigen
zich uit en worden anderen futloos. Omdat ik tot de jonge vrouwen
behoor die liever nuchter en helder blijven, voel ik me meer geïsoleerd
dan ooit. Een vreemde. Van deze vrouwen zijn sommigen bevriend
met een jongeman die een goede vriend was van mijn vader en die
door de autoriteiten van de universiteit van Havana is weggejaagd.

Met een paar vrouwen zoeken we op het dak van het huis de rust
op. Het zal niet lang meer duren of de zon komt op. We kijken uit over
de zee. Ik hoor de golfjes over het zand van strand 16 kabbelen. Diep in
mijn buik zit die baby, in die buik waar ook mijn angst zich samenbalt.

Ik vind het naar om in de val te zitten op dit eiland, met het kind in
mijn buik, zo ver van de open zee, zo ver van het echte feest. Op het
dak van het huis uitkijkend over de zee krijg ik plotseling tranen in
mijn ogen. Ik kijk naar de vrouwen. Ze zwijgen. Met onze gemeenschappelijke verlangens en dromen voelen we ons heel nauw met elkaar verwant.

Bij het eerste signaal dat duidt op een miskraam springt Jorge in de Lada. Hij weet dat ik het kind deze keer tegen elke prijs wil houden. We
rijden over de Avenida 31 naar het zuiden, naar een wijk die ligt tussen
het beroemde Cabaret Tropicana en het vliegveld van Boyeros. De
moeder van Martica (de tweede vrouw van mijn vader) is verloskundi-
ge in het nationale ziekenhuis Luis Cabrera. In dat grote ziekenhuis is
een afdeling kindergeneeskunde en een afdeling verloskunde.

Ik kan bijna meteen terecht bij de moeder van Martica. Ze auscul-
teert me. De echografie is onherroepelijk. Ik slaak een kreet. Het kind
is ook nu weer verloren. Ik word naar de operatiezaal gebracht.

Op de gemeenschappelijke zaal blijken nog een stuk of tien andere
vrouwen te liggen. We hebben alleen een deken gekregen. Ook daar
ontbreken lakens en water.

Het beeld van mijn terugkomst in de flat staat in mijn geheugen gegrift: onbeweeglijk zit ik in mijn blauwe ochtendjas tegenover Jorge
die er even grauw en gedeprimeerd uitziet. Hij heeft zich dagenlang
niet geschoren. Beiden weten we niet wat we moeten zeggen. We kijken
elkaar alleen maar aan met een blik van tederheid en medelijden. Ooit
zullen we ons kind krijgen.

Op 13 juli 1990 is het een jaar geleden dat Arnaldo Ochoa, Tony de la Guardia, Amado Padrón en Jorge Martínez stierven.

Mijn grootmoeder laat ons bij elkaar komen in de Santa Teresakerk voor de mis ter nagedachtenis aan mijn vader. Die dag gaat het er niet alleen om te bidden voor een overledene. De familie De la Guardia is ook bijeen in de kerk om het kind te verwelkomen dat een paar weken eerder is geboren. Na de dienst leidt pater Carlos Manuel de Céspedes de doopplechtigheid van de dochter van wie mijn tante pas is bevallen.

Maricha en Patricio hebben ervoor gekozen haar te noemen naar de geliefde grootmoeder van vaderskant: Graciela. Tijdens de plechtigheid ben ik even ontroerd als Mimi. Vooral omdat de ouders Jorge en mij hebben aangewezen als peter en meter van het pasgeboren kindje.

Sinds mijn tweede miskraam ben ik vaak ziek. De bewaking in mijn omgeving is niet minder streng geworden. Ik word nu eens heel openlijk en dan weer op een slinkse manier lastiggevallen. Ik word depressief, ik krijg somatische klachten. Mijn werk op school lijdt eronder: om gezondheidsredenen ben ik er op sommige dagen niet. Ik wist vanaf het begin dat de directie en het personeel van de school de autoriteiten zouden informeren over mijn doen en laten, maar na het begin van het tweede schooljaar kan ik er niet langer tegen.

Op school zat ik er op een dag over te klagen dat ik regelmatig bij de ingang van bepaalde gebieden of etablissementen in Havana werd tegengehouden door een bewaker of een politieagent, toen een jonge, donkere onderwijzeres oprecht stomverbaasd was. Niet de werkelijkheid waarover ik vertelde choqueerde haar, maar het verzet dat het bij mij wekte. Ze begreep niet dat ik verontwaardigd was.

'Ik heb er bijvoorbeeld meer dan genoeg van,' had ik haar uitgelegd, 'dat ik steeds te horen krijg: "Het is verboden. Cubanen mogen hier niet naar binnen." Begrijp je wat dat betekent? Als ons wordt verteld dat we hier of daar niet gewenst zijn op ons eigen grondgebied, hoe kunnen ze ons dan oproepen om het vaderland tot onze dood te verdedigen?' En daarna had ik eraan toegevoegd: 'Het probleem in dit land is dat niemand de grondwet respecteert.' En toen antwoordde de jonge onderwijzeres: 'Wat is dat, de grondwet?' Ik was verbaasd geweest zonder daar al te zeer de nadruk op te leggen: 'Weet je niet wat dat is? Luister...' Toen had het onschuldige meisje een brede glimlach vertoond: '*Blanquita*,' (blank meisje) 'je probeert me af te bluffen! Jij bent echt van een ander niveau dan ik!'

Ze wist niet wat de grondwet is, een onderwijzeres op Cuba! Er wordt gezegd dat Fidel Castro de strijd tegen het analfabetisme is aangegaan. Sinds die heroïsche tijd heeft het sektarische taalgebruik heel wat verwoestingen aangericht: politieke onwetendheid, censuur, intellectuele onverschilligheid. Er zijn zoveel dingen verdwenen in de kiosken, in de bibliotheken, in de theaters, en tegelijkertijd op de etensborden. Ik kwam zelfs een meisje tegen dat niet wist wat *camarones*, garnalen, zijn. Een meisje van Cuba... En over kreeften hoeven we het helemaal niet te hebben! Ze zijn een bron van deviezen, dus de kreeften die niet zijn bestemd voor de export eindigen op de tafels van de V I P 's of de buitenlandse toeristen.

22

Op een avond in september 1990 gaan we na twaalf uur naar buiten voor een wandeling over de Malecón. Jorge en ik hebben zojuist gegeten met mijn neef Nino en zijn vrouw Marlen. Het is heel warm. Alle vier hebben we zin om even de benen te strekken en tegelijkertijd van de zeewind te genieten.

In Vedado parkeert Jorge de Lada ergens tussen het Chorrerafort dat over de zee en de monding van de rivier de Almendares uitsteekt, en 1830, een luxueus restaurant annex bar met een mooie tuin. We lopen naar de Malecón, de promenade langs de zee, wanneer er plotseling een politieagent opduikt. Hij verspert ons de weg.

'Wacht even, u mag hier niet lopen.'

'En waarom dan niet?' vraagt Jorge driftig.

'Dat is de opdracht,' antwoordt de agent.

'Maar voorzover ik weet,' gaat Jorge door, 'is dit een openbare ruimte. Er staat niet aangegeven dat je hier niet mag parkeren. We zijn hier niet in een kazerne of in een ziekenhuis. Dit is een openbare ruimte. Wij blijven in deze openbare ruimte.'

'Zo is het wel genoeg,' zegt de agent.

Hij is niet voor rede vatbaar. Plotseling wil hij onze papieren zien. De identiteitscontrole is slechts de eerste fase van de hinderlaag... Mijn man haalt zijn papieren uit de zak van zijn jasje.

De politieagent neemt ze zo snel in dat Jorge weer kwaad wordt.

'Moet je dat nou eens zien! U valt mij aan, terwijl u geen reden hebt om ons te verbieden over de Malecón te lopen...'

De agent onderbreekt hem.

'Luister even, jongen, we gaan hier niet discussiëren. Je kunt me vinden achter dat gebouw daar.' [Hij wijst naar restaurant-bar 1830.] 'Wil je vechten? Kom maar vechten, nou, kom dan...'

Op van de zenuwen knikt Jorge van ja.

'Oké. Kom maar op!'

De politieagent is weggelopen wanneer een jongen, die op het punt stond de tunnel in te gaan die naar Miramar leidt, plotseling een omweg maakt om dichter bij ons te komen. Hij fluistert tegen Jorge: 'Pas op! Ga er vooral niet heen. Daar tuigen de smerissen je af.'

Daarom bedenkt Jorge zich. We lopen naar de auto. Hij biedt de jongen aan ook in de auto te stappen. De jongen doet zijn best om Jorge tot bedaren te brengen.

'Ga die provocatie uit de weg. Laat die smeris maar weggaan met je papieren. Dan proberen we die later wel terug te krijgen.'

In feite was het op dit deel van de Malecón, vlak bij 1830, dat de Havaanse jeugd elkaar in het midden van de jaren tachtig ontmoette voor wat 'de nacht van Willy' werd genoemd. De onverschrokken Willy was een neger die moppen vertelde over de situatie op Cuba, over de regering. De jongeren stonden om hem heen. De muziek werd heel hard gezet. Het was een plek waar men zich uitleefde en waar werd geruzied. De politie patrouilleerde er, soms werden er jongeren opgepakt, van wie sommigen vervolgens een ouderwets pak slaag kregen.

In deze septembernacht van 1990 begrijpen we dat dit incident niet onschuldig of toevallig is. Het is een valstrik.

Dat wordt bevestigd door de manier waarop we ontvangen worden op het hoofdbureau van politie in Vedado. De man die ons te woord staat, doet alsof hij verbaasd en vertwijfeld is.

'Wat wilt u? Waarom bent u hier gekomen?'

We geven onze personalia op. We leggen uit dat een politieagent zonder reden Jorges papieren in beslag heeft genomen en dat we die terug komen vragen. De ambtenaar schudt zijn hoofd.

'Dan moet u hier niet zijn. Gaat u liever daarheen, naar Calle 21, tussen Calle 25 en Calle 27 in Vedado.'

We gaan een heel gewoon huis binnen. Een mooie woning met een tuin, een woonkamer en een eetkamer. Niets wijst erop dat het een politiepost is.

Er zit een man in burger. We leggen hem uit dat we een klacht willen indienen tegen een politieagent die ten onrechte de identiteitskaart van Jorge in beslag heeft genomen. Hij spert zijn ogen wijd open.

'Ik weet niet of u er goed aan hebt gedaan om hiernaartoe te komen. Maar kom dan maar binnen. Gaat u zitten...'

We blijven enige tijd alleen zitten wachten.

Eindelijk komt er een agent naar ons toe.

'Het spijt me, die aangifte kunt u hier niet doen.'

'Uitstekend,' reageert Jorge, 'we zullen de klacht op een andere politiepost indienen.'

We maken aanstalten om ervandoor te gaan.

De politieagent strekt plotseling zijn arm horizontaal uit om ons tegen te houden.

'Geen sprake van, u mag hier niet weg. U bent hier in detentie!'

Jorge ontploft.

'Oké. Ik zal het ministerie van Binnenlandse Zaken bellen.'

Hij loopt naar het bureau en grijpt de telefoon. Opeens komen er drommen agenten uit alle aangrenzende vertrekken te voorschijn. Ze beginnen met stokken op Jorge in te slaan. Mijn neef wordt ook gemolesteerd. Marlen, zijn vrouw, probeert tussenbeide te komen.

Intussen ben ik, gebruikmakend van de verwarring, op handen en voeten naar buiten gekropen. Ik slaag erin om de straat te bereiken. Het is half twee 's ochtends. Ik begin te schreeuwen: 'Help, ze maken ons dood!'

Ik hoop buiten lopende burgers te kunnen alarmeren. Maar de politieagenten hebben me horen roepen en proberen me te kalmeren. Met een paar man zijn ze van plan me op te halen. Ik hoor ze roepen: 'Hou daarmee op. Kom terug...'

Ik gehoorzaam. Jorge en mijn neef Nino krijgen handboeien om. Marlen zegt tegen me: 'We gaan hier niet weg.' En ik sta te huilen terwijl de agenten om de beurt Jorge belachelijk proberen te maken.

'Nee zeg, moet je die Argentijn eens zien! Argentijnen zijn slapjanussen. Ze zijn de Falklandeilanden kwijt. Wat denkt die kerel wel? Het is een nietsnut. Hij is alleen naar Cuba gekomen om hier meisjes in te pikken.'

Ik huil, terwijl ik alles wat me de laatste anderhalf jaar overkomt verwens. Daar heb je het al, nu zal Jorge op zijn beurt verdwijnen. Ik zal hem niet meer terugzien. Het zal net zo gaan als met mijn vader. Dit is een ramp.

Twee uur later verschijnt er een man in militair uniform. Is dat de chef van deze merkwaardige politiepost? Hij bekijkt de papieren van Jorge. Ook hem ontlokken ze dit commentaar: 'Het is een Argentijn... Hmm. Wie denkt-ie wel dat ie is?'

De irritatie die wordt gewekt door Jorges Argentijnse nationaliteit is begrijpelijk. Hij mag niet behandeld worden als de gewone protesterende Cubaan, want dat zou tot een diplomatiek incident kunnen leiden. Juridisch is hij vrij om het eiland te verlaten wanneer het hem uitkomt.

Daarna vraagt de militair me, met een blik alsof hij me vertrouwelijke mededelingen wil gaan doen, of ik met hem mee wil komen naar de tuin. Zodra we uit de drukte zijn, begint hij op familiaire en samenzweerderige toon met een zweem van zelfvoldaanheid te praten, zonder dat hij een idee heeft van de instinctieve afkeer die dit alles bij me oproept.

'Rustig maar. Weet je, ik heb je vader goed gekend...'

Ik poeier hem af.

'Je hoeft me niet zomaar wat te vertellen. Het interesseert me niet wat je met mijn vader hebt gedaan. Het enige wat voor mij telt, is dat ik jullie allemaal verafschuw.'

Hij praat verder. Ik luister niet meer naar hem. Op bepaalde momenten onderbreek ik hem.

'Hou op! Dat verandert er allemaal niets aan!'

Intussen zijn Jorge en Nino naar het Calixto-García-ziekenhuis gebracht. De agenten sommeren de dienstdoende coassistente hun een bewijs van dronkenschap te leveren voor mijn man en mijn neef. Ze wijst het van de hand: 'Dit is een formeel onderzoek. Ze zijn niet dronken.' Van zijn kant vraagt Jorge haar de bloeduitstortingen te vermelden die getuigen van de afrossing. Het is niet de eerste keer dat deze Chileense arts politieagenten hoort vragen om een valse schriftelijke verklaring. De eerste vrouw van mijn neef Coco heeft in een ander ziekenhuis tegenover de kazerne van Vedado gewerkt. Ze heeft me verteld dat veel mensen in erbarmelijke staat de kazerne uitkwamen om zich daar te laten behandelen.

Tegen vier uur 's ochtends geeft de militair me eindelijk toestemming om te telefoneren. Ik bel mijn moeder op. Ik haal haar uit haar slaap.

'Wat is er met je dat je me om vier uur 's ochtends belt?'

'Ik zit opgesloten.'

Ik barst in snikken uit.

'Wacht op me,' zegt mijn moeder. 'Ik vertrek meteen. Rustig maar.'

Zij en Fernando komen onmiddellijk. Ze onderhandelen met tact. Ten slotte wijst de man in het militaire uniform ons erop dat we gerechtelijk vervolgd zullen worden. In afwachting van onze verschijning voor een rechtbank mogen we vertrekken.

Het is zeven uur 's ochtends. We gaan Jorge en Nino ophalen bij de kazerne van Vedado waar ze zijn opgesloten na het consult in het Calixto-García-ziekenhuis.

Fernando klaagt over het incident. We horen dat een commissie van het ministerie van Binnenlandse Zaken een onderzoek zal instellen, op voorwaarde dat de mensenrechtenactivisten en de pers er niet over worden ingelicht. We accepteren het aanbod. En we zullen het tot het eind respecteren.

Er gaan vier, zes weken voorbij. Ten slotte komt er een telegram. Een oproep om de volgende dag voor een rechtbank te verschijnen omdat we de openbare orde hebben verstoord en hebben geprobeerd politieagenten te ontwapenen. De sanctie die hierop staat is tien jaar gevangenisstraf. Jorge en ik lezen het bericht met een zweem van ironie: 'Eindelijk ons proces.' Zonder een idee te hebben van de onvoorziene wending die de zaak zal nemen.

Want wanneer we verschijnen, worden we teruggestuurd.

'Het is een vergissing. De onderzoekscommissie is van mening dat u bent ontslagen van rechtsvervolging.'

23

Voorlopig hadden we de strijders voor de mensenrechten en de pers er liever buiten gehouden omdat we een prioriteit hadden gesteld: de goede afloop van de pogingen om een uitreisvergunning te verkrijgen niet nog verder in gevaar brengen. We moesten het Minint geen argumenten geven om ons verzoek definitief af te wijzen. Een veroordeling tot gevangenisstraf en het zou afgelopen zijn!

Het blijkt dat de autoriteiten ons met succes op de proef hadden gesteld. De psychologische test was bemoedigend. We hadden tenminste bij één gelegenheid bewezen dat een compromis mogelijk was.

In de laatste dagen van oktober 1990, terwijl Jorge in nauw contact staat met de Argentijnse ambassade, komt het tot een ontknoping. Terwijl ik had geprobeerd de minister van Binnenlandse Zaken te bereiken, laat deze mij terugbellen. Ik word opgeroepen om 's middags nog naar het hoofdkantoor van het Minint te komen.

Abelardo Colomé Ibarra is alleen in zijn kantoor op de bovenste verdieping. De minister van Binnenlandse Zaken ontvangt me zonder omhaal. Wat hij me te vertellen heeft, zal me zoveel opluchting bezorgen dat hij het waarschijnlijk opmerkelijk zal vinden hoezeer ik bereid ben tot een compromis...

'Ik heb vertrouwen in je,' zegt Furry tegen me. 'Je man gaat weg. En dan kun jij met hem meegaan. Ik heb instructies gegeven in die richting. Je hoeft alleen nog maar je uitreisvergunning op te halen bij het departement Emigratie. Ik reken erop dat je geen contact opneemt met de pers. Als wie dan ook je om informatie vraagt over het proces van je vader, dan scheep je hem af. Je weet niets, je hebt niets te zeggen, maar vergeet niet mij erover in te lichten. Via de Cubaanse ambassade in Mexico.'

'Ja, natuurlijk. Oké. Geen probleem.'

Ik laat mijn euforie niet blijken. En toch is het alsof ik plotseling mijn beide longen weer terug heb. Na het drama en ondanks alle valstrikken die er sindsdien voor ons zijn uitgezet, zullen Jorge en ik eindelijk aan de beklemmende greep ontsnappen!

De volgende dag blijken de agenten van de contraspionage nog steeds met twee monden te spreken. Ze nodigen Jorge en mij uit voor een laatste gesprek, dat doet denken aan een zakenbespreking van geheim agenten.

Plotseling word ik niet langer beschouwd als een 'gevaar voor de staatsveiligheid'. In de logica van het compromis is het duidelijk dat wij in hun ogen welwillende hulpkrachten zijn geworden van hun eigen inlichtingendienst. Dat gebeurt vaker dan je denkt. Bepaalde gegadigden voor ballingschap kunnen soms gunsten behouden, bijvoorbeeld mogelijkheden om te reizen of rechten op het huis dat ze op Cuba moeten achterlaten, in ruil voor hun bereidwilligheid. Alles wordt te gelde gemaakt, uit begerigheid of uit angst.

Dat verklaart goeddeels de onmacht en de verdeeldheid binnen de oppositie, op het eiland en erbuiten. In verhouding tot het bevolkingsaantal kan Cuba zich niet alleen laten voorstaan op zijn record aan gevangenen. Havana beschikt namelijk ook over het meest fantastische net van 'contactpersonen' ter wereld. Infiltratie en celvorming komen voor bij allerlei ondernemingen, overheidsapparaten, instellingen en verenigingen. Verklikkers ruik je niet.

In het buitenland hebben de wolven in schaapskleren allemaal een dekmantel. Ze nestelen zich als eersten in de clubs die fel of gematigd (ontoegeeflijkheid of dialoog) 'anti-Castro' zijn, maar ook in de universiteiten, gevangenissen, ambassades, in consulaire instellingen, in verenigingen van vrijmetselaars, redacties, in culturele, sportieve, humanitaire en religieuze organisaties, bij reisorganisatoren, enzovoort. Ze maken deel uit van het informatieapparaat. En je moet wel heel slim zijn om je nooit te laten misbruiken...

De contraspionage omringt ons. Er wordt ons verteld hoe we contact kunnen opnemen met de Cubaanse ambassade telkens als we worden aangesproken door wie dan ook, zelfs als het geen journalist is. De CIA en allerlei speciale diensten zullen proberen ons te benaderen, ons om te kopen. Brievenbussen, stromannen, gecodeerde formules, geheime codes. Het assortiment trucjes om vertrouwelijk te communiceren met de Cubaanse diensten is verbluffend. Als goede leerlingen knikken we van ja. Bedankt, ja. In werkelijkheid ben ik al ver van hier. Ik doe alsof ik luister, er dringt niets tot me door, ik kan me niets herinneren.

Om wat geld te hebben voordat we vertrekken doet Jorge zaken met La Maison in Miramar op de hoek van de Septima Avenida en Calle 16. Dienstverlening en goederen worden natuurlijk betaald in dollars. Op deze plek, waar diplomaten en VIP's komen, worden modeshows en concerten van Cubaanse muziek gegeven. De bar en het restaurant trekken mensen uit de hoogste kringen. Er zijn ook luxewinkels. Jorge bevoorraadt sommige daarvan. Hij ontvangt commissie over de artikelen die hij uit Spanje laat importeren.

Ik beschik zelf over wat spaargeld.

Ik ben blij dat we vertrekken. En geschrokken bij de gedachte dat ik mijn familie niet meer zal zien. De ambtenaren van het ministerie van Binnenlandse Zaken hebben me verzekerd dat ik vrij ben om te gaan en te komen, maar ik ben van het tegendeel overtuigd. Volgens mij wordt het een definitief vertrek.

De week daarna is vermoeiend. In Miramar kijk ik lange tijd naar de souvenirs en prenten in mijn kamer. Ik maak een meedogenloze schifting om niet meer dan een paar spullen mee te nemen, de cassette van Charly García, een keuze uit de foto's. Tegen mijn familie zeg ik: 'Neem alles! Neem mijn kleren, mijn rotan meubels en ook mijn bed!' Alles wordt verdeeld over verschillende mensen.

Ik breng een laatste bezoek aan Patricio in de gevangenis van Guanajay. Maricha had hem verteld dat ik zou vertrekken. Hij ontvangt me en praat tegen me als een adoptievader. We groeten elkaar onhandig. Allebei weten we dat we heel lange tijd gescheiden zullen blijven. Misschien is het de laatste keer dat we elkaar zien. Ik huil de hele weg terug naar Havana.

Die avond nog ga ik bij Mimi en Popin langs. Wat een verrassing! Om bij het afscheid van de familie aanwezig te zijn, hebben sommigen van mijn vriendinnen afgesproken in het witte huis in Miramar. Elke keer als ik voor een ander gezicht sta, krijg ik een schok en barst ik in snikken uit. Intussen heeft mijn grootmoeder zich teruggetrokken in haar slaapkamer. Mimi had hen bij mijn aankomst gewaarschuwd: 'Jullie moeten het me niet kwalijk nemen als ik ertussenuit knijp, maar ik laat jullie liever onder elkaar. Ik wil vooral Ili niet zien huilen. Dat zou ik niet kunnen verdragen.'

Dan is mijn broer Antonio aan de beurt. Algauw komt mijn grootmoeder haar kamer uit. Meestal is verdriet een vergif. Niet altijd. Op bepaalde momenten legt het alle genegenheid en liefde bloot waartoe schroomvallige mensen in staat zijn.

En daar is mijn moeder. We hebben allebei een brok in de keel. Zal het ons lukken met elkaar te praten? Gearticuleerde klanken komen er niet uit. Op het moment van afscheid neemt mama me ten slotte apart.

Nadat ze me een stukje papier in de hand heeft gestopt, fluistert ze me deze vertrouwelijke mededeling in mijn oor: 'Als iemand van de familie hulp nodig heeft, binnen of buiten Cuba, laat die dan niet aarzelen contact op te nemen met deze Française: Elizabeth Burgos. Je vindt op dit briefje haar adres en telefoonnummer.'

Elizabeth Burgos is getrouwd geweest met Régis Debray, de oude kameraad van Che Guevara in Bolivia. Mijn vader had me weleens over haar verteld. Ze waren goed met elkaar bevriend gebleven.

24

November 1990. We zijn op het vliegveld José Martí. Cubana de Aviación heeft zojuist de passagiers voor Mexico opgeroepen om aan boord te gaan, wanneer we worden aangesproken door een Argentijn.

'Hallo, Jorge! Hoe gaat het? Weet je nog wie ik ben? Ik ben Pedro Catela. Denk eens goed na: ik ben de zoon van die Argentijnse vrouw die een kennis was van je vader, je vader die in het verzet is omgekomen. Ik werk voor Gobernación met Abal Medina, de Argentijn die adviseur is van de Mexicaanse minister van Binnenlandse Zaken Fernando Gutiérrez Barrios. En jij? Vertel eens. Waar ben je van plan naartoe te gaan?'

'Naar Mexico-Stad,' antwoordt Jorge.

'Nou, kom dan naar mijn huis.'

'Dankjewel, maar ik heb al een logeeradres. Een Chileense vriend heeft aangeboden dat we bij hem terechtkunnen.'

Het was inderdaad gepland om een tijdje bij Pablo Luis en zijn Chileense moeder te logeren. Maar het lijkt wel of Pedro Catela dat vervelend vindt. Hij staat erop ons onderdak te verlenen.

'Als je wilt, kan ik je een appartementje lenen waar op dit moment niemand woont. Het is het appartement waarover Abal Medina beschikt wanneer hij in Mexico is. Daar zouden jullie een tijdje kunnen blijven. Jullie zouden van niemand last hebben, geloof me.'

Ondanks zijn opdringerigheid slaan we zijn uitnodiging af.

Ik herinner me mijn eerste stappen op vreemde grond. We arriveerden tegen twaalf uur 's middags. Jorge is goed bekend in Mexico-Stad. Hij neemt me mee naar de wijk Polanco, niet ver van het grote Chapultepec-park met zijn meer, ten westen van het centrum van de stad. We zullen onze bagage in bewaring geven in een hotelletje dat hij kent. Daarna beginnen we te lopen. Jorge brengt me algauw naar een merkwaardig restaurant, Le Chalet Suisse. Het is voor het eerst van mijn leven dat ik kaasfondue proef...

We komen in de Zona Rosa, de chique wijk met winkels en restaurants, zoals de Focolare met zijn glas-in-loodraam en zijn met bloemen versierde binnenbalkons. We wandelen verder. Meer om te genieten van het plezier vrij rond te kunnen lopen zonder je geobserveerd, bespioneerd en gecontroleerd te voelen, dan omdat we worden aangetrokken door de luxe. Zo dwalen we rond tot de avond.

Wanneer we weer in het hotel zijn, probeer ik mijn oom Mario op te bellen, de oudste broer van de zoons De la Guardia, die al vijfentwintig jaar in Atlanta woont. Het is de eerste keer. Ik ben heel ontroerd. Ik voel de behoefte mijn hart uit te storten bij dit legendarische familielid over wie tot dusver alleen mijn grootmoeder me heeft verteld.

Vraagt Mario zich af hoe die nicht, die zich tot dan toe nooit bekend heeft gemaakt, het in haar hoofd haalt hem die avond lastig te vallen? In ieder geval is hij niet zo bereidwillig en gastvrij als ik hoopte. Hij heeft verplichtingen in verband met zijn beroep. Hij is al te lang van Cuba weg. Hij beschouwt het verleden als een afgedane zaak. Ik besef al vrij snel dat hij niet precies weet hoe het is gegaan met zijn broers Tony en Patricio. Hij heeft er geen idee van in wat voor val ze zijn gelopen. Mijn oom is niet kil of vijandig, maar ik voel dat hij afstandelijk is.

Wat een teleurstelling meteen al!

Mijn eerste nacht in ballingschap slaap ik daarentegen zonder één keer wakker te worden.

's Ochtends vertelt Jorge me dat hij dat geluk niet had. Hij is in bed opgesprongen na een nachtmerrie, alsof hij op dat moment nog bezig was met een of andere vechtpartij met ik weet niet wie. Hij was helemaal bezweet. Hij heeft het bedlampje een vuistslag verkocht. Het ligt kapot op de grond. Hij kon de slaap niet meer vatten. Zijn nachtmerrie heeft hem duidelijk flink van streek gebracht.

We hebben het hotel verlaten om tijdelijk bij Pablo Luis, de Chileense vriend van Jorge, in te trekken. Hij woont al enige tijd met zijn moeder in Mexico, ergens tussen Colonia del Baya en Coyoacán. We zijn niet van plan bij hen te blijven plakken. Het is een voorlopige oplossing, voordat we een woning kunnen vinden. Tegelijkertijd moeten we zorgen dat we een verblijfsvergunning voor Mexico krijgen.

Er zijn twee weken verstreken wanneer we Pedro Catela toevallig tegenkomen. De adviseur van Abal Medina is bereid ons te helpen met onze pogingen de vergunning te bemachtigen. Wanneer hij hoort dat we een huurhuis zoeken, nodigt hij ons uit, zoals hij al eerder heeft gedaan toen we hem tegenkwamen op het vliegveld in Havana (wat bij nader inzien minder toevallig was dan ik dacht).

'Vergeet dat nou maar! Maak liever gebruik van de gelegenheid waarover ik het met jullie had. Zolang dat appartement leeg staat!'

Deze keer zwichten we voor zijn argumenten. We gaan dus weg uit de woning van Pablo Luis, maar weten intussen nog niet waar nou precies het befaamde appartement is dat Pedro Catela ons heeft beloofd. Want de jonge Argentijn heeft gepland ons die eerste nacht niet in het appartementje te laten doorbrengen, maar in het huis van Abal Medina.

De Argentijnse adviseur van Fernando Gutiérrez, de oud-politicus met wie Fidel Castro ten tijde van zijn ballingschap had gesympathiseerd en die intussen minister van Binnenlandse Zaken is geworden in de Mexicaanse regering, ontvangt ons daar voor een diner. Het is een weelderig ingerichte villa in typisch Mexicaanse stijl op de hoek van een straat midden in de glamourwoonwijk San Angel, ten zuiden van Chapultepec. Het huis is omgeven door een grote tuin en telt vele woon- en slaapkamers.

Na het diner komt Pedro Catela naar Jorge en mij toe. Hij praat zacht, op de toon van een perfecte samenzweerder.

'Weten jullie dat Shafic Handal hier in dit huis is? Er gaat vannacht in El Salvador een revolutionair offensief van start. Kunnen jullie je dat voorstellen? Handal is hier bij ons op bezoek.'

Shafic Handal is algemeen secretaris van de Communistische Partij in El Salvador en commandant van het front Farabundo Martí para la Liberación Nacional (FMLN). In die tijd blinkt het FMLN uit in het traditionele dubbelspel. Het is betrokken bij vredesonderhandelingen met president Alfredo Cristiani (gekozen in maart 1989, dankzij de boycot waarvan het FMLN een voorstander is en ten koste van de kandidaat van het Democratische Revolutionaire Front). Tegelijkertijd gaat het door met de guerrilla-acties ter plaatse om bij het onderhandelen voorrechten op te kunnen eisen.

Pedro Catela neemt me apart.

'Shafic Handal wil je ontmoeten. Hij heeft je vader en je oom goed gekend.'

Catela brengt me naar een slaapkamer. Daar tref ik een bejaarde man aan. Shafic Handal is alleen. Hij ontvangt me zonder veel belangstelling. En vertelt me dan dat hij de beste herinneringen heeft aan de tweeling, dat hij hen vaak heeft ontmoet, dat hij hen erg moedig vindt, dat hij altijd bewondering voor hen heeft gehad. Hij legt niet uit onder welke omstandigheden Tony en Patricio de la Guardia met hem in contact zijn gekomen. Maar, wat nog vreemder is, hij geeft geen enkel commentaar op de arrestaties, het proces en de afloop. Zelfs geen toespeling op de executie van mijn vader!

Ik ben tijdens deze lofrede blijven zwijgen. Ik knik alleen af en toe, zonder te proberen aan zijn spel deel te nemen door hem bepaalde vragen te stellen. Dit gesprek heeft allerlei bijbedoelingen. Het is niet zomaar een gesprek. Ik trap er niet in. Volgens mij is het een manipulatie. Het gaat erom mij vertrouwen in te boezemen en me te intimideren. Wat vanzelf al gebeurt door de ongure blikken van iedereen die in deze villa verblijft.

Het gesprek is ten einde. Pedro Catela nodigt Jorge en mij uit met hem mee te gaan naar de tweede verdieping. Ik zie hem de slaapkamer ingaan die op de overloop uitkomt. Plotseling komt hij weer naar buiten met een geweer, en reikt het dan Jorge aan.

'Hier,' zegt Catela, 'die is voor jou.'

Jorge is geschrokken.

'Wat is dat?'

'Hoezo? Dat is om het huis te verdedigen. Voor het geval dat we 's nachts worden aangevallen.'

Jorge barst in lachen uit.

'Wat vertel je me nou, beste kerel? Het is een eeuwigheid geleden dat er een burgeroorlog was in dit land!'

Jorge kijkt me mismoedig aan. Hij staat versteld. Hij beduidt me dat het tijd wordt dat we gaan slapen...

Het gebaar van Catela had geen enkele betekenis. Alsof het offensief van die nacht in een uithoek van het grondgebied van El Salvador zou leiden tot een gelijktijdige vergeldingsactie in deze uithoek van het Mexicaanse grondgebied! Het ging er in feite om de reactie van Jorge te testen, hem duidelijk te maken dat hij zelfs buiten Cuba, hier in Mexico-stad, een hulpkracht zou blijven bij de clandestiene acties die door Havana en de guerrilla's met wie ze een bondgenootschap hebben gesloten werden georganiseerd.

De volgende dag betrekken we het appartement dat ons wordt geleend door Abal Medina. Het ligt in het zuiden, niet ver van het stadscentrum, in Colonia del Valle.

Er zijn sinds ons vertrek van Cuba twee weken verstreken wanneer we bezoek krijgen van mijn oom Mario de la Guardia. Het is de eerste keer dat we elkaar zien.

Een paar dagen daarna spreekt Pedro Catela met ons af om ons naar de burelen van Gobernación te brengen, het ministerie van Binnenlandse Zaken, dat ons een verblijfsvergunning moet geven. Zonder die vergunning zou het voor ons onmogelijk zijn de Mexicaanse grenzen over te komen.

Catela vraagt of hij onze papieren mag zien, met name mijn inreisvisum voor Mexico. Op het moment dat hij afscheid van ons neemt, legt hij uit dat hij ze liever bij zich houdt om zelf de nodige stappen voor het verkrijgen van de verblijfsvergunning te ondernemen.

Er gaan dagen voorbij. De vergunning komt niet. Ik heb geen inreisvisum meer voor Mexico. Pedro Catela probeert geruststellend te doen. Hij geeft toe dat het bij Gobernación nogal lang duurt. Het is jammer, maar volgens hem zit er niets anders op. Tegelijkertijd blijft hij ons op de hielen zitten. Hij heeft het erover dat hij een diner wil organiseren met de Cubaanse consul in Mexico. We maken hem duidelijk dat dit voor ons niet hoeft. Hij dringt aan. Jorge wijst hem beleefd af: 'We zijn in Mexico. Dat is onze keus. Ik zie geen Cubaanse overheidspersonen meer, niet van het Minfar en niet van het Minint. Niemand! Daar hoeven we het verder niet meer over te hebben.'

Catela bereidt zich voor om binnenkort naar Cuba te gaan. De Cubaanse regering doet zaken met hem en Abal vanwege de levering van uitrustingen. Hij is opgetogen over het voorstel dat Jorge hem heeft gedaan: mijn man is van plan met hem 'op vakantie' te gaan. Er spookt een idee door zijn hoofd.

'Ik kan beter alleen gaan,' zegt Jorge tegen me. 'Dan zoek ik meteen je grootouders en je moeder op, en verder zal ik in één moeite door proberen bepaalde schilderijen van je vader voor je mee te brengen.'

25

Wanneer Jorge terug is uit Havana laat hij me eerst de bewuste schilderijen zien – hij had de doeken uit hun lijst gehaald om ze tussen de kleren in zijn koffer te stoppen.

'Volgens je moeder en je grootmoeder,' zegt hij, 'moet je vooral niet teruggaan naar Cuba. Vooral niet! Ze vragen of je je dat wilt voornemen en je daaraan houden. Dat is heel belangrijk!'

Er werd niet langer over gezwegen. Ik had er zelf al een voorgevoel van op het moment dat ik afscheid van hen nam. Dat ik hen niet zou weerzien zolang de situatie in het land niet zou veranderen wist ik maar al te goed.

We moeten nog een ander besluit nemen: het contact met Pedro Catela verbreken. Hij bemoeit zich regelmatig met ons dagelijks leven. Hij heeft me mijn inreisvisum voor Mexico afgenomen. Alleen om ons in zijn macht te hebben had hij zich voorgenomen ons onderdak te bieden en ons te helpen met een verblijfsvergunning, die ons voortdurend wordt beloofd en die voortdurend wordt uitgesteld. Om de Cubaanse autoriteiten verslag uit te kunnen brengen van ons doen en laten. We moeten ons zo spoedig mogelijk van hem distantiëren.

Wat we hebben gehoord over de situatie op Cuba bevestigt onze vermoedens. Zo is de superieur van mijn vader, ex-minister van Binnenlandse Zaken José Abrantes, onder meer dan verdachte omstandigheden overleden in Guanajay, de gevangenis waar mijn oom Patricio nog steeds zit opgesloten. Officieel is de 'wegens onachtzaamheid' veroordeelde op 21 januari 1991 bezweken aan een hartinfarct. Hij heeft na zijn veroordeling nog maar anderhalf jaar geleefd. Weer een lastige getuige verdwenen!

We moeten dus dringend uit het appartement weg dat Abal Medina ons heeft geleend. Gelukkig worden we gesteund door twee goede feeën. Want ons leven in Mexico is de speelbal geworden van de omstandigheden, van toevallige ontmoetingen.

Op zoek naar werk ben ik kort daarvoor in contact gekomen met een Cubaanse die al in de jaren zestig naar Mexico is uitgeweken. Van moederskant is ze familie van mijn halfbroer Antonio en halfzus Claudia, en ze leidt een public-relationsbureau. Dankzij haar adresboekje vindt ze een baan voor me bij een bevriend stel dat een castingbureau heeft.

Een paar maanden lang ga ik om met mannequins en fotografen. Alle medewerkers van het bureau zijn Mexicaans, behalve een mooie, bruinharige vrouw: Maria is Argentijnse. Ze heeft vroeger letteren gestudeerd en is getrouwd met een filmproducer. In tegenstelling tot de meeste mensen in dit nogal oppervlakkige milieu maakt Maria de indruk vrijmoedig, rustig, genereus en scherpzinnig te zijn. We raken bijna meteen bevriend. Soms geven we commentaar op de Mexicaanse actualiteiten. Ik praat met haar niet over mijn vader, omdat Jorge de taak op zich heeft genomen haar daarover in te lichten, maar we hebben het over alle mogelijke onderwerpen, ook over de huidige situatie op Cuba.

Op een dag vertel ik haar in vertrouwen het volgende: 'Moet je horen, Maria. Jorge en ik verkeren in een heel netelige situatie ten opzichte van de Cubaanse ambassade. Bovendien kunnen we niet langer in het appartement blijven waar we op dit moment wonen. We worden voortdurend in de gaten gehouden. We moeten daar weg. Dat is absoluut zo. Maar ik weet niet hoe we het moeten aanpakken...'

Maria barst in lachen uit.

'Nou, Ili, maak je geen zorgen! We doen het als volgt: ik pak de auto, ik breng jullie erheen en jullie nemen je spullen mee. En we vertrekken meteen weer.'

'Wanneer denk je dat te kunnen doen?'

'Nu meteen, Ili!'

We gaan eerst eten. Daarna brengt Maria ons, zoals afgesproken, met de auto tot onder aan de flat. We stoppen als dieven haastig onze spullen in de koffers. We ruimen snel op in het appartement voordat we een afscheids- en bedankbriefje achterlaten voor Pedro Catela. Om hem mee te delen dat we gaan uitrusten aan zee, want Jorge heeft hem al enthousiast verteld over de stranden en de *huachinangos al la veracruzada*, de beroemde gekruide zeebrasem. Dat was een plausibele verklaring. Jorge wilde me toch zo graag laten kennismaken met Veracruz, nietwaar? We hebben het stel sleutels weer bij de conciërge neergelegd voor het geval dat iemand van zijn familie ze nodig zou hebben.

Jorge herinnert zich een hotel in het noorden van de stad, in de wijk Indios Verdes, waar we voorlopig veilig zullen zijn. Hij heeft er weleens gelogeerd in de tijd dat de Cubaanse diensten hem voor een opdracht naar de Mexicaanse hoofdstad stuurden. Hij vraagt Maria of ze ons daarheen wil brengen. Maar voordat ze ons daar afzet, rijden we tamelijk lang rond, waarbij we steeds een andere route nemen om er zeker van te zijn dat geen enkel verdacht voertuig ons schaduwt.

Na drie dagen zegt Maria, die wel doorheeft hoe precair onze situatie is zolang Gobernación de verblijfsvergunning niet afgeeft: 'Jullie moeten daar niet langer blijven. Kom maar bij mij in huis.'

Zij en haar man wonen zuidwaarts, in de wijk Coyoacán, niet ver van het huis op de hoek van de Calle Morelos waar Trotski zijn toevlucht had gezocht, tot hij op 21 augustus 1940 op bevel van Stalin werd vermoord.

Het is een veilig huis op een rustige plek. Er staan geen auto's geparkeerd langs de straat of in de onmiddellijke omgeving. Je gaat naar binnen via een garage waarvan de deur automatisch sluit nadat er een auto doorheen is gereden. Je kunt de omgeving vrij gemakkelijk in de gaten houden.

Ik bel mijn oom Mario in Atlanta. Ik vertel hem dat we Mexico moeten verlaten. Zo snel mogelijk. Op wat voor manier dan ook. Kunnen Jorge en ik naar hem toe komen in de Verenigde Staten? Veel andere ballingen hebben vóór ons het scenario gevolgd dat ik hem door de telefoon schets. Terwijl wij een beroep zouden doen op een mensensmokkelaar om clandestien de Mexicaanse grens over te komen, zou Mario contact kunnen opnemen met een gespecialiseerde advocaat die bereid zou zijn ons bij het Amerikaanse emigratiebureau te vertegenwoordigen.

Dit gewaagde plan zal niet doorgaan.

Intussen krijgen we hulp van Elizabeth Burgos, de Franse vrouw die mijn vader langgeleden had ontmoet.

Wanneer Jorge haar in Parijs probeert te bereiken, krijgt hij haar dochter Laurence aan de telefoon. Ze vertelt hem dat haar moeder aan het hoofd staat van het Franse Instituut in Sevilla. De Andalusische stad verkeert in opwinding zo vlak voor de Wereldtentoonstelling, die wordt gehouden omdat het vijfhonderd jaar geleden is dat Cristoffel Columbus zijn reis naar Amerika maakte. Ik laat een bericht achter op het Franse Instituut. Slechts een paar minuten later belt Elizabeth Burgos ons terug op het adres van Maria in Mexico.

Haar toon is heel vriendelijk, heel hartelijk. Jorge legt haar in een paar woorden uit hoe het voor ons noodzakelijk is geworden Mexico te verlaten om te ontkomen aan de provocaties en de bewaking waar we mee te maken hebben. Ze hoeft er niet van overtuigd te worden, want ze gaat recht op haar doel af. Met het voornemen ons een inreisvisum voor Spanje te bezorgen.

Twee dagen daarna laat Elizabeth Burgos ons weten wie ons te woord zal staan op het Spaanse consulaat in Mexico. Deze man verwacht ons daar om het visum te overhandigen.

We vervullen een noodzakelijke formaliteit, die echter niet voldoende is. Want we zitten nog steeds gevangen in dezelfde vicieuze cirkel: het is onmogelijk Mexico te verlaten als we geen verblijfsvergunning kunnen overleggen. Ik heb mijn inreisvisum niet eens meer sinds Pedro Catela het aan Gobernación heeft overgedragen.

Aan de eerste onregelmatigheid, de inbeslagneming van authentieke papieren, zal het ministerie van Binnenlandse Zaken algauw nog een tweede toevoegen: het vervaardigen van valse papieren. We hoeven alleen maar een fooi te geven, de *mordida*. Een Mexicaanse ambtenaar neemt ons mee naar de burelen van Gobernación, waar we tot dan toe nooit binnen zijn geweest. Stante pede laat hij voor ons valse verblijfsvergunningen voor Mexico vervaardigen. Het is een handeling van een verbijsterende eenvoud en banaliteit. Er is in dit land niets gewoner dan staatsagenten omkopen, of je nu achter officiële documenten aan zit of onderweg al dan niet terecht een bekeuring hebt gekregen!

Na de tussenkomst van Elizabeth Burgos duurde het een week voordat we een inreisvisum kregen voor Spanje. De week daarna hadden we een verblijfsvergunning voor Mexico.

Voordat we die dag in april 1991 in het Iberia-vliegtuig naar Madrid stappen, nemen we afscheid van Maria. Om haar te bedanken voor haar gastvrijheid geef ik haar een ivoren beeldje cadeau dat ik had gekocht op een Afrikaanse kunstmarkt tijdens mijn enige bezoek aan Angola en Congo, een paar weken voor de arrestatie van mijn vader. Het stelt een Afrikaanse vrouw voor met fijne gelaatstrekken en een naakt bovenlichaam. Ik voelde me meteen aangetrokken door de schoonheid van het beeldje. Zoals het ook was gegaan met de sympathie die Maria en ik meteen de eerste dag al voor elkaar hadden gevoeld.

De eerste etappe van onze ballingschap, de Mexicaanse etappe, heeft vijf maanden geduurd, van november 1990 tot april 1991.

We hebben geen contact opgenomen met de pers, in overeenstemming met wat we in Havana de dag voor ons vertrek hadden afgesproken. Het belangrijkste is nog steeds de veiligheid en de gezondheid van mijn oom Patricio. Ik behoud me het recht voor mijn stilzwijgen te verbreken in het geval dat... Sinds de verdachte dood van generaal Abrantes denk ik dat geen enkele gevangene in de speciale gevangenis van Guanajay is gevrijwaard van het ergste. Of het nu een gewone officier is of een generaal, zoals in het geval van Patricio de la Guardia.

26

Wanneer we op het vliegveld van Madrid aankomen, worden we opge-
wacht door een Spanjaard die ik enige tijd daarvoor op Cuba had ontmoet. Een gehard zakenman, die duidelijk goed is ingevoerd in de re-
geringskringen van Havana. Toen hij hoorde wie ik was, had hij zich
voorgesteld als een vriend van mijn vader. Ik begreep niet waar hij
heen wilde. Daarna had hij aangeboden me te helpen als dat nodig
mocht zijn. Ik had hem met een verwijzing naar zijn belofte vanuit
Mexico gebeld. We brengen enkele uren met hem door voordat we in
het vliegtuig stappen naar de hoofdstad van Andalusië.

Het is donker wanneer het vliegtuig in Sevilla landt. We lopen
door de terminal. Plotseling klinkt er een stem vanuit de groep mensen die de passagiers van de vlucht uit Madrid staat op te wachten:
'Jorge!'

Pierre, een architect die met Elizabeth Burgos is bevriend, is de man
die ons zojuist deed opschrikken. Ze heeft hem gevraagd ons op het
vliegveld te verwelkomen. Hij vraagt hoe onze reis is verlopen. We zijn
geroerd door zijn vriendelijkheid. Wij, die al zo lang op onze hoede
zijn, voelen ons eindelijk in vertrouwde handen. Pierre zal algauw een
heel goede vriend van ons worden.

Hij is de man die ons de weg wijst in de prachtige stad Sevilla. Aan
de voet van het Alcázar strekken zich, tussen de muren die bedolven
zijn onder de bougainville, de tuinen van het paleis uit, en aan de andere kant van de vroegere tabaksfabriek ligt het Maria Luisapark. Ik

herinner me nog de jasmijngeur in de koelte van de nacht. Zo lopen we door de Barrio Alto naar Santa Cruz, de vroegere joodse wijk met zijn steegjes, schaduwen, lichtjes en patio's, in zekere zin het prototype van mijn oude Havana.

De verre voorvaderen van mijn grootmoeder hebben hier gelopen voordat ze scheepgingen naar Amerika. Om zich vier eeuwen later op Cuba te vestigen. De familie Calvo de la Puerta was afkomstig uit Cumbres Mayores, in de provincie Huelva. Ze vervulden het krijgs-ambt. Andalusië was hun eerste vaderland.

Een van hun afstammelingen heet don Sebastián Calvo de la Puerta y O'Farril. Hij wordt in 1749 in Havana gedoopt en is later gouverneur van Louisiana. Karel iv, de koning van Spanje, verzoekt hem met Frankrijk te onderhandelen over de teruggave van westelijk Louisiana – wat in 1800 leidt tot het verdrag van San Ildefonso. Na de gedwongen troonsafstand van Karel iv treedt don Sebastián in dienst van de twee-de broer van Napoleon, Joseph Bonaparte. De nieuwe koning van Spanje benoemt hem tot luitenant-generaal. De val van het keizerrijk van Napoleon leidt ook tot de val van 'Pepe Botella', zoals de Spanjaar-den Joseph noemden, en daarmee tot de val van de *afrancesados*. Don Sebastián vlucht naar Parijs. Ferdinand vii is zijn belofte tot amnes-tie, die hij vóór het herstel van het Spaanse koninkrijk deed, niet nage-komen. Men schijnt hem de geheime clausule in het verdrag van San Ildefonso te verwijten, waardoor Napoleon de mogelijkheid kreeg om Louisiana in 1803 aan de Verenigde Staten te verkopen. Mijn voorvader raakt al zijn titels kwijt. Onteerd en geruïneerd sterft hij in Parijs op 27 mei 1820.

Wanneer we op nummer 6 in de Calle Pimienta aankomen, waar de di-rectrice van het Franse Instituut woont, worden we ontvangen door een heleboel mensen tegelijk. Elizabeth Burgos stelt ons voor aan haar ex-man Régis Debray, aan hun dochter Laurence, aan een commissaris van het Franse paviljoen van de Expo, en vele anderen. Die avond pra-ten we, zonder over onze eigen situatie uit te weiden, over die van mijn moeder.

Er zijn drie dagen verstreken. Onze gastheer en gastvrouw doen eerlijk hun best om alles te begrijpen. Ze willen ons oprecht helpen. Ik laat hun de schilderijen van Tony de la Guardia zien die Jorge heeft meegebracht. Soms komen er tranen in mijn ogen als ik hun vertel over mijn vader.

Later ontmoeten we Edwy Plenel. De journalist van *Le Monde* is gekomen om ons een interview af te nemen in het kader van een serie artikelen over de afstammelingen van de Amerikaanse kolonisten, ter gelegenheid van het feit dat Cristoffel Columbus zijn reis vijfhonderd jaar geleden maakte. In zijn reportage wordt natuurlijk aandacht besteed aan de kolonisatie van Cuba.

Elizabeth Burgos was in gesprek met Régis Debray en Edwy Plenel, toen ze zich tot Jorge en mij wendde.

'We hebben het over de mogelijkheid politiek asiel voor jullie aan te vragen in Spanje. Dat zou de beste oplossing zijn, want jullie hebben absoluut bescherming op het hoogste niveau nodig.'

Als bij toeval worden we in de laatste dagen van april 1991, dat wil zeggen vanaf het moment dat we het verzoek om politiek asiel indienen, weer op achterbakse wijze lastiggevallen. Iemand probeert met ons in contact te komen, maar zonder zich bekend te maken. Ook vandaag de dag weet ik nog steeds niet of het iemand in ballingschap was of agenten van de Cubaanse politie die achter ons aan zaten.

We krijgen onze oude reflexen weer terug. We zijn uiterst gevoelig en voortdurend op onze hoede. We wantrouwen systematisch de gebeurtenissen in de buitenwereld en de boodschappen die ons bereiken, en we onthouden ons van reacties.

Tot de dag waarop het schandaal losbarst. In het dagblad *El País* staat een artikel waarin wordt beweerd dat een 'Cubaanse ex-agent' zich schuilhoudt in de woning van Elizabeth Burgos! Nu kunnen we niet langer zwijgen.

We bellen meteen de redactie van *El País* om de zaak te weerleggen. 'Geloof dat toch niet,' zegt Jorge tegen hen. 'We houden ons niet schuil, we hebben niets te verbergen. Als jullie echt willen weten wat er gebeurd is, als jullie een nauwkeurig beeld willen schetsen van onze positie, neem dan op z'n minst de moeite om ons te raadplegen.'

In de loop van het interview, dat voorlopig het eind is van het incident, zeggen we verder niets, maar we voegen er wel ten behoeve van de mysterieuze spion aan toe dat het een absurde gedachte is dat wij bezig zouden zijn kat-en-muis te spelen met de Cubaanse ambassade in Spanje. Intussen weet ik, terwijl ik dat interview geef, dat ik voorgoed de mogelijkheid kwijt ben op Cuba terug te keren zolang Fidel Castro er de baas is.

Het is drie maanden geleden dat we ons verzoek tot politiek asiel hebben ingediend. De zaak is in een impasse geraakt. De autoriteiten blinken uit door traagheid. Geen antwoord, geen commentaar. We hebben niet eens een verzoek om aanvullende informatie gekregen.

Intussen ben ik dankzij de lessen van het instituut Frans gaan leren. En Jorge begint te schrijven voor bepaalde kranten: *Diario 6*, en *El Mundo*, het nieuwste Spaanse dagblad. Bovendien heeft hij een baantje gevonden. Hij brengt met de auto kranten rond. Een Cubaanse die naar Spanje is uitgeweken, Elen, de zus van Raúlito Jafauel, de officier van wiens sterven mijn vader in Angola getuige was geweest, voert actie voor het Mensenrechtencomité van Marta Freyde, die zelf naar Madrid is gevlucht (ex-ambassadrice van Cuba, in 1976 gearresteerd vanwege haar kritische instelling). Elen moet de *Diario de las Américas* bezorgen en kan erop vertrouwen dat Jorge achter het stuur zit en haar bij de adressen van de abonnees afzet.

De zomer loopt ten einde. De Spaanse autoriteiten houden zich nog steeds doof voor onze asielaanvraag. Het is waar dat de regering van Felipe González zich veelvuldig inlaat met Fidel Castro. In de binnenlandse politiek wordt González' krediet nog steeds ondermijnd door het schandaal rondom de geheime financiering van de Partido Socialista Obrerista Español (PSOE)*.

Wat nog verrassender is, de vice-president van de regering, Alfonso Guerra, was in januari 1991 gedwongen geweest ontslag te nemen vanwege corrupte praktijken ten gunste van zijn broer Juan. Het is duidelijk dat het ambtenarenapparaat van Felipe González onder die omstandigheden liever goede betrekkingen met het buitenland bewaart. Men wil de mensen in Havana niet irriteren.

Eind september is het tijd om ons bij de feiten neer te leggen: Madrid verroert zich niet. We zijn veroordeeld om tot in het oneindige te blijven wachten, zonder bescherming en zonder perspectief. Volgens

* Noot v.d. vert.: Spaanse Socialistische Arbeiderspartij.

Jorge is er nog maar één oplossing: opnieuw vertrekken. En er is nog maar één bestemming: Argentinië. Als er één land is waar we kunnen gaan wonen, kan het eigenlijk alleen maar het land zijn waar hij is geboren.

Maar voordat we naar Argentinië gaan, zou Jorge me nog graag een stad in Europa willen laten zien, en dat is Parijs. Mijn vader had een van zijn laatste reizen daarheen gemaakt. We vragen dus aan Elizabeth Burgos of het mogelijk zou zijn een toeristenvisum te krijgen om naar Parijs te gaan.

27

Ik krijg Parijs te zien in de eerste dagen van oktober 1991. Pierre is weer degene die ons met zijn gebruikelijke hartelijkheid verwelkomt. Het is koud, maar ik heb er geen last van, integendeel. Onder een heldere hemel vind ik dit weer heerlijk.

We brengen onze bagage naar de studio die Elizabeth Burgos ons leent in de Rue du Cherche-Midi, in de vroegere aristocratische wijk Saint-Germain-des-Prés, waar tegenwoordig steeds meer modehuizen komen in plaats van de boekhandels en uitgeverijen.

Jorge en ik branden van verlangen om door de stad te gaan lopen. Pierre wijst ons de weg. We lopen door de Rue de Sèvres ter hoogte van Croix-Rouge, gaan de smalle Rue du Dragon in, waar de jonge Victor Hugo een tijdje woonde, en slaan linksaf via de Boulevard Saint-Germain. Met achter ons de lichtjes van café Flore en Les Deux-Magots, lopen we de boulevard af tot waar die begint: het Palais-Bourbon tegenover de Madeleinekerk aan de andere kant van de Place de la Concorde.

Als een kind bij een toneelvoorstelling ben ik ontroerd zonder precies te weten waarom. Jorge die naast me loopt voelt het. Het is niet alleen zo dat je een of andere gevel of een of ander uitzicht mooi vindt. In Parijs, dat op sommige plekken ligt ingebed en op andere een vrij uitzicht biedt, vind je de paradoxale situatie dat er iets van de vroegere luister wordt gerespecteerd zonder dat men zich daartoe beperkt. Dat geldt voor de architectuur, maar ook voor de intermenselijke betrekkingen en de manier van leven.

Geweld is niet afwezig, verre van dat, maar het springt niet in het oog. Er is plaats voor het vulgaire en voor het majestueuze, zolang het spel maar onbeslist blijft. Dat is misschien de 'Parijse geest'. Een Engelsman die zo levendig, zo frivool en zo diepzinnig was als Oscar Wilde moest er wel aan zijn trekken komen.

's Avonds lopen we dezelfde route nog een keer. Deze keer iets verder tot onder aan de Arc de Triomphe op de Place de l'Étoile – de Parijzenaars noemen dat nog steeds niet Place Charles-de-Gaulle... We gaan iets drinken op de eerste verdieping van een restaurant dat uitkijkt op de Champs-Élysées. Op de terugweg komen we voorbij hotel Lutétia, wanneer ik mijn man beduid wat langzamer te gaan lopen.

'Zeg, Jorge. Ik wil hier niet meer weg.'

'Wat vertel je me nou, Ili? Gaan we niet meer naar Argentinië?'

'Nee, we gaan niet meer weg.'

'Wat?'

'We blijven hier. Zelfs om onze papieren in orde te brengen ga ik niet naar Argentinië. Niets aan te doen! Ik blijf hier, hoe dan ook.'

'Goed... oké, Ili. We zullen eens kijken hoe we dat kunnen regelen.'

We zijn nog maar een paar dagen in Parijs, wanneer de Cubaanse balling Eduardo Manet, die bevriend is met Elizabeth Burgos, ons telefonisch laat weten dat er binnenkort in het parlement een vergadering plaatsvindt over de situatie op Cuba. Dit 'Contra Congres' wordt georganiseerd onder beschermheerschap van verschillende persoonlijkheden: de essayist en filosofen Jean-François Revel en Bernard-Henri Lévy, het socialistische kamerlid Julien Dray, de oprichter van s o s Racisme Harlem Désir en de Cubaanse romanschrijver Severo Sarduy. Eduardo Manet vraagt aan Jorge en mij om erheen te gaan. Het is een semi-particuliere manifestatie, die je alleen op uitnodiging kunt bijwonen. Ze vindt plaats in de ondergrondse zalen van het parlement.

Ik heb een tekst voorbereid over het proces van mijn vader. Het is de eerste keer sinds het begin van mijn ballingschap dat ik voor een publiek over deze kwestie spreek. Het is ook de eerste keer dat ik linkse persoonlijkheden de repressieve politiek van Fidel Castro duidelijk hoor veroordelen.

Vanaf die dag, 10 oktober 1991, voel ik me niet langer alleen. Bij toevallige ontmoetingen zeggen mensen tegen ons: 'Waarom zouden jullie niet in Frankrijk blijven? Jullie zouden politiek asiel kunnen aanvragen.' Langzaam maar zeker ontstaat het plan.

In Madrid en Sevilla had ik gevoeld dat we gesteund werden door Elizabeth Burgos, maar in geen geval door de Spaanse autoriteiten – de functionarissen van de PSOE konden dan wel een Cubaanse balling een gunst verlenen, maar uit vrees de goede verstandhouding met Fidel in gevaar te brengen weigerden ze de dochter van Tony de la Guardia deze gunst.

In Parijs ben ik me voor het eerst bewust van collectieve steun. Ik zal het nooit vergeten. Degenen met wie we praten, willen echt weten wat er is gebeurd, wat mijn familie heeft meegemaakt en wat voor onregelmatigheden en onrechtvaardigheden er zijn geweest bij het proces-Ochoa-De la Guardia. Ze maken zich er niet gemakkelijk van af. Zoals de mensen die, zonder te beseffen hoe onfatsoenlijk ze zijn, zeggen: 'Onrechtvaardigheid? Dat is iets wat zo'n beetje overal voorkomt. Maar op Cuba minder dan elders. Had je vader, alles welbeschouwd, de ellende niet zelf opgezocht? Bovendien doet het niets af aan de verdiensten van Fidel Castro.'

Tijdens een diner waarvoor we zijn uitgenodigd door Régis Debray krijgt het plan vaste vorm. Hij heeft ook Edwy Plenel van *Le Monde* en Francis Pisani, een onafhankelijke journalist die sinds tijden correspondent is in Latijns-Amerika, gevraagd te komen. Onderweg hebben Jorge en ik samen overlegd. We hebben allebei eigenlijk het voorgevoel dat ze met z'n drieën een oplossing proberen te vinden zodat we in Parijs kunnen blijven.

Aan het eind van de maaltijd houdt Edwy Plenel plotseling op zijn snor glad te strijken en zegt met zijn guitige blik tegen mijn man: 'Wat ben je eigenlijk van plan te doen in Argentinië, Jorge?'

'Nou, ik ga mijn kinderen weer eens opzoeken, die uit mijn vorige huwelijk zoals je weet...'

'Ik begrijp het, maar waar ga je je mee bezighouden? Kun je daar zomaar naartoe gaan zonder daar een idee van te hebben? Je weet dat je hier wel een bezigheid zou kunnen vinden. Probeer het nodige te doen om in Frankrijk te blijven.'

Daarna wendt Edwy zich tot mij.

'En jij, Ileana? Bevalt het je in Parijs?'
'Ja zeker!'

Régis Debray probeert me op zijn beurt ervan te overtuigen om in Frankrijk politiek asiel aan te vragen.

'In jullie situatie,' zegt hij, 'is dat het beste wat je doen kunt.'

Ondanks zijn onenigheid met de autoriteiten in Havana had Jorge geen speciale reden om dit soort bescherming te zoeken. Hij had een visum als buitenlands ingezetene van Frankrijk. Hij had een Argentijns paspoort – en Argentinië was geen dictatuur meer.

In die tijd beheert Edwy Plenel een verzameling documenten voor Gallimard. Die avond vraagt hij Jorge of die hem wil vertellen wat hij heeft meegemaakt als jonge wees en 'beroepsrevolutionair'. Met de aanbetaling die in het contract wordt genoemd zullen we een paar maanden in onze behoeften kunnen voorzien. Wanneer Jorge nog geen jaar later zijn manuscript overhandigt, is Plenel inmiddels weg bij Gallimard. Het boek zal in januari 1993 bij Stock verschijnen onder de titel *La Loi des corsaires*. Sindsdien heeft Jorge zijn naam ook onder een Spaanse versie gezet, die aanzienlijk is uitgebreid.

Het advies van Régis Debray heeft wel effect gehad. In de eerste dagen van november ga ik, in gezelschap van Jorge, naar Fontenay-sous-Bois, een klein voorstadje zo'n vijftien kilometer ten oosten van Parijs. Ik ben van plan mijn aanvraag voor politiek asiel in te dienen bij het Office Français de Protection des Réfugiés et Apatrides (OFPRA)*.

We worden ontvangen door een ambtenares. Ze roept de directeur van het bureau, die ons speciaal komt begroeten. Na deze vriendelijke ontvangst laat ze een van haar medewerksters bij zich komen, in wie ik onmiddellijk een Chileense herken, en ze vraagt haar met mij een onderhoud te hebben. Overeenkomstig de procedure.

Wanneer ik me aan haar voorstel, laat de jonge vrouw meteen al bij de eerste woorden haar irritatie blijken. Als ze hoort dat ik Cubaanse ben en politiek asiel vraag, wordt ze boos. Ze weigert eenvoudigweg naar me te luisteren.

* Noot v.d. vert.: Frans Bureau ter Bescherming van Vluchtelingen en Staatlozen.

'Nee en nog eens nee! Geen sprake van dat ik deze persoon te woord sta!'

Haar irritatie is in onvervalste vijandigheid omgeslagen, om niet te zeggen in openlijke minachting. De Chileense is buiten zichzelf van woede. Door haar kreten komen haar collega's uit de kantoren ernaast aangelopen. Ze probeert de mensen tot vijandig gedrag tegenover mij aan te zetten, waarbij ze zich beroept op een gewetenszaak die ze in de strijd werpt. Intussen kun je wel zeggen dat ze een zenuwinzinking nabij is.

'Niemand kan mij verplichten dat mens te woord te staan!'

Ik ben stomverbaasd.

Voor deze vrouw is het onvoorstelbaar dat de dochter van een Cubaanse militair die het na de Revolutie tot de rang van officier heeft gebracht politiek asiel komt aanvragen. Dat tart haar politieke overtuigingen, haar denksysteem. Als ik een Chileense vluchteling was geweest, op de vlucht voor Pinochet, of een vluchteling uit Nicaragua, op de vlucht voor Somoza, zou ze me onmiddellijk met alle respect te woord hebben gestaan. Maar dat een dochter van Cuba haast heeft om Fidel Castro te ontvluchten, kan ze zich niet voorstellen – ik ben absoluut een contrarevolutionaire kleinburgerlijke vrouw of een ordinaire misdadigster.

Eén keer moet de eerste zijn. Dit is de eerste keer dat ik in Frankrijk ideologische arrogantie en intolerantie meemaak en dat men maling aan iemand heeft.

Uiteindelijk neemt een andere ambtenares van het OFPRA haar taak over. Ze laat me mijn gegevens invullen. Ze ondervraagt me over de omstandigheden en over de redenen van mijn vertrek.

Daarna zal de procedure zo spoedig mogelijk worden afgewikkeld. Want voor eind november 1991 krijg ik van het OFPRA bericht dat Frankrijk me politiek asiel verleent.

Terwijl Jorge aan zijn boek werkt, begin ik met Franse les bij de Cimade in de Rue du Bac, op basis van drie of vier uur per dag. Tot februari 1992. We zijn niet eenzaam in Parijs. We worden links en rechts uitgenodigd. We zien regelmatig de familie van Régis Debray, de trouwe Pierre en een Libanese vriendin van Régis, Randa, met wie we sindsdien heel goed bevriend zijn geraakt.

Van de familie die op Cuba is achtergebleven hoor ik dat Hector, de jongste zoon van mijn oom die in Guanajay zit opgesloten, naar Miami is uitgeweken. Het vierde Congres van de Cubaanse Communistische Partij, dat een jaar is uitgesteld, is in oktober in Havana gehouden. Er is geen algemeen kiesrecht ingevoerd, maar wel het 'principe van algemeen kiesrecht'. Ter bevestiging waarvan Fidel en Raúl zich hebben laten herkiezen als eerste en tweede secretaris van de Partij! Het bezoek van paus Johannes Paulus II wordt voor de zoveelste keer *sine die* uitgesteld. Dat staat in het interview dat Monseigneur Jaime Ortega, de aartsbisschop van Havana, op 21 november heeft gegeven aan het Moskouse dagblad *Izvestiya*.

Het is mijn eerste winter in Parijs. De temperatuur is gedaald. Ik ben geen hevige kou gewend, ik weet niet hoe ik me moet kleden. Ik heb geen keus! Mijn grootmoeder had me voor mijn vertrek een zwarte jas gegeven in een heel klassieke snit. Als ik het erop waag die uit te trekken, sta ik steeds weer te klappertanden.

Ik leer ook de Parijse regens kennen. Die duren soms de hele dag. De studio, die uitkijkt op een binnenplaatsje met één boom en die op de begane grond is gelegen, blijkt heel koud en heel vochtig te zijn. Geschrokken door het bedrag van de laatste elektriciteitsrekening, steken we nog maar één kachel tegelijk aan, nu eens aan de ene en dan weer aan de andere kant. Jorge en ik wisselen van plaats: terwijl hij zit te bibberen, kom ik weer op temperatuur, en daarna ruilen we weer om!

In februari 1992 neemt Jorge me mee naar Argentinië. Hij heeft afstand gedaan van de gedachte dat we er definitief gaan wonen, maar hij wil zijn vijf kinderen weerzien (drie uit zijn eerste huwelijk, met Mónica; twee uit zijn tweede huwelijk, met Silvia) en bij diezelfde gelegenheid mij zijn geboorteland laten zien en sommigen van de familieleden die nog leven.

Wat hij heeft meegemaakt in Argentinië dateert van zijn puberteit, de pijnlijke jaren van 1970 tot 1974, die werden gekenmerkt door de steeds zwaardere depressie van zijn moeder, door de geur van heldhaftigheid en mysterie rond zijn overleden vader, en door de terreur die de militaire dictatuur had ingevoerd. Dat alles verklaart het gevoel van droefheid dat zijn verblijf in Argentinië altijd bederft.

We logeren een week of twee bij de oom van Jorge in een van de meest welgestelde wijken van Buenos Aires.

Jorge is erin geslaagd Silvia te bereiken en hun twee kinderen te laten overkomen. Hij ontdekt daarentegen dat Mónica is verhuisd. De dag voor onze terugkeer naar Parijs is hij neerslachtig. Hoewel hij ervan overtuigd is het spoor van zijn eerste echtgenote te kunnen terugvinden, beseft hij dat hij zijn oudste kinderen niet zal terugzien voor een volgende reis.

28

Na het 'Contra Congres' in het parlement in Parijs word ik opeens uitgenodigd om de laatste dagen van maart 1992 deel te nemen aan een
manifestatie waar de schendingen van de mensenrechten op Cuba aan
de kaak worden gesteld. De Italiaanse pers heeft zich tijdens en na de
affaire-Ochoa in Europa onderscheiden. Ze heeft er met een verheu-
gende openhartigheid uitvoerig over bericht.

Een Italiaanse, Laura González, organiseert mijn komst naar de andere kant van de Alpen. Ze heeft het voor elkaar gekregen me te laten
interviewen op een van de televisiekanalen van RAI. We zijn het eens
geworden over de te volgen gedragslijn.

Laura weet dat ik me zorgen maak over het lot van mijn oom, dat
dit vanaf mijn eerste schreden in ballingschap voor mij een prioriteit
is. Zodat ik alle mogelijke moeite doe om steun te vinden, zelfs bij Danielle Mitterrand.

Ik heb al een gesprek met de presidentsvrouw aangevraagd. Is zij,
die aan het hoofd staat van de stichting France Libertés, niet de aangewezen persoon om El Líder Máximo ervan te overtuigen het systeem
van eenzame opsluiting, dat bepaalde gevangenen op Cuba wordt opgelegd, te versoepelen?

Danielle Mitterrand heeft Fidel Castro ontmoet en gaat nog steeds
naar Havana, net als Francis Taïeb, de vice-voorzitter van de stichting
en in tweede instantie kunsthandelaar. Helaas, de presidentsvrouw
vond het tot nu toe geen goede gedachte te reageren.

Laura biedt me een publiek in Rome. Ik maak daar gebruik van om openlijk de campagne voor de bevrijding van Patricio de la Guardia te beginnen. Ik vestig de aandacht op de omstandigheden waaronder hij gevangen wordt gehouden, op het isolement waaraan hij is onderworpen en op het gevaar dat hij loopt.

Waar haalt Laura González de energie vandaan om te strijden voor het eind van de dictatuur op Cuba? Ze zegt dat haar bewustwording dateert van de 'affaire-Padilla'. Dat spectaculaire bewijs van de onverdraagzaamheid van Fidel Castro had haar verontwaardiging gewekt. Nog nooit was de minachting voor de vrijheid van meningsuiting zo duidelijk geweest. Op Cuba tolereert en ontvangt men alleen meegaande kunstenaars, vleiers die overtuigd zijn van de begaafdheid van de Vader van de Revolutie.

De dichter Heberto Padilla en zijn vrouw Belkis Cuza Malé waren op 20 maart 1971 gearresteerd. Wat had Padilla misdaan? Hij had kritische, spottende, negatieve, demobiliserende teksten geschreven. Hij had dus de Revolutie beledigd. Met als verzwarende omstandigheid dat de autoriteiten hem hadden verweten een lange neus te hebben gemaakt tegen de censuur, doordat hij het manuscript van *Hors jeu* het land uit had gesmokkeld en in het buitenland had laten verschijnen.

Jean-Paul Sartre en Simone de Beauvoir, Italo Calvino en Alberto Moravia, Mario Vargas Llosa en Gabriel García Márquez, en met hen nog een stuk of veertig andere intellectuelen, schrijven een brief aan Fidel Castro. Niet om te protesteren, alleen om hun bezorgdheid te uiten.

Waar is het goed voor? De Staatsveiligheidsdienst heeft Padilla weten te overtuigen van de zinloosheid en de schadelijkheid van zijn literaire onderneming. Intussen heeft hij inderdaad zijn woorden ingetrokken. Het persagentschap Prensa Latina verspreidt de zelfkritiek waartoe de dichter sinds zijn gevangenschap is overgegaan. Hij beschuldigt zichzelf daarin met ongehoorde inschikkelijkheid van allerlei misdrijven – een gemeenschappelijk kenmerk van de spijtbetuigingen waarmee de processen gepaard gaan die vanaf de jaren zestig door Fidel Castro in scène zijn gezet, van de affaire-Marcos Rodríguez tot de affaire-Ochoa-De la Guardia.

Padilla rekent het zichzelf aan dat hij 'stuk voor stuk de initiatieven van de Revolutie in opspraak heeft gebracht', dat hij 'talloze agenten van de CIA' heeft geïnformeerd, dat hij 'ondankbaar en onbillijk tegenover Fidel' is geweest, enzovoort. Op 27 april na de actie van de Schrijversunie herhaalt hij voor de camera's van de Staatsveiligheidsdienst, die de bijeenkomst filmt, zijn bekentenis en zegt hij nogmaals dat hij berouw heeft. Terwijl hij zweert dat hij 'aan geen enkele dwang' onderhevig is geweest, klaagt hij ook nog zijn contrarevolutionaire collega's aan. Lezama Lima en anderen worden met de vinger nagewezen, en niet te vergeten Padilla's eigen echtgenote, Belkis Cuza Malé, en ze worden uitgenodigd om op hun beurt voor de microfoon berouw te komen tonen.

De maand daarna slaan de buitenlandse intellectuelen die zich eerst hadden gemanifesteerd om hun bezorgdheid te uiten een andere toon aan. Deze keer boezemt de bekentenis van Padilla hun 'schaamte' en 'woede' in. Vargas Llosa, Sartre, De Beauvoir en Pasolini ondertekenen het protest, maar Gabriel García Márquez ontbreekt op het appèl – Fidel Castro zal hem daar dankbaar voor zijn.

Een 'fideliste' van het eerste uur, die getraumatiseerd is door de episode-Padilla maar ook door de massale Mariel-exodus*, en die al haar illusies kwijt is, kiest tien jaar later voor suïcide. Haydée Santamaría Cuadrado pleegt zelfmoord op 26 juli 1980, de gedenkdag van de bestorming van de Moncada. Haydée, die directrice was van het Amerikahuis, een ontmoetingsplek voor schrijvers, en die lid was van het Centraal Comité, had zich volkomen verraden gevoeld. Om dat kenbaar te maken had ze geen betere gelegenheid kunnen bedenken dan te sterven op de traditionele 'feestdag van de Revolutie'.

Het toneel van mijn tweede openbare toespraak is Moskou. Ik word daar in april 1992 uitgenodigd via Laura González. Voor een verblijf van een week.

Een van de persoonlijkheden die men daar verwacht is Carlos Franqui, nog een gedesillusioneerde *compañero*. Hij heeft het Museum voor Moderne Kunst in Havana opgericht en werd afvallig in 1967, waarna

---

* Noot v.d. vert.: zie blz. 67 en 68.

hij naar Rome vluchtte. In 1988, ofwel een jaar voor de affaire-Ochoa, publiceerde Franqui *Vida, aventuras y desastres de un hombre llamado Fidel Castro*. Daarin beschrijft hij de haat-liefdeverhouding die El Líder Máximo sinds jaar en dag heeft met geld en met de Verenigde Staten.

Bij de delegatie uit Spanje ontmoet ik een vrouw, Mari Paz, die de spil is van een organisatie voor ontvangst en gezinshereniging van Cubanen die naar het Iberisch schiereiland zijn gevlucht. Ze reist veel tussen Madrid en Miami.

Ook is daar Carlos Alberto Montaner. Deze naar Madrid uitgeweken Cubaan, die uitgever en journalist is, kreeg bekendheid door een democratisch platform op te zetten, waardoor een dialoog tot stand kon komen met bepaalde hooggeplaatste personen in Havana. Sindsdien heeft Montaner een partij opgericht, de Cubaanse Liberale Unie. Hij werkt aan een vreedzame overgang die via onderhandelingen tot stand moet komen.

Ik ben al eerder in Moskou geweest, maar onder heel andere omstandigheden. Tijdens een zeer officiële reis.

Dat was in 1982, het jaar dat ik voor het eerst Cuba verliet. Ik was achttien. Patricio de la Guardia en zijn vrouw Maricha hadden gevraagd of ik met hen meeging in het kader van een Cubaanse delegatie die werd geleid door generaal Abrantes. Mijn oom wilde daarvan profiteren om zijn oudste zoon te bezoeken, die leerling was aan een militaire academie. Ikzelf had Patricito al twee jaar niet meer gezien.

We waren met alle egards ontvangen, zoals dat hoort tussen leiders van de nomenclatuur. Een mooi, groot appartement in Moskou. Kennismaking met de Russische gerechten tijdens copieuze maaltijden. Lofzangen op het architecturale modernisme van de Sovjet-Unie aan de voet van de Ostankinotoren met een hoogte van vijfhonderd meter. Bezoekjes aan het Kremlin, aan het mausoleum van Lenin, aan de Sint-Basilkerk, de Sint-Sergebasiliek, aan musea...

Als genodigden van Abrantes hadden we het vliegtuig genomen naar Leningrad – dat sinds 1991 weer Sint-Petersburg heet. We hadden het Winterpaleis gezien, het Hermitagetheater en een tentoonstelling in de Kleine Hermitage. Ik was aanwezig bij diners waar sovjetgeneraals en Cubaanse generaals aan deelnamen. Er werd niet over politiek gesproken. Er was sprake van de Tweede Wereldoorlog, van het held-haftige verzet van de bevolking van Stalingrad, van de eeuwigdurende vriendschap tussen Cuba en de Sovjet-Unie.

Vervolgens waren we naar Praag doorgereisd. Wandelingen langs de oevers van de Moldau: het kasteel, de koninklijke stad, de Karels-brug met zijn twee torens. We hadden twee dagen in de bergen doorge-bracht. Daarna waren we teruggekeerd naar Cuba.

We zijn twaalf jaar verder. Deze keer ga ik om een heel andere reden en in een heel andere context naar Moskou.

Wat betreft de binnenlandse politiek heeft Gorbatsjov het ambt van president van de Sovjet-Unie afgeschaft. Het protocol laat het keizer-lijk volkslied spelen. De vlag van de Russische Federatie, waarvan Boris Jeltsin president is, wappert vanaf eind december 1991 boven het Kremlin. Wat de buitenlandse politiek aangaat, is de situatie eveneens veranderd. Voor de eerste keer heeft Moskou bij de Verenigde Naties in Genève Cuba veroordeeld wegens schending van de mensenrechten – tot grote woede van Fidel.

We worden in een groot hotel ondergebracht. Een kille, sombere, functionele omgeving.

Gedurende die week in april 1992 word ik geacht deel te nemen aan ontmoetingen met verschillende persoonlijkheden uit politieke krin-gen. Het is de gelegenheid om te pleiten voor de zaak van Patricio de la Guardia. Maar ik ben ook en vooral van plan van mijn aanwezigheid in Moskou gebruik te maken om me in verbinding te stellen met bepaal-de generaals van het vroegere Rode Leger die de gebroeders De la Guardia goed hebben gekend. Ik beschik over een lijst met telefoon-nummers. Ik hoop hen ontvankelijk te maken voor de situatie van mijn oom en ik hoop dat zij ten gunste van hem zullen proberen te be-middelen. Voordat ik uit Parijs vertrek, heeft iemand me de naam ge-geven van een journalist die me ter plaatse de weg zou kunnen wijzen.

De regering van Jeltsin wordt aan ons voorgesteld en we maken de ene bijeenkomst en discussie na de andere mee.

Ik maak gebruik van mijn vrije tijd om naar een telefooncel buiten het hotel te gaan. Uit instinctieve argwaan, hoewel ik toch twee keer vanuit mijn kamer heb gebeld, maar ook omdat ik ontdekte dat er een delegatie Cubanen in het hotel zat.

Gaat het om militairen of om werknemers van de Cubaanse lucht-vaartmaatschappij? Ik weet het niet. In ieder geval kiezen deze mensen telkens als ik aan een tafel in het restaurant zit een plaats in mijn on-middellijke omgeving. Dat gedoe duurt al dagen.

De avond voor mijn terugkeer naar Parijs komt een van hen naar me toe.

'Hoor eens, ik weet heel goed wie je bent. Je moet naar ons toe ko-men op de negende verdieping.'

'Nee, nee.'

'Hoezo, nee? Je hebt me wel iets te vertellen.'

Ik protesteer: 'Helemaal niet.'

Ik blijf als vastgenageld op mijn stoel zitten. Verlamd. Sprakeloos.

Maar de man laat zich niet ontmoedigen. 'Zeg eens, heb je geen brieven voor ons?'

Ik scheep hem voor de zoveelste keer af. 'Nee, nee, dank u wel.'

De volgende morgen meld ik me bij de receptie van het hotel. Ik moet mijn paspoort terug hebben voordat ik me bij de groep aansluit die op het punt staat zich naar de bijeenkomst te begeven. Het is mijn plicht om daar een toespraak te houden over de situatie op Cuba, voordat ik op het vliegtuig naar Parijs stap.

De hotelbediende schudt haar hoofd en zegt dat ze mijn papieren niet kan vinden. Een vreemd incident, want alle leden van de groep, onder wie ik, hebben bij aankomst gezamenlijk ons paspoort overhan-digd; op de dag van vertrek hebben ze allen hun pas teruggekregen be-halve ik.

Ik laat mijn verbazing blijken.

De vrouw reageert met beleefde onverschilligheid.

'Dat is best mogelijk, mevrouw. Maar úw paspoort is weg.'

Laura González heeft mijn wanhopige blik opgevangen. Ze heeft door dat deze tegenslag mijn toespraak op de bijeenkomst in gevaar kan brengen. Ik loop zelfs het risico hierdoor het vliegtuig terug naar Parijs te missen.

Ik zoek de bewakers van het hotel op. Zij verwijzen me naar de mi-litiesoldaten. Ik leg hun uit dat mijn paspoort weg is, dat ik daar aan-gifte van wil doen. Ze verdwijnen om inlichtingen in te winnen bij de directie van het hotel. Bij hun terugkomst staat me een nieuwe verras-sing te wachten.

'Ik begrijp het niet, mevrouw. We hebben het nagekeken. In ieder geval staat uw naam niet op de lijst van gasten die in het hotel hebben verbleven. U beweert dat u van uw papieren bent beroofd. Het spijt me: voor ons bestaat u niet. Deze verdwijningsaffaire behoort niet tot onze competentie.'

Ik loop naar de publieke telefooncel. Ik bel Jorge op in Parijs. Wat ik hem vertel, maakt hem duidelijk woedend. Hij houdt zich echter in en vertelt me welke stappen ik op dat moment moet nemen.

'Ga vooral niet uit het hotel weg, Ili. Ga niet de straat op. Onder geen voorwaarde. In geen geval. Wacht daar tot ik je terugbel om je de nodige instructies te geven.'

Ik weet niet of Jorge intussen Régis Debray of iemand van Buitenlandse Zaken heeft geraadpleegd. Het duurt niet lang of hij belt me terug in het hotel.

'Neem onmiddellijk met Laura een taxi. Laten jullie je naar de Franse ambassade brengen. Zodat zij je bescherming bieden.'

Even is het stil en denk ik dat Jorge gaat ophangen. In plaats daarvan leest hij ons uitgebreid de les.

'Jullie zijn twee waaghalzen! Jullie nemen niet de juiste maatregelen! Wanneer je merkt dat er Cubanen in je hotel zitten, ga je verdomme toch onmiddellijk naar een ander hotel!'

Bij mijn aankomst op de Franse ambassade krijg ik een koude douche. De vrouw die me te woord staat is niet op de hoogte van het incident. Mijn zenuwachtige uitleg heeft geen effect op haar kalmte.

'Zo... Dus u komt een verklaring afleggen dat uw papieren zijn gestolen.'

'Ja, maar ik denk dat het hier niet bij blijft. Kunt u naar Buitenlandse Zaken bellen in Parijs? De mensen van de Quai d'Orsay zullen u mijn situatie uitleggen. Ik heet Ileana de la Guardia. Ik ben politiek vluchteling in Frankrijk.'

Ze verdwijnt in een kantoor. Daarna komt ze weer terug. Haar toon is geruststellend.

'Maakt u zich geen zorgen. Ik heb Parijs aan de lijn gehad. Ik krijg instructies van Buitenlandse Zaken om te zien wat we kunnen doen.'

Maar ik ben de voor het komende uur geplande persconferentie niet vergeten. Waar Kamerleden en vertegenwoordigers van de media aanwezig zullen zijn. Ondanks het incident met het paspoort ben ik vastbesloten naar de bijeenkomst te gaan. De raadsvrouw van de ambassade gaat niet tegen mijn besluit in.

Laura en ik nemen een taxi.

Ik zit net op mijn plaats, wanneer ik naar het spreekgestoelte word geroepen. Hoe ik het voor elkaar heb gekregen terwijl ik zo gespannen was om toch de tekst voor te lezen die ik had voorbereid, vraag ik me nu nog steeds af. In ieder geval vergeet ik niet er een onverwachte ontwikkeling aan toe te voegen door publiekelijk het verhaal te doen van de streek die me zojuist is geleverd: zonder paspoort kan ik onmogelijk Moskou verlaten. Zonder de bescherming van de Franse ambassade ben ik volkomen kwetsbaar.

Ik ben nog maar net van het spreekgestoelte afgestapt of een paar mensen uit het publiek komen naar me toe. Een Engelstalige journalist vergezeld van een tolk is van plan me clandestien de grens over te brengen. Ik luister naar zijn voorstel met een vriendelijke glimlach en de woorden 'Nee, dank u'. De consul van Costa Rica is even attent. Hij biedt aan me een reisdocument te bezorgen opdat ik Rusland kan verlaten. 'Nee, dank u, meneer de consul. De Franse ambassade zorgt al voor me.'

Ik ga voor de laatste keer bij het hotel langs. Daarvandaan begeef ik me met mijn bagage naar de Franse ambassade. Mijn raadgeefster brengt me op de hoogte van de instructies die de Quai d'Orsay haar heeft gegeven.

'Vanaf nu verlaat u het terrein van de ambassade niet meer zonder begeleiding. U gaat hier alleen weg om naar het vliegveld te gaan en in het vliegtuig naar Parijs te stappen. In geval u vanwege het vervullen van een formaliteit hiervandaan zou moeten, wordt u begeleid door leden van de ambassade.'

Ik breng de nacht op de ambassade door. Aan de telefoon laat Jorge me merken dat hij gerust is gesteld; hij kan me nogmaals een standje geven voor mijn lichtzinnigheid, ik, die geen geheim agent ben...

's Ochtends nemen de diplomaten van de ambassade me in de auto mee naar een overheidsgebouw in Moskou. Ze gaan er met z'n tweeën naar binnen. Er wordt mij gevraagd onder begeleiding in de auto te blijven zitten terwijl zij onderhandelen met hun Russische ambtsgenoten. Bij hun terugkeer vertellen ze me dat er een regeling is getroffen. Ik zal pas in Parijs een nieuw paspoort kunnen krijgen. Ondertussen stemmen de Russische autoriteiten ermee in me een uitreisvergunning te bezorgen.

Het is middag. Twee leden van de Franse ambassade lopen met me mee naar de gate voor de vlucht Moskou-Parijs van Air France. Ze wisselen op het moment van controle enkele woorden met vertegenwoordigers van de grenspolitie. Wanneer ik het vliegtuig instap, waarschuwt een stewardess me dat een afgezant van Buitenlandse Zaken al op me zit te wachten en dat we samen naar Parijs zullen reizen.

Hoe moet ik het incident in Moskou interpreteren? Het paspoort is klaarblijkelijk gestolen bij de receptie van het hotel. Ik denk niet dat de Cubaanse delegatie wie dan ook van het personeel heeft hoeven omkopen. Het was alleen mogelijk op grond van een overeenkomst, op grond van gewoonten die al lang geleden zijn afgesproken. Het is 1992. In die tijd bestaan er nog nauwe banden tussen de Cubaanse inlichtingendiensten en de inlichtingendiensten die nog stammen uit het sovjettijdperk.

De KGB is officieel nog maar zes maanden opgeheven, sinds oktober 1991. Maar in de praktijk is er niet van de ene op de andere dag grotendeels ander personeel gekomen. De 600 000 agenten en de zes miljoen correspondenten hebben nog steeds iets van de reflexen en de affiniteiten die ze hebben aangeleerd.

Door me mijn paspoort afhandig te maken wilden de Cubaanse diensten me dwingen minstens een week extra in Rusland te blijven. Als ik niet zo snel hulp had gekregen van de Franse ambassade, zou ik gedwongen zijn geweest te wachten tot de Russische autoriteiten ermee instemden de administratieve stappen te nemen om mij nieuwe papieren te bezorgen. Dan had ik tekeer moeten gaan om te zorgen dat er vaart mee werd gemaakt.

Tegelijkertijd zou de delegatie die me had vergezeld en waarvan mijn bescherming afhing uiteindelijk zonder mij zijn teruggekeerd. Dan zou ik helemaal alleen zijn geweest. Vanaf dat moment kon je bedacht zijn op alle mogelijke scenario's. Zonder papieren kon ik tegen mijn zin tegengehouden of gevangengehouden worden. De lokale autoriteiten konden me zo lang als ze wilden uithoren en om uitleg vragen.

Ik liep twee heel grote risico's. Ik kon worden uitgewezen en aan mijn land van herkomst worden uitgeleverd. Niets zou zo gemakkelijk zijn geweest als mij ambtshalve aan boord te brengen van een toestel van de Cubaanse luchtvaartmaatschappij op weg naar Cuba.

Of men profiteerde van mijn ontreddering door de volgende chantage te plegen: je krijgt je paspoort terug op voorwaarde dat je belooft je te zullen houden aan de afspraak die vlak voor je vertrek uit Havana is gemaakt. Ik kan me moeiteloos de toon voorstellen die ze in die tijd in Moskou tegen me zouden hebben aangeslagen: 'Besef je wel wat je hebt gedaan? Je durft je openlijk uit te spreken over je vader. Je geeft je eigen versie van de affaire-Ochoa. Doe dat niet weer! Hier is je pas, maar houd je mond en je houdt vooral contact met Havana via onze ambassades.'

29

Sinds mijn terugkeer uit Moskou heb ik mijn omgeving laten weten dat ik een baan zoek. In mei 1992 beveelt Carmen Castillo, die zich vlot beweegt in het 'Latijnse artistieke en intellectuele milieu', me aan bij de ontwerpster van betere confectiekleding, zakenvrouw Agnès B. (B naar de initiaal van de naam van haar eerste man, de uitgever Christian Bourgois).

We worden het bijna ogenblikkelijk eens.

Agnès B. neemt me in dienst als verkoopster in haar winkel in de Hallen, vlak bij de Saint-Eustachekerk. Eind juni begin ik met mijn opleiding.

Op de eerste dag geeft de verkoopleider me een beschrijving van mijn werkzaamheden. Ik kom er gerustgesteld vandaan. Mijn Frans is verre van perfect, maar ik denk dat ik uiteindelijk helemaal heb begrepen wat ze zei. Wanneer ik haar daarna hoor praten met Carmen Castillo, besef ik hoeveel vorderingen ik nog zal moeten maken. Ik begrijp nog maar één op de twee woorden. In werkelijkheid had ik de uiteenzetting van de verkoopleider alleen zo goed kunnen volgen omdat zij zo tactvol was geweest langzaam en duidelijk tegen me te praten. Ik krijg het weer benauwd: als nu eens hetzelfde gebeurt met de klanten van de winkel?

Stap voor stap maak ik vorderingen in het begrijpen en in het spreken. Soms voel ik me erg moe. Ik voel me ook weleens heel alleen. In het begin zorg ik ervoor dat ik niet in aanwezigheid van de winkelmeisjes over mijn situatie als politiek vluchteling praat. Ik ben 'Ileana, de Cubaanse'. Ze weten niet wie ik werkelijk ben, wat mijn vader heeft meegemaakt, waarom ik Cuba heb verlaten. Ik houd mijn mond, hoe moeilijk dat ook is, gewoon omdat je beter kunt zwijgen tegenover mensen die je niet kent. Is het trouwens al niet moeilijk en pijnlijk genoeg voor me om mijn hart uit te storten bij mijn vrienden?

Na mij wordt er bij de winkel nog een andere jonge vrouw aangenomen. Met haar raak ik ten slotte bevriend. Eerst lunchen we samen. En daarna doe ik beetje bij beetje mijn verhaal. Ik vertel haar over het drama in mijn familie, over de dood van mijn vader, de gevangenschap van mijn oom, hoe we lastig zijn gevallen in Mexico en over het incident in Moskou. Ze heeft nog nooit van de affaire-Ochoa gehoord. Ze weet er niets van. Dat geldt voor veel Fransen. In de winkel, heb ik gemerkt, weet niemand waarover het gaat.

De affaire-Ochoa speelde in de zomer van 1989, in het vakantieseizoen wanneer de Franse dagbladen maar de helft van hun normale aantal bladzijden tellen. Doordat er op dat moment zoveel wereldnieuws was, was de zaak op de achtergrond geraakt. De vernislaag van het communisme was aan het afbladderen, terwijl Parijs zich met pracht en praal voorbereidde op de viering van het feit dat tweehonderd jaar tevoren de Revolutie had plaatsgevonden.

Alleen de mensen die meestal of af en toe het nieuws uit Latijns-Amerika volgen, hebben van deze affaire gehoord. Die is wel hier en daar behandeld, maar heeft duidelijk niet veel ruchtbaarheid gekregen in de publieke opinie.

De aandacht was gericht op de opstand in Peking. De Chinese studenten, die vanaf mei op het Tian'anmenplein bijeen waren gekomen, protesteerden tegen het ontslag van de liberaal Hu Yaobang. Ze eisten op vreedzame wijze dat de hervormingen werden doorgezet. Nadat Li Peng standrecht had ingevoerd, waren ze in de eerste dagen van juni meedogenloos bestraft en afgeslacht. Een maatregel van uiterste vastberadenheid waarmee Fidel Castro wel blij moest zijn, die vastbesloten was, ondanks het 'burgervirus' in Oost-Europa, alle macht te behouden.

Intussen waren in Polen de eerste vrije verkiezingen gehouden. Solidarnosc was daar met een overweldigende meerderheid van Kamerleden uit te voorschijn gekomen.

Op de dag dat op Cuba de arrestatie van de gebroeders De la Guardia openbaar werd gemaakt, 16 juni, kwam er een menigte van 250 000 Hongaren in Boedapest bijeen voor de officiële begrafenisplechtigheid van Imre Nagy, eerste minister in de tijd van de opstand van 1956 en geëxecuteerd in 1958.

Twee dagen na de bekrachtiging van de doodvonnissen door de Staatsraad onder voorzitterschap van Fidel Castro, op 11 juli, werd George Bush, de president van de Verenigde Staten, enthousiast verwelkomd door de Hongaren onder leiding van president Bruno Straub. De Amerikaanse president had twee dagen eerder een oponthoud gehad in Warschau. Het Poolse parlement had zojuist Lech Walesa tot president gekozen.

Vierentwintig uur na de executie van de vier Cubaanse officieren, vierde men in Parijs het tweehonderdjarig feest van de Franse Revolutie. Maandenlang werd nergens anders over gesproken. Vooral omdat diezelfde dag de G7-top werd gehouden. Deze was voorbereid door de adviseur van president François Mitterrand, en zou voornamelijk gaan over milieukwesties. President Bush had al zijn gewicht in de schaal gelegd om de aandacht op een schrijnender actueel onderwerp te richten: de economische hulp aan de Oostbloklanden die in een overgangsperiode terecht waren gekomen.

Toch had de executie van de vier Cubaanse officieren de Franse ambassadeur in Havana geschokt. Tijdens de receptie die hij de volgende dag, 14 juli 1989, had gegeven, had hij Fidel Castro liever in een apart vertrek ontvangen, afgezonderd van de meeste andere genodigden...

Welke plaats bleef er over voor de affaire-Ochoa onder de stoomwals van een geschiedenis die voortaan dwars tegen het communistische dogma inging? Wat betekent het leven en de eer van één, twee, drie of vier mannen die door iedereen in de steek zijn gelaten? Ik ken het argument dat vaak openlijk of in bedekte termen tegen mij wordt aangevoerd. Onwettige processen en terechtstellingen vinden overal en in alle tijden plaats, nietwaar?

Of de mannen die op 13 juli werden gefusilleerd waren inderdaad ordinaire drugssmokkelaars die de Cubaanse Revolutie hadden bezoedeld, en dan verdienden ze hun lot. Dat was het standpunt van de linkse puristen. Of de Revolutie had hen bezoedeld, maar waarom hadden ze die dan gediend? Dat was het standpunt van de rechtse puristen.

We moeten ons buigen over de ontknoping, die onopgemerkt is gebleven, om beide partijen de ogen te openen. Ik weet niet of Ochoa op het punt stond het leger tot een opstand tegen Fidel Castro aan te zetten, of hij inderdaad wapens had verborgen in Pinar del Río en Havana, of hij een 'Roemeens' scenario had bedacht, maar ik begrijp waarom Raúl tijdens zijn toespraak op 14 juni 1989 verwachtte nog meer Ochoa's te zien opstaan.

De omvang van de zuiveringsactie die de gebroeders Castro hebben ontketend, zonder die deze keer van de daken te schreeuwen, toont aan dat het proces-Ochoa iets heel anders aan het licht bracht dan een kleine bende gewetenloze zakenlui die in het apparaat waren geïnfiltreerd.

In de eerste plaats is er de schokgolf binnen het hoofdkantoor van het Minint. In augustus 1989 pleegt kolonel Rafael Cueto zelfmoord. Ik verwonderde me erover dat tijdens het proces het geldcircuit niet ter sprake kwam, en ja hoor: Cueto was het hoofd van het financiële bestuur van het Minint. Hij wist waar de 3,5 miljoen dollar heen was gegaan. Een paar dagen daarna is de chef van de 'Illegalen', die in een vleugel van het Minint was ondergebracht, en die 'Micky Matraqua' wordt genoemd, degene die zichzelf een kogel door zijn hoofd jaagt.

Alles bijeen zijn er een handjevol ministers en vice-ministers, en zo'n honderdvijftig hogere officieren afgezet, overgeplaatst en met pensioen gestuurd. En dan heb ik het nog niet eens over de gevallen van verstoting binnen het Centraal Comité.

De ex-minister van Binnenlandse Zaken José Abrantes, die de belangrijkste getuige was van de affaire en die voordat hij de klap had zien aankomen machteloos was gemaakt en tot zwijgen was gebracht, kreeg op 21 januari 1991 onverwachts een hartinfarct. Officieel was hij onder behandeling om een hartaanval te voorkomen.

Nog niet zo lang geleden is een andere getuige van de onwettige handel, een zeer belangrijke getuige omdat hij er in veel gevallen over had onderhandeld, Manuel Piñeiro, omgekomen bij een verkeersongeluk in Havana op 11 maart 1998.

Jorge is goed op de hoogte van de gewoonten van 'Barbarossa'. De chef van het departement Amerika is lange tijd zijn baas geweest. Voor Jorge wijst dit incident op een complot. Hij heeft Piñeiro nooit achter het stuur van een auto gezien. En voorzover hij weet had hij niet de gewoonte te veel te drinken. Het autoverkeer is op Cuba niet bijzonder druk, maar het is gek hoeveel verkeersongelukken er toch plaatsvinden...

Het proces-Ochoa was het laatste stalinistische proces van onze tijd. Om het op touw te zetten hoefde Fidel Castro slechts de methode opnieuw toe te passen die vijfentwintig jaar eerder werd gebruikt tegen een jonge militante communist, Marcos Armando Rodríguez, die beschuldigd werd van verraad. President Oswaldo Dorticós* had zijn verzoek om gratie, dat werd ingediend door Jorge Valls, een vriend van de terdoodveroordeelde, heel onverschillig aangehoord: 'Niet de schuld of onschuld van Marcos Armando Rodríguez interesseert ons hier, maar de politieke gevolgen van dit proces.'

Vanaf 1993 had ik genoeg vertrouwen in de andere winkelmeisjes om vrijuit met ze te praten.

Een vertrouwen waarvan Danielle Mitterrand daarentegen niet wil weten!

Mijn eerste twee verzoeken om een onderhoud waren onbeantwoord gebleven. Deze keer heeft mijn verzoekschrift op het papier met briefhoofd van een respectabele instelling een positieve respons gekregen.

De vrouw van de president ontvangt me in het hoofdkantoor van de stichting France Libertés, gelegen in het negende arrondissement, halverwege tussen het Gare Saint-Lazare en de Place de Clichy. Ik leg uit in wat voor situatie Patricio verkeert in de gevangenis van Guanajay. Ik vraag haar of ze ten gunste van hem wil bemiddelen, maar dan onderbreekt ze me.

'We kunnen niets doen,' zegt Danielle Mitterrand. 'Fidel Castro is een fatsoenlijke man, neemt u dat maar van me aan. Jawel. Ik kan u

---

* Oswaldo Dorticós werd in 1959 president van Cuba, terwijl Fidel Castro eerste minister was.

zeggen dat het een heel goed mens is. Hij is natuurlijk halsstarrig, maar ja... Wat uw vader en uw oom is overkomen, is een betreurenswaardig incident, maar ja... Hij heeft te maken met een moeilijke situatie, weet u?'

Ik kan de veroordeling en executie van mijn vader moeilijk beschouwen als een 'incident', maar ja... Ik blijf aandringen. Maar het mag niet baten.

'Maar dat weet u toch,' begint Danielle Mitterrand weer. 'Dat is vanwege de Amerikaanse blokkade. Fidel Castro moet mensen wel naar de gevangenis sturen. Hij heeft geen keus.'

Deze keer begrijp ik het verband met de blokkade niet, 'maar ja...'. Ik kan er niet aan wennen. Het is de oneerlijke rechtvaardiging die gangbaar is en die ik overal te horen krijg, zowel op Cuba als in het buitenland, de rechtvaardiging die dankzij de officiële propaganda unaniem in Europa is overgenomen.

Toen Danielle Mitterrand in mei 1986 haar stichting oprichtte, was ze van plan 'mee te helpen aan het herstel van de elementaire mensenrechten'. Ik deel natuurlijk het respect en de bewondering die ze heeft voor Nelson Mandela. Maar hoe kan ze daarentegen verblind worden door iemand als Fidel Castro, die vrolijk haar overtuigingen met de voeten treedt? Deze man laat mensen nog steeds opsluiten omdat ze er een afwijkende mening op na houden en is nog steeds een voorstander van de doodstraf in zijn land!

Andere bekende persoonlijkheden handelen wel overeenkomstig hun overtuiging. Agnès B. bijvoorbeeld neemt het initiatief om een persconferentie op touw te zetten om de aandacht te vestigen op de omstandigheden waaronder Patricio gevangen zit. Ze brengt kunstenaars, journalisten en mensen uit haar kennissenkring bijeen. Edwy Plenel en andere vrienden hebben erin toegestemd actief lid te worden van het comité waarvan Gilles Perrault de voorzitter is.

Het gaat erom dat men de autoriteiten in Havana zal vragen mijn oom niet langer in eenzame opsluiting te houden. Dat gebeurt nog steeds omdat hij in 1992 het 'plan voor ideologische rehabilitatie' heeft afgewezen. Gedrag dat kenmerkend is voor de *plantados*, zoals de politieke gevangenen op Cuba genoemd worden – ondanks het feit dat Havana die status niet erkent.

Stukje bij beetje ondernemen we steeds meer stappen, met name via Médecins du Monde.

Een postume troost. Sinds 1994 rusten de stoffelijke resten van mijn vader in het familiegraf op het Cementerio de Colón.

Mijn ontmoeting met Danielle Mitterrand was tot mislukken gedoemd. De voorzitster van France Libertés speelt aan het eind van de winter van 1995 open kaart. Ze mag zich er dan wel op laten voorstaan dat ze Fidel Castro soms vraagt clementie te hebben voor bepaalde politieke gevangenen, maar in werkelijkheid dient deze liefdadigheid alleen om haar al te grote inschikkelijkheid ten opzichte van de dictator te rechtvaardigen.

Het feit dat ze er zo op aandrong hem in Frankrijk te ontvangen, ondanks de coalitieregering met Édouard Balladur aan het hoofd, getuigt daarvan. Ze heeft dus haar best gedaan een officieel tintje te geven aan het bezoek van de Opperbevelhebber aan Parijs in maart 1995, hoewel zelfs het Élysée had meegedeeld dat het om een 'privé-bezoek' ging.

Fidel Castro komt namelijk op gemeenschappelijke uitnodiging van de Unesco, onder voorzitterschap van de zelfvoldane Federico Mayor, en van France Libertés langs de oevers van de Seine paraderen. Deze ontvangst is door Danielle Mitterrand duidelijk al lang geleden voorbereid.

In de *Journal du dimanche* verklaart ze vlak voor de grote dag dat Fidel op Cuba 'het summum van wat het socialisme kan doen' heeft bereikt. Ze weet echter dat men in Frankrijk, en in het bijzonder in linkse kringen, niet veel moet hebben van de militaire starheid. Ze heeft haar voorzorgsmaatregelen genomen. Ze wil met een ontspannen dictator voor de dag komen. Vandaar haar suggestie die dagen liever in burger dan in uniform te verschijnen.

Mijn Franse vrienden die ik op de ochtend van 13 maart 1995 voor het hoofdkantoor van de Unesco zie, niet ver van de Esplanade des Invalides, spreken er schande van. Te midden van de pracht en praal van het Élysée heeft een voor een tweede ambtstermijn verkozen president zojuist een zelfbenoemd staatshoofd begroet dat zijn macht nooit ter discussie heeft gesteld. En Federico Mayor beledigt zijn eigen vaandel, de cultuur, evenzeer als Danielle Mitterrand de humanitaire zaak beledigt.

Is het mogelijk dat ze dit niet weten? De Commissie voor de Mensenrechten van de Verenigde Naties in Genève heeft haar standpunt wat betreft de affaire-Ochoa aan het begin van het jaar 1995 openbaar gemaakt. Nadat de Commissie aan het eind van het jaar daarvoor de affaire heeft onderzocht en erover heeft beraadslaagd, was ze van mening dat het proces van juli 1989 onrechtmatig was verlopen en dat daarbij in het bijzonder de Cubaanse wet was overtreden, waarmee de vonnissen van het speciaal militair tribunaal juridisch gezien nietig zijn geworden. De Verenigde Naties, die het proces-Ochoa als 'willekeurig' hebben gekwalificeerd, protesteren logischerwijze tegen de 'willekeurige gevangenschap' van mijn oom Patricio de la Guardia en zijn medeveroordeelden.

Met een handjevol mensen, een man of tien, uiten we onze verontwaardiging en eisen we respect voor de mensenrechten op Cuba, achter het kordon van de mobiele eenheid en de dranghekken die de stoet officiële genodigden in banen leiden. We houden een spandoek omhoog waarop om de vrijlating van Patricio de la Guardia en de politieke gevangenen wordt gevraagd, onder de minachtende blik van de officiële genodigden, bij wie zich zoals te verwachten was de geheim agenten van de Cubaanse diensten aansluiten.

Een menigte opgetutte vrouwen staat hysterisch hoera te roepen om Fidel Castro bij zijn aankomst te begroeten. Een paar betogers proberen pamfletten rond te delen. Ze worden zonder enige consideratie tegengehouden terwijl Federico Mayor El Líder Máximo welkom heet. Hij vleit hem buitengewoon. Tot het belachelijke aan toe. Hij maakt zelfs een vergelijking tussen hem, de zeer strijdlustige Opperbevelhebber, en de zeer vredelievende Gandhi.

Even verontrustend is de ontvangst die hem wordt geboden door de voorzitter van het parlement. Het Palais-Bourbon is het toneel van debatten tussen een parlementaire meerderheid en de oppositie. De Cubanen kennen slechts een eenpartijstelsel. Vrijheid van meningsuiting, kritiek, protest en tegenspraak worden er niet toegestaan.

Waarom zoveel toegeeflijkheid? Het is niet zo dat de rest van de wereld Cuba heeft geïsoleerd, evenmin als de Amerikaanse blokkade, die overigens handig wordt omzeild. Een politiek, economisch, sociaal en cultureel isolement. Maar Fidel Castro heeft Cuba van de rest van de wereld afgesneden om zijn landgenoten tot gijzelaars te maken en aan zich te verplichten. In Frankrijk, dat na de Tweede Wereldoorlog gedeeltelijk in puin lag, verdwenen de rantsoeneringsbonnen in 1949. In Cuba duurt het *libreta* al meer dan dertig jaar!

'Business as usual.' Inkomsten uit de toeristenindustrie en uit de aardolie. Rum in overvloed. Goedkope arbeidskrachten. Waarschijnlijk moeten we de sleutel tot de toegeeflijkheid in die richting zoeken, de toegeeflijkheid van het Centre National du Patronat Français (CNPF)*, waarvan twee delegaties kort tevoren Cuba hebben bezocht.

En dan heb ik het nog niet eens over het privé-reisje naar de Bourgogne. Je kunt je gemakkelijk voorstellen dat de industriële kippenhokken meer succes hadden bij Fidel Castro dan de Romaanse kerken. In de middag van 14 maart 1995 ontvangt het CNPF (dat later het Medef is geworden) de protégé van Danielle Mitterrand in de grote salon aan de Avenue d'Iéna. Ik behoor niet tot de genodigden, maar een Franse journalist, die op dat moment aanwezig is, vertelt me precies hoe het is gegaan.

De voorzitter van het CNPF heeft zich laten verontschuldigen. De vice-voorzitter van CNPF-International heet Fidel Castro welkom 'uit naam van de Franse zakenwereld die ter ere van u hier bijeen is gekomen'. Onder de toeschouwers is alles geregeld als bij een rollenspel. Sommige genodigden komen naar voren om 'foto's te maken om aan de familie te laten zien'.

Castro brengt het welwillende gezelschap aan het lachen. Als de onvermoeibare komediant die hij vanaf zijn schooltijd is – in het Spaans is komediant *comicastro* – ontkent El Líder Máximo dat hij 'kapitalist' is geworden, maar hij verbiedt kapitalisten niet in zijn zaken te investeren. Mits ze zich niet met politiek bemoeien (wat vooral betekent dat ze de pers erbuiten houden) en mits ze het (duistere) spel meespelen van de gemengde bedrijven en kapitaal tegen inkomsten in natura. Een

* Noot v.d. vert.: Franse werkgeversbond.

241

derde delegatie, die naar men zegt bestaat uit vertegenwoordigers uit de textielindustrie, zal binnenkort naar Havana afreizen. Fidel verheugt zich erop.

De bevriende journalist vertelt me hoe misselijk hij zich voelde toen hij van deze erbarmelijke ontmoeting vandaan kwam.

30

De triomf van Fidel Castro in Frankrijk zal leiden tot een incident dat ik niet had verwacht. Het wordt deze keer niet veroorzaakt door de Cubaanse speciale diensten. Maar het doet zich voor binnen een kring van Latino kennissen, tijdens een feestje in het zestiende arrondissement van Parijs.

Pedro, een aantrekkelijke Chileen, die getrouwd is met Lydie, een aantrekkelijke Française, heeft Jorge en mij te eten uitgenodigd. Franse en Cubaanse gemeenschappelijke vrienden hadden ons met elkaar in contact gebracht in de winter van 1992; we gaan vriendschappelijk met elkaar om, meer niet. We zien elkaar niet regelmatig, maar het gebeurt weleens dat we tegelijk ergens te eten zijn uitgenodigd. Echter met steeds minder plezier.

De eerste avond was Pedro vriendelijk. We legden hem mijn persoonlijke omstandigheden uit; ondanks zijn stille liefde voor Fidel Castro gedraagt hij zich respectvol. Algauw nemen de zaken een andere wending. Pedro heeft de neiging om, wanneer hij geen salsademonstratie geeft, een rol te spelen waartoe hij zich al vijftien jaar te pas en te onpas verplicht voelt, namelijk de rol van de voormalige heldhaftige militant van de Chileense Movimiento de Izquierda Revolucionaria.

Pedro is na de staatsgreep van Pinochet in 1974 in Frankrijk als politiek vluchteling opgenomen en schikt zich zonder tegenstribbelen naar de wensen van zijn burgerlijke, maar wat sommigen betreft niet-

243

temin heel sympatieke vrienden. Of hij nu zelf het initiatief heeft genomen of dat men het hem heeft gevraagd, het is een ritueel waar hij zich nooit aan onttrekt. Je moet het gezelschap een beetje opwarmen.

Zijn gasten vinden het geweldig wanneer hij zijn gitaar pakt om met zijn hese stem het revolutionaire lied 'El Comandante' te zingen. Het gezelschap aan tafel begint op zijn beurt ook te zingen. De senioren voelen zich weer twintig. Het bezingen van de jeugd, waarvan Che het referentiepunt is, is de brandstof van de marketing, de vervangende religie. In vervoering zwijmelen de vrouwen weg bij de meeslepende klanken van de zanger.

Wanneer ik een bedrijfsleider die onder onwettige arbeidsomstandigheden mensen in dienst heeft die van de ene op de andere dag ontslagen kunnen worden, in zijn appartement in het zestiende arrondissement een ode aan Guevara hoor zingen, voel ik me daar elke keer erg ongemakkelijk bij. Dat lied klinkt vals. Voor mij is het even onnozel en lachwekkend als bepaalde padvinders- of soldatenliedjes!

Is dit tot vervelens toe herhalen werkelijk voldoende om de verburgerlijkte voormalige militanten ervan te overtuigen dat ze de gloed van hun jeugd, van hun idealen en van hun toewijding aan de Revolutie hebben behouden? Dat lijdt geen twijfel. Hun levenswijze wordt er niet anders van, terwijl ze er een narcistisch voordeel aan ontlenen. Ik denk dat ze in werkelijkheid veel meer gestreeld zijn doordat ze hun jeugd doen herleven, en daarmee het verlangen naar een vermeende onbedorvenheid, dan dat ze bereid zijn feitelijk hun huidige comfort voor deze idealen op te offeren.

Idealen die in werkelijkheid op een verkeerd spoor zijn geraakt. De werkelijkheid van Cuba, dat Che Guevara zelf de rug had toegekeerd, is in flagrante tegenspraak met deze revolutionaire romantiek, met de liturgie en iconografie ervan. Deze romantiek is puberaal en vernederend. Che heeft het bevel gevoerd over executiepelotons. In zijn stompzinnige pretentie de 'nieuwe mens' te creëren heeft hij mensen overhoop geschoten, die niet nieuw maar jammerlijk levend waren. 'De onverzoenlijke haat jegens de vijand voert ons mee en brengt ons voorbij de natuurlijke begrenzingen van de mens, en verandert ons in efficiënte, krachtdadige, selectieve en koele killers.' Dat staat niet in *Mein Kampf*, maar in de geschriften van Che, die in de vrije verkoop zijn.

Worden de werkelijkheid en het verstand soms opgelost in de revolutionaire lyriek? Wat brengt *El Comandante* over, behalve de fascinatie voor de leider, voor de strijder die wordt opgeroepen zich met hem te identificeren, voor gehoorzaamheid, voor geweld en bovendien voor het gevoel van zekerheid, van superioriteit en onoverwinnelijkheid dat eigen is aan elke willekeurige sekte die overtuigd is als enige gelijk te hebben tegenover alle anderen. De officiële radio van het regime in Havana heet 'Radio Rebel'.

De scène speelt zich af op een avond in het voorjaar van 1995. Het bezoek van Fidel Castro aan Parijs is hooguit een paar weken geleden, wanneer Pedro en Lydie ons uitnodigen voor een feest bij hen thuis in het zestiende arrondissement. Aan de laatste keer dat we elkaar hebben gezien heb ik een treurige herinnering overgehouden. Jorge en ik stonden bij de weinige betogers onder aan het Unesco-gebouw; Pedro en Lydie behoorden tot de officiële genodigden. Maar wat doet het ertoe, we nemen de uitnodiging aan.

Een Franse journaliste gaat met ons mee. Agnès Bozon-Verduraz maakt deel uit van de redactie van het culturele weekblad *Télérama*. Ze heeft in de jaren zestig op Cuba gewoond. De werkelijkheid waarmee de bevolking van het eiland dagelijks te maken heeft, heeft zij ook meegemaakt. Het spreekt voor zich dat ze zich sindsdien geen illusies meer maakt over het politieke systeem.

Onder de gasten van Pedro zijn er velen die laatst bij de Unesco Fidel Castro zijn komen begroeten en beluisteren. Sommigen zijn nauw gelieerd met wat in Frankrijk 'kaviaarlinks' wordt genoemd. Ze vormen één kliek. Op onverklaarbare wijze voel ik dat wij niet welkom zijn.

Ik weet niet wie van hen als eerste de vijandigheden is begonnen. Op het terrein waarop ik natuurlijk het gevoeligst ben: de affaire-Ochoa.

De Chilenen die op het feest aanwezig zijn, doen er om de beurt nog een schepje bovenop. Ze denken allemaal hetzelfde. Agnès probeert aan de discussie mee te doen, maar zonder succes. Ik voel wat mij betreft dat het de moeite niet loont. Ze staan te negatief tegenover ons om ons ook maar de geringste kans te geven onze mening te laten horen. Ze verwachten geen uitleg. Ze genieten ervan dat ze er dezelfde mening op na houden. Dat is goed te zien. Ze voelen zich sterk. Via de salsa, hun denken in leuzen en hun scheldwoorden vormen ze één geheel in hun zekerheid de meest revolutionaire en meest broederlijke fuifnummers te zijn die er die nacht in Parijs rondlopen.

Plotseling begint een van de Chilenen te schreeuwen: 'Oké, Ochoa en De la Guardia zijn gefusilleerd! Prima. Dat is heel normaal. Het waren slechte mensen, die lui!'

Hij herhaalt zijn woorden en gaat met geforceerde stem steeds harder praten. Ik voel dat het een provocatie is.

'Zo is het wel genoeg,' roept Jorge tegen hem. 'Hou daarmee op. Dat is een gebrek aan respect voor Ileana! Heb je niet door dat je precies het standpunt van de Cubaanse regering overneemt?'

Meteen staan alle Chilenen in koor te brullen en naar ons te wijzen: '*Gusanos, gusanos!*'

Gusanos, 'aardwormen', is het scheldwoord dat wordt gebruikt bij volksdemonstraties van verwerping, *los actos de repudio*, die de Cubaanse autoriteiten volgens de traditie organiseren om publiekelijk de mensen in diskrediet te brengen die naar hun overtuiging bij een 'contrarevolutionaire' houding of actie betrokken zijn geweest. Verwerping is het equivalent van wat in de Middeleeuwen aan de schandpaal nagelen was.

Pedro ziet het tafereel zonder blikken of blozen aan. Hij sluit zich niet bij de meute aan, maar probeert zijn gasten ook niet tot de orde te roepen. Ten slotte realiseer ik me dat de Chilenen, die een paar dagen eerder Fidel zijn komen toejuichen, van tevoren hadden afgesproken ons in het nauw te drijven. Hopen ze dat we ons even heftig zullen verweren als zij ons uitschelden? Dat is vast en zeker wat ze verwachten.

Omdat ik mezelf verbied op de provocatie in te gaan en omdat ik bang ben voor de reactie van Jorge, die heethoofdig is en meer dan genoeg lef heeft, zelfs in zijn eentje tegenover tien anderen, geef ik aan dat we vertrekken. Ik wil niets met dit complot te maken hebben, ik wil niet worden meegesleept in de ruzie waar de Chilenen duidelijk op uit zijn.

Jorge gromt van woede. Ik pak hem ruw bij zijn hand. Met medewerking van Agnès sleur ik hem naar buiten, ver van de razende castristen uit het zestiende arrondissement.

Jorge belt Pedro een paar dagen later op.

'Zeg, vind je de manier waarop je ons laatst ontvangen hebt niet beneden alle peil? De mensen die jij hebt uitgenodigd hebben ons beledigd. Ze hebben zich afschuwelijk gedragen. Ze hebben Ili gekwetst. En
jij hebt ze hun gang laten gaan. Maar jij hebt ons verdomme gevraagd.
Je kon toch wel het lef hebben om te zorgen dat je gasten worden gerespecteerd. Dat is wel het minste!'

'Ach, weet je, de mensen die bij mij thuis komen, hebben zo hun eigen mening,' is het antwoord van Pedro. 'Zo zit het nu eenmaal, snap
je. Daar kan ik niets aan doen.'

Pedro heeft een Cubaan die ik ken in dienst als bouwvakker. Hij haalt
hem weleens met de auto op om hem naar het bouwterrein te brengen.
Op zekere dag vestigt hij, terwijl hij in de auto zit, de aandacht op de
gevels in een wijk in het zestiende arrondissement. En maakt zich dan
boos: 'Nee maar, kijk nou toch eens! Moet je al die kapitalisten eens
zien, al die luxe-uitgaven die ze zich veroorloven terwijl er zoveel armoede op de wereld is!'

Toch is zijn baas meer te benijden dan hij. Die woont in een rijke
buurt. Hij leest de gegoede burgers en de middenstanders die hem opdrachten verstrekken niet de les. Hij heeft relaties en een 'adresboekje'
van een heel ander niveau dan het zijne. Zijn schijnheilige praatjes ergeren de arbeider die mij de anekdote vertelt. De armoede van deze
man botst niet met het goede geweten van zijn baas, die hem slecht betaalt en ondanks de arbeidswetten geen bijdrage levert voor zijn sociale voorzieningen.

31

Generaal Pinochet laat zich in Londen op 9 oktober 1998 opereren aan een hernia. Er is een week verstreken. Op verzoek van een Spaanse rechter, Baltázar Garzón, wordt de vroegere Chileense dictator op 16 oktober onder huisarrest gesteld.

Sinds mei 1997 – ofwel een maand na de dood van mijn grootvader Mario de la Guardia op Cuba – stelt Garzón, die is aangegrepen door de klachten van de families van Spaanse staatsburgers die tijdens de dictatuur zijn verdwenen, een onderzoek in naar de duistere kanten van 'Operatie Condor'. Tegelijkertijd neemt rechter Manuel García Castellón de klachten in vooronderzoek die te maken hebben met de verdwijning in Chili van bijna honderd Spaanse staatsburgers tussen 1976 en 1983.

Britse politieagenten staan voortaan op wacht voor de deur van de kamer van Pinochet in de Londense kliniek. Het nieuws wekt sensatie, speciaal in Porto, Portugal, waar op hetzelfde moment een twintigtal staatshoofden bijeen is ter gelegenheid van de traditionele Iberisch-Amerikaanse top. Van hen is Fidel Castro niet degene die het minst verbaasd is. Hij staat versteld!

De journalisten die de topontmoeting volgen, leggen trouwens meer de nadruk op zijn verbijstering dan op zijn tevredenheid bij de gedachte dat een dictator op een dag voor zijn misdaden ter verantwoording kan worden geroepen voor een rechtbank.

Want de eerste reactie van El Líder Máximo is heel wat belangrijker dan het commentaar dat hij later zal geven. Deze reactie is spontaan. En bijna kinderlijk. Hij vergeet zich erover te verheugen dat het recht en de wet zegevieren. Wat hem intrigeert, zozeer dat hij de journalisten liever ondervraagt dan dat hij hun vragen beantwoordt, is hoe de arrestatie van Pinochet mogelijk is geweest.

Terwijl anderen over kwesties van recht discussiëren, zoals over het al dan niet gelden van de diplomatieke onschendbaarheid waarop het vroegere Chileense staatshoofd zich kan beroepen, vindt Fidel Castro het 'vreemd dat Pinochet in Londen is gearresteerd terwijl hij in de Falklandoorlog met Engeland had samengewerkt'. Hij verheugt zich niet over dit precedent, maar is ervoor beducht. Om zichzelf. Dat er recht geschiedt ondanks een bewezen dienst en ondanks de grenzen, is iets 'vreemds', iets onverwachts, iets wat hem volkomen boven de pet gaat.

In Parijs volg ik met veel belangstelling de wendingen die de zaak neemt, het verzoek om uitlevering van Spanje, het besluit van het House of Lords. Ook in Frankrijk zijn er klachten ingediend tegen Pinochet. Een van de advocaten van de aanklagers is mr. Serge Lewisch. Een gemeenschappelijke vriend brengt ons met elkaar in contact. Ik vertel hem wat de eerste woorden waren die er over mijn lippen kwamen toen ik kort tevoren hoorde wat er in Londen was gebeurd: 'Waarom Pinochet wel en Castro niet?'

Het moment is voor mij gekomen om te laten zien dat ik ben zoals mijn vader me in zijn afscheidsbrief had gevraagd te zijn. We staan met een paar mensen te roepen in de woestijn, en wat dan nog? We moeten het niet moe worden te wijzen op de waarheid, erop te wijzen dat andere dictators ook de draak steken met recht en rechtspraak.

Het is tijd om, profiterend van de doorbraak die rechter Garzón heeft bewerkstelligd, een grote slag te slaan. Door de beschuldigingen die werden aangevoerd tegen de mannen die op 13 juli 1989 ter dood werden gebracht, nu aan te voeren tegen de man die als enige de macht heeft om de illegale activiteiten op Cuba te organiseren en te verbergen. Ik wil dat Fidel Castro wordt berecht als degene die verantwoordelijk is voor de drugssmokkel die tot de dood van mijn vader heeft geleid.

Op 6 januari 1999 dien ik bij de deken van de rechtbank in Parijs als civiele partij een aanklacht in tegen Fidel Castro wegens 'vrijheidsberoving, marteling, moord en betrokkenheid bij internationale handel in verdovende middelen'.

Ook de Franse fotograaf Pierre Golendorf, die in 1971 werd gemarteld toen de affaire-Padilla losbarstte, en de Cubaanse schilder Lazaro Jordana, die is gearresteerd en gemarteld in 1982 en tot ballingschap is gedwongen, dienen op hun beurt een aanklacht in, deze keer wegens 'misdaden tegen de menselijkheid'.

De Associated Press krijgt als eerste lucht van deze gebeurtenis. De internationale pers geeft het nieuws meteen door. In de loop van de volgende drie dagen wordt me door vijfentwintig televisiezenders en een stuk of vijftig dagbladen om interviews gevraagd. Het is onmogelijk ze allemaal tevreden te stellen. Niets van wat ik in mijn ballingschap tussen 1991 en 1998 kon ondernemen, baarde zoveel opzien.

Eindelijk! Ik voel een ongewone opluchting. Het is een bevrijding. Ik denk aan mijn vader en mijn oom, aan de beslissing die ons, zijn familieleden en zijn vrienden, verenigt en die nog verder reikt. Want ik stel me voor wat een voorbeeld dit kan zijn voor mijn landgenoten. Je hoeft geweld niet met geweld te beantwoorden, onrecht niet met onrecht, en ongeduld niet met ongeduld. Het gaat hopeloos langzaam, maar er komt gerechtigheid.

In de loop van de interviews kan ik terugkomen op de onregelmatigheden en bedekte toespelingen in het proces-Ochoa. Ik kan de vele getuigenissen vermelden die het bewijs leveren dat de drugssmokkel op Cuba van veel eerder dateert dan de feiten die de krijgsraad de beschuldigden in de zomer van 1989 ten laste legde, en dat deze smokkel sindsdien straffeloos doorgaat.

De bezweringsformules van Havana tegen de drugssmokkelaars zijn een rookgordijn. Behalve Robert Vesco en Jaime Guillot-Lara zijn er nog vele andere drugshandelaren aan wie Cuba hulp heeft verleend of met wie Cuba heeft onderhandeld. Tijdens het proces had mijn vader zelfs het geval genoemd van een Colombiaanse drugssmokkelaar die zich beriep op de M19*, Ramiro Lucio Escobar. Maar aanklager Escalona had hem verboden hierop door te gaan.

* Noot v.d. vert.: Zie blz. 95.

Sinds 1989 stapelen de getuigenissen zich op. Men heeft het over Carlos Alonso Lucio, ook een Colombiaan, ook een vroegere guerrillero van de M19! Alonso, die betrokken was bij de illegale handel van het kartel van Cali, zou in september 1998 een schuilplaats hebben gevonden op het eiland.

In december 1998 neemt de Colombiaanse politie zeven ton cocaïne in beslag uit de containers van een vrachtschip dat voor anker ligt in de haven van Cartagena. De containers zijn bestemd voor een gemengd bedrijf dat op Cuba staat geregistreerd. Vanzelfsprekend zweert Fidel Castro dat hij nergens van af weet. Op 5 januari 1999 beschuldigt hij de leiders van het Cubaans-Spaanse bedrijf. De twee mannen, José Royo Llorca en José Anastasio Herrera Campos, reageren vanuit Valencia in Spanje. Ze staan perplex. Ze verklaren dat ze te goeder trouw zijn en menen dat Havana hen heeft bedrogen.

Mijn aanklacht gaat gepaard met een beschuldiging die de Franse autoriteiten niet lichtzinnig opzij kunnen schuiven. Een man die de achtergronden kent, heeft zich in Parijs bij me gevoegd. Juan Antonio Rodríguez Menier was agent van de Cubaanse geheime dienst tot hij deserteerde. Sinds 1987 houdt hij zich onder bescherming van de FBI schuil op een geheime plek. Hij heeft zijn ware identiteit verruild voor een valse naam. Nadat hij zich een jaar of twaalf heeft verscholen, verbreekt Menier het stilzwijgen. Hij spreekt duidelijke taal: de drugshandel waarin Cuba is verwikkeld, betreft niet alleen de Verenigde Staten, maar ook Spanje en Frankrijk. Bepaalde controles in de haven van Marseille zijn daarvan het bewijs. Menier heeft zijn beweringen bevestigd en ondertekend in een geschreven verklaring.

Behalve dat ik vraag om een herziening van het proces van mijn vader via het proces dat tegen Fidel Castro moet worden aangespannen, wil ik me nuttig maken voor mijn volk. Want waarom Pinochet uiteindelijk wel en Fidel Castro niet? Deze twee mannen hebben hun verlangen naar de absolute macht vóór de elementaire rechten laten gaan, de eerste door zich op de gevestigde orde te beroepen, de tweede op de revolutionaire orde. De eerste heeft echter een overgang teweeggebracht. Die is uitgelopen op zijn val, ook al had hij gemeend ongestraft te kunnen blijven en invloed te kunnen blijven uitoefenen op het leven in zijn land.

De tweede, die er al minstens een halve eeuw van overtuigd is dat hij over Cuba kan blijven regeren, verwerpt elk scenario waarin sprake is van een overgang. Fidel Castro behandelt de Cubanen als gijzelaars. Via mijn aanklacht eis ik gerechtigheid voor mijn vader, maar ook voor al mijn landgenoten die in de gevangenis zitten vanwege hun politieke, morele of godsdienstige overtuiging. Ik eis gerechtigheid en denk daarbij aan al mijn landgenoten die in zee zijn verdronken omdat ze hebben geprobeerd een regime te ontvluchten dat niet erkent dat ze het recht hebben iets te ondernemen of te denken, het recht te gaan en te komen en in vrijheid te leven.

Als er zich al een verandering zal voordoen, zal die van binnenuit komen, zoals dat het geval was bij de meeste landen van het vroegere sovjetblok. Gorbatsjov en Jeltsin behoorden in de Sovjet-Unie tot het communistische kringetje, net zoals Iliescu in Roemenië. Op Cuba scheelde het weinig of mensen als Arnaldo Ochoa en Tony de la Guardia hadden voor zo'n ommekeer gezorgd. Ze waren er mentaal toe bereid, maar er in politiek opzicht niet klaar voor.

De omvang van de zuiveringsactie waar het Cubaanse staatsapparaat kort na de executies van zomer 1989 mee te maken kreeg, wijst erop dat Fidel Castro had gemerkt dat veel van zijn medewerkers naar hervormingen overhelden. Het vooruitzicht de macht te moeten delen boezemt hem afschuw in.

El Líder Máximo was bang dat hij te maken zou krijgen met een regeringscrisis van hetzelfde soort als de crisis die communistisch China had lamgelegd tot het bloedbad van Tian'anmen, waartoe in de nacht van 3 op 4 juni 1989 onder druk van de conservatieve clan was bevolen door Deng Xiaoping, en hij had daar lering uit getrokken. Hij was liever op de zaak vooruitgelopen en had een voorbeeld gesteld. Ik kan me zo indenken wat hij op zondag 11 juni 1989, de dag voor de arrestaties, tegen zijn broer Raúl heeft gezegd: 'Liever vandaag dan morgen. Liever vier mannen fusilleren dan een menigte afslachten.'

Tot hun schade zijn de Cubanen het slachtoffer van een geniale tiran. Ze zullen alleen dan in staat zijn de greep te doen verslappen, wanneer ze voelen dat ze van buitenaf worden gesteund. Niet met behulp van deze of gene vreemde mogendheid, die wellicht inbreuk zal maken op de soevereiniteit van het land, maar met behulp van een onafhankelijke, neutrale autoriteit, hetzij een gerechtshof, hetzij de Verenigde Naties, of met steun van een solidariteitscampagne in de internationale opinie.

Wat zullen de gevolgen zijn van mijn aanklacht? Een civiele eis tot schadeloosstelling leidt automatisch tot het instellen van een gerechtelijk onderzoek. Het is aanhangig gemaakt bij rechter Hervé Stephan. Zijn beslissing valt op 26 februari. Die stemt me tot bitterheid.

De rechter heeft zich gevoegd naar het vooronderzoek van het parket. Hij heeft mijn aanklacht van de hand gewezen met als reden dat ik niet kon beweren zelf direct het slachtoffer te zijn geworden van de drugssmokkel – in feite is mijn vader degene die de clandestiene opdracht die zijn superieuren hem hadden gegeven met zijn leven heeft moeten bekopen. Anders gezegd, omdat ik slechts indirecte schade heb geleden, wordt mijn aanklacht niet-ontvankelijk verklaard. Een merkwaardige redenering... Als mijn zoon Antonio morgen door een wegpiraat wordt aangereden, zou mijn aanklacht dan van de hand worden gewezen met als voorwendsel dat ik niet het slachtoffer ben?

De laatste tijd worden gevoelige zaken die politieke turbulentie zouden kunnen wekken, aan rechter Stephan toevertrouwd. Hij moest een vooronderzoek instellen naar de omstreden omstandigheden waaronder prinses Diana op 31 augustus 1997 in Parijs was overleden. Mijn aanklacht heeft Fidel Castro gekwetst, maar ze komt het ministerie van Justitie in Parijs ook ongelegen. Zoals sommige journalisten hebben gemerkt, die van hun gesprekspartners bij het ministerie van Justitie wel erg lang van tevoren te horen kregen wat de rechter zou besluiten. Een raadsman van Élisabeth Guigou, de minister van Justitie, wordt ondervraagd door een reporter van de *Figaro* die zich erover verbaast dat het parket zelf niet besluit een onderzoek in te stellen na inzage van de talrijke getuigenissen die aan het dossier zijn toegevoegd, en antwoordt dan: 'Fidel Castro is een vriend van Frankrijk.' Kortom, Parijs onderhoudt zakenrelaties met Havana, veelbelovende relaties.

Waarom Pinochet wel en Castro niet? Een gevallen dictator vervolgen die aan alle kanten wordt uitgejouwd, heeft minder consequenties dan het vervolgen van een sympathieke dictator in functie.

Met het afwijzen van de aanklacht voelen de Franse autoriteiten zich niet verplicht naar Menier te luisteren. De strijd tegen de drugs is minder een prioriteit dan de goede verstandhouding tussen Parijs en Havana.

De Cubaanse overloper is alleen ondervraagd door de DST*, na rogatoire commissie van rechter Jean-Louis Bruguière die het dossier-Carlos in vooronderzoek neemt.

Menier verklaart namelijk dat de Venezolaanse terrorist – tegenover wie de nieuwe president van Venezuela, de ex-terrorist Hugo Chavéz, tegenwoordig openlijk blijk geeft van grote genegenheid – heeft geprofiteerd van de logistieke steun van Havana. Menier beweert dat hij Carlos heeft ontmoet toen hij logeerde in hotel Habana Libre. De ondervragers van de DST hebben echter de rechtsgeldigheid van zijn getuigenis in twijfel getrokken met de bewering dat hij nooit deel had uitgemaakt van geheime diensten, maar van het ministerie van Binnenlandse Zaken – toch zijn de meeste Cubaanse agenten afkomstig van het Minint! Maar staatsraison geeft verplichtingen, Frankrijk wenst de eventuele band tussen Carlos en Fidel Castro niet nader te bekijken – zoals ook Spanje, dat met Frankrijk strijdt voor het opheffen van het Amerikaanse embargo, niet van plan is onderzoek te doen naar het netwerk van de terreurorganisatie ETA op Cuba...

Nadat we in beroep zijn gegaan en onze eis ongegrond is verklaard, stellen we beroep in cassatie in. Weer geen succes, wat mijn advocaat niet bovenmatig verbaast, gezien het politieke en diplomatieke belang van deze affaire. Door de onbevoegdheid en de niet-ontvankelijkheid nogmaals te bevestigen markeert het Hof met deze beslissing volgens hem een ongewone wending. Want de vaste jurisprudentie laat toe dat directe erfgenamen een aanklacht kunnen indienen wegens schade die ze persoonlijk hebben ondervonden.

Wees worden na een onrechtmatig proces waarin betrokkenheid op het hoogste niveau bij drugssmokkel wordt gesuggereerd, waarvan vertakkingen zich uitstrekken tot op Frans grondgebied, is dat geen schade die ik persoonlijk ondervind?

Sindsdien hebben we de zaak voor het Europese Hof voor de Men-

---

* Noot v.d. vert.: Direction de la Surveillance du Territoire: Franse spionagedienst.

senrechten gebracht dat in Straatsburg zetelt. Ik hoop dat er gevolg wordt gegeven aan de aanklacht, dat die aanleiding zal geven tot een vooronderzoek en zal uitlopen op een rechtmatig proces. Het is misschien een dwaze hoop, maar mocht het mislukken, dan zal ik er geen spijt van hebben het te hebben geprobeerd. Voor de eer van mijn vader, Tony de la Guardia.

Hij was geen heilige, maar hij was niet de man die Castro beweerde dat hij was. Zowel voor hem als voor de anderen zal de waarheid haar weg vinden. En ik heb mijn best gedaan om die weg te banen. Niet door 'het systeem' of 'het apparaat' de schuld te geven, maar door mijn kritiek te richten op zijn kwade genius. Vroeg of laat zal Fidel Castro worden gemaand om uitleg te geven: als het niet voor de rechter is, dan toch ten minste voor zijn volk.

32

Mijn vader is geen ideoloog. Hij heeft geen politieke ambitie. Net als zijn tweelingbroer Patricio houdt hij van de schone kunsten, van zeilen, vissen en jagen. Hij is een zoon van de Cubaanse bourgeoisie en als zodanig wordt hij benijd, maar hij is niet conservatief. Hij is verontwaardigd over de raciale ongelijkheid en discriminatie waarvan hij in zijn land getuige is. Als kind wil hij graag dat er in Miramar negerjongens bij hem thuis komen, de zoons van een werkster.

Hij hecht veel belang aan vrijheid en risico's. Hij is een man van de daad die soms terugverlangt naar het avontuurlijke leven dat hij en Patricio vroeger hebben geleid in hun mooie huis in Havana, La Comuna – een huis dat ze op verzoek van Fidel Castro aan diens vriendin Celia Sánchez hebben afgestaan.

Aan de universiteit van Havana gaan Tony en Patricio vlak na de Revolutie minder met de docenten om dan met de studenten. Ze zijn 's middags vaak op de Vedado Tennisclub. Ze hebben nog geen beroep gekozen. Hun ouders zijn bemiddeld genoeg om daar nog even mee te kunnen wachten.

Een onconventionele levenswijze en verbeeldingskracht, daar genieten ze het meest van. Ze zetten zich op hun eigen manier in voor de Revolutie. Door het zomercarnaval in 1960 voor te bereiden. Met hun neef Ibrahim (die algauw naar Miami zal vluchten) organiseren ze de verkiezing van de carnavalskoningin.

Later werken ze voor het ministerie van Visserij. Er wordt hun gevraagd de eerste visserscoöperaties op te zetten. Ibrahim trekt zich ten slotte terug. Hij heeft er genoeg van vrijwilligerswerk te doen. Dat geldt niet voor Tony en Patricio, die deze voorwaarde accepteren.

Ze zijn avontuurlijk aangelegd. Ze zijn idealistisch in hun streven naar een egalitaire, rechtvaardige maatschappij. Ze raken opgewonden van de gedachte zich in de kringen van de macht te bewegen. Vanuit deze drie drijfveren sluit de tweeling zich aan bij de Revolutie, een aansluiting die vaste vorm aanneemt vanaf de dag waarop ze worden opgemerkt door Fidel Castro, onder omstandigheden die hun karaktertrekken uitstekend illustreren, de karaktertrekken van mannen van de daad en de droom.

Juli 1962. De voorzitter van de universitaire bond Rolando Cubela besluit een nieuw universitair team te formeren ter gelegenheid van de roeiwedstrijden die elke zomer in Varadero plaatsvinden. Volgens de traditie een mondaine manifestatie, die door de Revolutie bijna in gevaar was gebracht.

De boot van de universiteit, de Caribe, is een vier. Cubela werft drie roeiers aan: Rumbau en de tweelingbroers Tony en Patricio de la Guardia. Het vertreksein wordt gegeven in aanwezigheid van Fidel Castro, voorzitter Oswaldo Dorticós en vertegenwoordigers van de ministeries. Onder de concurrenten is een boot waarop de hoop van de Opperbevelhebber is gevestigd: de bemanning van El Tigre bestaat uit vissers, uit proletariërs.

Fidel Castro moedigt hen luidkeels aan. Hij is aan boord van een motorboot gesprongen die in het kielzog van El Tigre vaart om de vissers toe te spreken. Bij de finish barst er een discussie los. Heeft Fidel te vroeg gejuicht dat ze van de Caribe hebben gewonnen? De scheidsrechters zijn het er niet over eens. Volgens sommigen is El Tigre als eerste over de finish gegaan. Anderen houden vol dat het de Caribe was.

Cubela wordt kwaad. Hij geeft Fidel de schuld: 'Je bent een valsspeler, en zo kan het niet langer. Wij hebben gewonnen. De jury moet ons de beker overhandigen die de winnaars toekomt.'

De bewaking staat perplex van de strijdlustigheid van Cubela. Maar voor Fidel is er geen sprake van dat hij zou toegeven dat die arrogante burgerlijke universiteitslui zouden hebben gewonnen. Hij vaart uit tegen Cubela: 'Jullie zijn waardeloze figuren! Jullie zijn slechte verliezers!

Jullie hebben geroeid als markiezen van de Vedado Tennisclub!'

De houding van de bemanning van El Tigre en van Carbonel, hun trainer, suggereert dat ze Cubela gelijk geven. Ze houden zich op de achtergrond bij het schandaal. Ze blijven op een afstand. Ze willen niet op de foto.

Het verhaal gaat dat beide partijen ervan afzagen ruzie te maken om de trofee en dat ze hun terugkeer naar fair play bezegelden aan dezelfde tafel, de tafel van Fidel Castro. En deze zal bij die gelegenheid kennismaken met de atleten Tony en Patricio. Ik stel me voor dat ze gecharmeerd waren van de aanblik van Fidel die in geestdrift ontsteekt. Een dag tevoren konden de tweelingbroers nog in de verste verte niet vermoeden dat hun sportprestatie hem zou irriteren en hen uiteindelijk in zijn ogen zou onderscheiden. Toch besloot Fidel hen vanaf die dag carrière te laten maken. Hij vroeg hun eerst de kustwachten te laten profiteren van hun vaartalenten. Maar bij het ministerie van Buitenlandse Zaken zetten ze hun eerste (en laatste) stappen in het kantoorleven, Tony bij het Protocol en Patricio bij het departement Perscontacten. In dat kader maakten ze de 'rakettenaffaire' mee. Op 22 oktober 1962 maakte president Kennedy het ultimatum bekend waarbij hij er bij Moskou op aandrong de raketbases te ontmantelen die sinds de zomer op Cuba waren geïnstalleerd – over dit terugtrekken werd onderhandeld met Nikita Chroesjtsjov, die daarvoor toestemming gaf zonder dat hij er Fidel Castro ook maar van op de hoogte had gesteld.

Na tien maanden op het ministerie werden de tweelingbroers De la Guardia in het tweede trimester van 1963 door de Opperbevelhebber gevraagd de Speciale Troepen te trainen...

Door zich op die manier aan te sluiten bij de 'Vader van de Revolutie' strelen Tony en Patricio de gevoelens van hun vader. Dat is niet ondubbelzinnig. Hun houding is ook een manier om hun familie te beschermen. Het huis dat anderen zouden hebben moeten delen, blijft van hen. De familie De la Guardia behoudt privileges. Bijvoorbeeld een ontheffing voor verboden die voor anderen wel gelden. Vooral dit is voor de tweeling de roes van de macht. Het feit dat zij een uitzondering kunnen zijn.

Amerikaanse muziek wordt niet geaccepteerd op Cuba? 'Doe wat ik zeg, en niet wat ik doe.' In hun auto luistert de tweeling naar de Mama's and the Papa's, naar Elvis Presley, The Beatles en The Rolling Stones. Deze Amerikaanse cultuur hebben ze zich eigen gemaakt tijdens hun verblijf in de Verenigde Staten vóór de Revolutie.

Tony de la Guardia heeft nooit burgers aangevallen. Hij neemt voorzover ik weet geen deel aan het verdrijven van de vijand uit de maquis van het Escambraygebied, waar tot 1965 de boeren die vijandig stonden tegenover de landbouwhervorming en die 'contrarevolutionairen' en *bandidos* werden genoemd, in botsing komen met de 'speciale bataljons' en de milities.

Hij is een soldaat die zich beweegt in de context van de Koude Oorlog. Ik betreur het dat hij in een autoritair en tiranniek regime moest dienen. Maar hij treedt niet op ter versterking van de binnenlandse repressie. Hij doet geen contraspionage. Hij jaagt niet op dissidenten. Hij heeft minachting voor de spionnen die een sectie van het Minint beslaan en voor alle verklikkers in het algemeen, de *chivatos*.

'Ik ben geen heilige,' schrijft Patricio in een brief die dateert van oktober 1991, 'want in ons werk was er jammer genoeg geen plaats voor heiligen. Maar jullie moeten weten dat ik evenmin een gemene crimineel en dief ben, zoals ik tijdens het proces werd afgeschilderd.'

Tony en Patricio treden naar buiten toe. Toch bewegen ze zich tussen de radertjes van een apparaat dat bestemd is voor repressie. Over Villa Marista horen ze lang voordat ze er op een dag worden opgesloten en geestelijk gemarteld. Het is waar: ze houden hun mond, ze veranderen de dingen binnen het land niet. Ze willen het wel, maar ze treden niet handelend op in die richting. Ze verlaten het Minint niet. Ze vinden het voldoende hun kritische geest te behouden, terwijl ze altijd onvriendelijk bejegend zullen worden door sommige communisten die zich ergeren aan hun afkomst en hun burgerlijke comfort. Ze denken dat deze kritische geest bij hen hoort. Ze laten hun waakzaamheid verslappen. In feite wordt die kritische geest slechts getolereerd. Tot de dag waarop Fidel Castro besluit zich tegen hen te keren.

Ik weet niet of de tweelingbroers van oorlog houden, maar ik voel dat ze worden aangetrokken door wapens, door gevaarlijke situaties. Gevaar prikkelt hen. Ze laten zich erop voorstaan dat ze ieder bijna honderd parachuutsprongen hebben gemaakt. Ze zijn de hele tijd op manoeuvre. Zelfs tijdens de vakantie. Ze zijn niet van plan met hun kinderen rustig in een hotel te gaan zitten.

De vakantie brengen ze liever op een boot door. Als kind moet ik het water in om met een harpoen met ze te gaan vissen. Er vinden voortdurend incidenten plaats. Op een dag blijkt de boot vermolmd te zijn. Een andere keer is er een wervelstorm op komst. De dagelijkse kost is Spartaans: zoet water, vis en conserven; de blikjes cornedbeef raak ik liever niet aan. De enige keer dat mijn vader me voor een rustige vakantie heeft uitgenodigd, was in 1985 in Varadero. Toen was ik twintig.

Tony is een bevoorrecht man. Hij maakt gebruik van zijn positie en laat er zijn eigen familie zoveel mogelijk van profiteren. Sommige mensen moesten hem zo nodig beschrijven als een nachtclubganger. In werkelijkheid gaat hij weinig uit. Hij loopt niet de kroegen of de feestjes af. Als je hem bij de Tropicana of in Hotel Riviera of ook wel aan tafel treft in het gewilde restaurant El Tocororo, is hij in gezelschap van 'zakenrelaties' die gewoonlijk naar zulke plaatsen worden meegenomen.

Ik heb hem weleens horen klagen dat hij zo vaak buitenshuis moest zijn. Hij bleef liever thuis om te schilderen, vrienden of familie te ontvangen. Hij ging 's avonds weleens met zijn vrouw naar een balletvoorstelling. Die worden in twee theaters in Havana regelmatig gegeven.

Mijn vader las buitenlandse kranten: de *Washington Post*, de *New York Times*, speciaal de weekendedities met hun bijlagen. Hij bladerde tijdschriften door voordat hij ze aan zijn vader gaf: *Newsweek*, maar ook *Paris-Match* en *Ola*. Hij koos boeken uit. Bij voorkeur spionageromans (John Le Carré), politieke essays en autobiografieën van internationale persoonlijkheden. Hij vertelde me over *L'Orchestre rouge* van Gilles Perrault. Ik verdenk hem ervan dat hij de roman van Norman Mailer over de CIA heeft gelezen.

Eén boek vindt hij erg ontroerend: *Jonathan Seagull*. De schrijver, de Amerikaan Richard Bach, lijkt op hem. Het is ook een man van de daad, een man van het gevaar. Een vroegere piloot van de US Air Force, die erin had berust als broodwinning nieuwsgierige mensen door de lucht te vervoeren. In zijn verloren uurtjes had hij een pretentieloos verhaal geschreven, of liever gezegd een fabel die was geïnspireerd op zijn overpeinzingen op grote hoogte.

Alleen een kleine uitgever in New York had het willen publiceren. Dat was in 1970. Intussen was hij gedwongen zijn oude tweedekker te verkopen. Terwijl hij op straat stond, had de uitgever hem per telefoon verteld dat het boek ten slotte een enorm succes was geworden en dat hij voortaan rijk was.

Ik herinner me dat mijn vader me *Jonathan* cadeau deed. Ik was zeventien. Hij wilde zijn ontroering graag met me delen, maar ook zijn wereldbeeld. Net als de zeemeeuw Jonathan voelde hij de behoefte zijn grenzen steeds verder te verleggen, voorbij de grenzen die gewoonlijk gerespecteerd worden, de grenzen die de gemeenschap voor eens en altijd heeft vastgelegd. Net als de zeemeeuw zal hij zich door de gemeenschap in de steek gelaten voelen vanaf de dag waarop hij zijn grenzen heeft overschreden. En net als de held uit de fabel zal hij zijn best doen om volgelingen te krijgen, hun te laten zien dat ook zij hoger en sneller kunnen vliegen en daarbij zelfs over onvermoede krachten en capaciteiten kunnen beschikken.

Ik heb *Jonathan Seagull* aan Jorge doorgegeven op een dag dat ik met hem had gesproken over de bekoring die dit boek voor mijn vader had. Jorge las het en gaf het me terug met de woorden: 'Ik heb nog nooit zo'n volstrekt anticommunistisch boek gelezen!'

Het was een sobere man. Een glas whisky 's avonds wanneer hij thuiskwam, meer niet. Tony rookte niet. Hij weigerde zelfs een sigaar. Weliswaar was hij geneigd zich met een zekere elegantie te kleden. Dat kwam door zijn artistieke karakter. Na de Revolutie had hij zijn gewoonten niet opgegeven. Ontegenzeggelijk een voorrecht. Wanneer hij probeerde zich goed te kleden, koos hij een goede spijkerbroek en een mooi overhemd. Hij voelde niet de behoefte te schitteren door te koop te lopen met een of ander prestigieus merk. Hij was ongevoelig voor snobisme. Wanneer hij eenmaal thuis was, wilde hij zo snel mogelijk een eenvoudig short met een T-shirt aantrekken, en zijn touwsandalen. Dan voelde hij zich beter op zijn gemak om zijn schilderijen te maken.

Maar dan slaat de vermoeidheid toe. En de lusteloosheid. Angola laat een bittere nasmaak achter. Om te rechtvaardigen dat hij het Cubaanse expeditieleger stuurde, had Fidel Castro over een bevrijdingsleger gesproken. Het was een interventieleger geworden, in dienst van de ene partij tegen de andere. In een heel rijk land te midden van een bevolking die heel arm is gebleven. Een land dat in werkelijkheid wordt verscheurd door tegenstellingen die meer van etnische dan van ideologische aard zijn, en door de hebzucht van beide partijen. Jonas Savimbi vertegenwoordigt het Ovimbudu-volk. De chef van de Unita is van de marxistische partij. Dat weerhoudt hem er niet van steun te zoeken bij het apartheidsregime van Zuid-Afrika. De controle over de macht rechtvaardigt alles, in beide kampen.

Op den duur hebben mijn vader en mijn oom ten aanzien van Angola een ander standpunt ingenomen. Het was geen dekolonisatieoorlog meer, maar een burgeroorlog, waarin duizenden Cubaanse soldaten het leven hadden gelaten of waaruit ze verminkt waren teruggekeerd, maar waarbij een dekmantel alle misbruik rechtvaardigde: gedwongen rekruteringen, smokkel, gemarchandeer, enzovoort. De Angolezen accepteerden de aanwezigheid van de Cubaanse troepen steeds minder.

Bovendien konden Tony en Patricio niet langer tegen de officiële praatjes van Havana. Op een dag dat Fidel Castro had gesproken over tweeduizend doden onder de Cubaanse soldaten was Patricio kwaad geworden: 'Welnee, het zijn er veel meer!'

Wanneer ik op een dag in november 1988 een ontmoeting heb met mijn oom Patricio, die Luanda heeft verlaten om twee weken vakantie te houden op Cuba, leg ik hem een gewetenszaak voor.

Ik werk als psychologe in het Hermanos-Almeida-ziekenhuis, waar ik in september 1988 ben begonnen, en heb een paar weken geleden merkwaardige manipulaties ontdekt. In het ziekenhuis worden Cubanen en buitenlandse onderdanen opgenomen. Het wordt op duistere wijze geleid door dokter Hilda Molina, die aan het hoofd staat van het Transplantatiecentrum en arts is van Fidel Castro. Terwijl artsen zich hadden verzet tegen ingrepen die zij hun met betrekking tot deze of gene patiënt had voorgesteld, zijn ze erachter gekomen dat Molina toch had doorgezet. Ik merk dat medische dossiers doodgewoon zijn verdwenen.

Ik leg Patricio uit wat mijn positie is. Kan ik nog langer mijn ogen sluiten voor zulke overtredingen van de medische ethiek? Dat lukt me niet. Als ik de aandacht op deze zaak vestig, zullen er onmiddellijk represailles volgen. Ik zal ergens anders geen werk meer vinden. Ik heb dus geen andere keus dan het Hermanos-Almeida te verlaten.

Patricio maakt bezwaar.

'Dat kan niet. Je gaat niet weg! Je moet proberen de dingen te veranderen. Jij moet een vergadering op touw zetten. Hoor eens, het is al lang genoeg zo dat mensen in dit land hun mond houden, dat ze de zaken op hun beloop laten! Je rapporteert wat je hebt ontdekt: de weggemoffelde dossiers, de patiënt die tegen zijn zin is geopereerd, de patiënt die is gechanteerd, de man die is geopereerd op voorwaarde dat hij in dollars betaalde.'

Eigenlijk heeft Patricio gelijk. Dat weet ik maar al te goed. Maar als ik zijn suggestie had opgevolgd, was ik meteen kapotgemaakt. Later zou ik aan alle kanten zijn tegengewerkt. Ik zou alles zijn kwijtgeraakt. Wat Patricio op dat moment niet doorheeft en ik voortdurend voel, is de onderdrukking waar ik mee te maken heb, ik en alle mensen 'van onderaan'. Hier bestaat niet de geringste hoop op een vruchtbare krachtsverhouding. Ik ben me bewust van mijn zwakheid. Daar waar hij lafheid zou vermoeden, zie ik gezond verstand en voorzichtigheid. Hij kan onderdrukking en zwakheid niet waarnemen omdat hij een leider is.

Hij is een generaal die het bevel voert over anderen. Hij wordt gerespecteerd door zijn gelijken. Hij wordt gewaardeerd door hogere sovjetofficieren. Hij voelt zich sterk. Hij heeft een gevoel van onschendbaarheid. Niemand kan iets tegen hem beginnen. In het ergste geval, als hij in ongenade zou vallen, denkt hij dat hij tot het 'pyjamaplan' zou worden veroordeeld, tot een vervroegd pensioen.

Ook al is hij zich die dag bewust van de noodzaak om dingen te veranderen, hij stuit niet zoals ik in het dagelijks leven op grenzen, op argwaan, op plagerijen en intimidatie. Net als mijn vader, die me graag voor mijn twintigste verjaardag zijn MG cadeau wilde doen, totdat mijn grootvader hem had laten zien welk gevaar zijn dochter zou lopen door zich achter het stuur van een al te mooie auto voor bevoorrechten te vertonen, leeft Patricio in een omgeving waar dat soort risico's niet bestaan. Hij heeft een heldere kijk op de aard van het regime, maar niet op de beperking van zijn macht binnen dat regime.

Wanneer ik vertwijfeld reageer, doet Patricio er nog een schepje bovenop: 'De dingen worden al lang genoeg verzwegen in dit land. Dat het allemaal verkeerd gaat, komt doordat niemand iets durft te zeggen. Ik heb bijvoorbeeld vanavond een gesprek met Fidel Castro. Nou, geloof maar dat ik van plan ben hem te vertellen wat ik denk, dat het nergens meer op slaat om de hulptroepen te zijn van de MPLA* van Dos Santos, dat het Cubaanse leger door de Angolezen als een bezettingsleger wordt beschouwd, dat haast moet worden gemaakt met het terugtrekken van de troepen... Pech gehad als hij boos wordt!'

De avond waarop Patricio heeft besloten Fidel te trotseren om hem waarheden te vertellen die niet in de smaak zullen vallen, voelt hij zich namelijk sterk. Doordat hij lange tijd een levenswijze en een kijk op de dingen heeft gehad die zo veraf stonden van die van de goede communist, is hij er ten slotte van overtuigd geraakt dat hij nog verder kan gaan. Hij voelt zich in staat om van een miniem verschil van mening, zoals wel of niet van Amerikaanse muziek houden, op een ronduit tegenstrijdige mening over te gaan, zoals een beschrijving geven van de werkelijke situatie in Angola – ook al zou hij daarmee het ego van Fidel Castro kwetsen.

Wanneer ik Patricio na zijn ontmoeting met de Opperbevelhebber weerzie, heeft hij me niets anders te zeggen dan deze paar woorden: 'Ja, het is gegaan zoals ik had gezegd: hij is verschrikkelijk kwaad geworden.'

En ik dring niet op een vergadering aan. Ik deel het ziekenhuis mee dat ik van plan ben een andere functie te zoeken. Ze vragen me waarom. Ik leg uit dat ik een gezondheidsprobleem heb waardoor ik mijn taak tegenover de patiënten niet kan voortzetten. Trouwens, ik meld me ziek vanaf december 1988. Ik zal in het Hermanos-Almeida-ziekenhuis nooit meer een voet zetten.

In die tijd heeft mijn vader al niet meer dezelfde zelfverzekerdheid en hetzelfde gevoel van onschendbaarheid als zijn broer Patricio. Hij weet al minstens een paar maanden dat hij onder verscherpt toezicht is ge-

* Noot v.d. vert.: Movimento Popular para a Libertação de Angola (Volksbeweging voor de Bevrijding van Angola).

steld. Hij wordt bespied door de *técnica*. Thuis vraagt hij me voortaan, zodra we over iets anders moeten praten dan over koetjes en kalfjes, om naar de tuin te komen, waar de microfoons gemakkelijker zijn op te sporen.

Voor de eerste keer heb ik hem, terwijl hij niet vermoedde dat ik in het vertrek ernaast was, aan de telefoon boos horen worden. Tegen degene met wie hij sprak, van wie ik sterk het vermoeden heb dat het Alcibiade Hidalgo was, de adjunct van Raúl Castro, had hij geroepen: 'Is hij soms gek geworden! Je gaat toch niet een deel van het nationaal grondgebied verkopen! Dat is in strijd met de grondwet!'

Mijn vader werkt onder hoogspanning. Zijn moeheid wordt vanaf 1988 steeds duidelijker. Ik stel me voor dat hij niet meer tegen de herhaalde illegale acties kan die hem tot april 1989 steeds maar weer met nadruk worden opgedragen. Hij heeft er spijt van dat hij de eerste opdracht heeft geaccepteerd. Eén en vervolgens twee en dan drie... Het is al te laat. Je verleent je medewerking aan één operatie, en je bent al gecompromitteerd en de zondebok bij alle andere operaties. Hij kan uiteindelijk verbrijzeld worden in dit raderwerk. Voelt hij dit aankomen?

Zeer beslist, want hij overweegt te vluchten. De eerste keer in 1988, als hij in Spanje is. Maar hij bedenkt zich. Hij kan er niet toe besluiten zijn familie in de steek te laten en aan represailles bloot te stellen.

Twee weken voor de arrestaties komt hij met een half woord op het plan terug. Op zondag 28 mei beseft de minister van Vervoer, Diocles Torralba, niet dat twee van de drie hogere officieren die hij voor een diner in zijn villa heeft uitgenodigd op 13 juli zullen worden gefusilleerd: Arnaldo Ochoa en zijn eigen schoonzoon, Tony de la Guardia. De derde gast is generaal Patricio de la Guardia.

Torralba realiseert zich niet dat Raúl Castro de dag tevoren de opdracht heeft gegeven het huis vanbinnen en vanbuiten vol te stoppen met afluistersystemen en dat hij in de nacht van 12 op 13 juni zal worden gearresteerd, tegelijkertijd met de anderen.

Op zijn patio praat Diocles met Tony over de desertie van luchtmachtgeneraal Rafael del Pino, precies twee jaar daarvoor. Majoor Florentino Azpillaga is ook gevlucht. 'Dat is misschien het beste wat je doen kunt,' geven ze beiden toe. De Verenigde Staten reiken hun de hand. Ochoa is het met hen eens en betreurt het dat zijn soldaten, de Angola-veteranen, zo slecht worden ontvangen als ze naar hun land terugkeren. Ze missen financiële steun. Ze worden 'als een honkbal heen en weer geworpen'.

De tweeling heeft altijd graag geschilderd. Ieder in zijn eigen stijl. In het begin waagt Tony zich aan abstracte schilderijen. Daarna richt hij zich – onder revolutionaire invloed? – op de figuratieve, naïeve kunst. Terwijl Patricio trouw blijft aan zijn minutieuze, precieze stijl, aan zijn droomachtige beelden, waarin het vreemde, de magie, en het extatische, meditatieve met elkaar wedijveren. Mijn oom legt de nadruk op portretten. Maar hij schetst ook ranke zeilschepen met volle zeilen die met hun boeg de golven doorklieven. En ook wel betoverende vrouwen en trotse paarden.

En mijn vader schildert eerst fresco's met plaatselijke flora en fauna. Van taferelen met dieren gaat hij over op landschappen. Met mensen erin. Hij besteedt veel aandacht aan de elementen: de lucht, de zee en de aarde. En aan contrasten in kleur en reliëf. Vaak schildert hij bergen, met groene, bebosde hellingen. Op de zee zijn vissersbootjes te zien. Op de voorgrond zie je huizen met hun bewoners. Deze laatste zijn, net als hij, ergens mee bezig. Er zijn geen mensen die niets doen. De vrouwen dragen een mand met vruchten op hun hoofd. De mannen zwaaien met een kapmes. Kinderen begroeten de vissers. Op de gevels van de huizen of de bovenkant van de deuren is een merkwaardige reclame te lezen. Daar staan regelmatig kreten als 'CDR'* of 'Viva Fidel'. Het ademt allemaal zorgeloosheid en kalmte uit. Op een enkel detail na schildert Tony alle deuren en ramen van de huizen zwart. Zwart in de zon. Je kunt onmogelijk raden wat er zich binnen afspeelt. Je kunt onmogelijk de geheimen doorgronden die daarachter schuilgaan.

Er is een dubbelhartigheid in het landschap. Zijn huizen zijn aan de buitenkant politiek correct, maar vanbinnen hermetisch afgesloten. Onvermoeibaar herhaalt Tony het procédé waarin zijn tegenstrijdigheid zo goed wordt vervat. Aan 'de buitenkant' van de laatste brief die hij me heeft geschreven voordat hij terecht werd gesteld, staat de slo-

* Noot v.d. vert.: Comité de Defensa de la Revolución: Comité ter Verdediging van de Revolutie.

gan die op de gevel geschilderd kan worden: 'Ik geloof niet dat er veel revolutionairen zullen zijn zoals jij.' Aan 'de binnenkant' staat wat verborgen moet blijven: 'Ik vraag je alleen altijd trots te blijven op je vader.'

Tegen het eind van zijn leven verandert er iets, en helemaal in de laatste maanden. Tot voor kort schilderde hij een blauwe lucht, de lucht zoals je die op Cuba ziet: een heldere lucht. En dan begint hij die donkerder te maken, steeds meer te verduisteren. Iets of iemand is bezig hem te verraden. Het is niet meer de lucht van Cuba, maar de lucht van de hel.

Laat me je vertellen, pap, dat ik dit boek heb geschreven om je weer voor me te zien onder de blauwe lucht die van jou was, de lucht die Jorge en ik nu nog voor onze ogen hebben in onze woning in Miami, en waar je kleinzoon Antonio soms naar kijkt, die op 5 september 1997 is geboren in Parijs, in het veertiende arrondissement.

Zoals jij dat voor mij had gedaan, hebben wij hem laten dopen. In de Saint-Séverinkerk. Je oudste broer Mario is van Atlanta naar Parijs gekomen. Hij is de peter van onze zoon. Zijn dochter, Hilda Maria, is de meter. Ken je de Saint-Séverin? Dat is die kerk in het Quartier Latin waar jij met Patricio op de foto bent gezet. Op een dag in juni 1988. Op dat moment had je de grens nog niet bereikt. Je kende me niet echt.

Nu denk ik, nu ik jou beter meen te kennen, dat ik je in de eer kan herstellen die je toekomt.

DANKBETUIGING

Enige jaren geleden was ik politiek vluchteling in Frankrijk en probeerde ik het verleden van mijn vader op te helderen, mijn herinneringen te ordenen en de belangrijkste gebeurtenissen uit mijn leven voor en na de ballingschap nog eens na te gaan. Ik kon me destijds nog lang niet voorstellen dat dit nog eens materiaal voor een boek zou zijn. De weerklank die het indienen van mijn aanklacht tegen Fidel Castro in de publieke opinie zou vinden heeft me ervan overtuigd verder te gaan en het plan nam vaste vorm aan in de loop van 1999. Ik wil graag uit het diepst van mijn hart mijn dank betuigen aan de mensen die dit mogelijk hebben gemaakt en die het in de loop der tijd hebben gesteund. Dat *De naam van mijn vader* heeft kunnen verschijnen is voor een groot deel aan deze mensen te danken: Jorge Masetti, mijn man, die ondanks de valstrikken en voetangels samen met mij op zoek is gegaan naar de waarheid;

Serge Lewisch, mijn advocaat in Parijs, wiens menselijkheid, moed en koelbloedigheid in de doolhof waar recht en staatsraison met elkaar in botsing komen me de kracht hebben gegeven dit boek te schrijven;

Philippe Delaroche, de vriend die oog heeft gehad voor mijn beproevingen, mijn verdriet, mijn gedachten en de tegenspoed van ons Cuba, en wiens talent me dierbaar is geweest;

Elizabeth Burgos, Régis Debray en Laurence Debray, ons eerste echte gastgezin tijdens de ballingschap, het gezin dat ons in Sevilla en daarna in Parijs heeft opgevangen;

Pierre Baraccabal, onze grote vriend, wiens levensvreugde, gevoel voor humor en welwillendheid een constante troost waren;

Octavio Alberola en Ariane Gransac, die ons iets hebben gegeven van hun vrijheidsliefde, hun moed en hun respect voor eerlijk en oprecht denken;

Randa Sabagge, de Libanese vriendin die ons meteen begreep en nooit in gebreke is gebleven;

Edwy Plenel, de eerste journalist die met ons sprak in Sevilla en blijk gaf van solidariteit, trouw en rechtvaardigheid;

Jean-François Fogel, die zich bij ons heeft aangesloten in de vrijlatingscampagne voor mijn oom Patricio de la Guardia;

Michel Lebrun, de vriend die altijd beschikbaar, hartelijk en grootmoedig was;

Agnès Bozon-Verduraz, van wier vertrouwen, humor en scherpzinnigheid in het analyseren van situaties ik heb genoten;

Véronique en Bruno Falvy, voor hun vriendschap en hun warme onthaal;

Anita en Pierre Chevalier voor hun grote solidariteit.

En ten slotte zou ik de vriendinnen willen bedanken die licht hebben gegeven aan 'mijn Agnès B.-jaren' in Parijs. Anto, Emmanuelle, Anne, Jasmin, Vista, Laure en Hélène hebben allemaal begrip gehad voor mijn situatie. Ze hebben me allen met zorg omringd. Ze hebben me allen geholpen om me staande te houden. Zoiets vergeet je niet.